Eines unserer Autos am Gilf Kebir

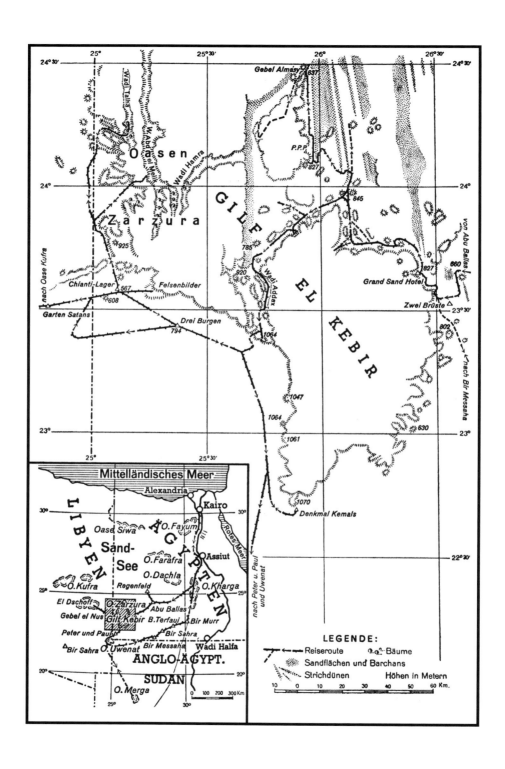

24° 30′   25°   25° 30′   26°   26° 30′   24° 30′

Gebel Almásy   637

Oasen

P.P.P.
827

Wadi Talh
Wadi Abd el Melik
Wadi Hamra

24°   24°

845

Zarzura

GILF

925   785

920   Wadi Addax

von Abu Ballas
827   860

nach Oase Kufra

Chianti-Lager   567   Felsenbilder

Grand Sand Hotel

608

Garten Satans   Drei Burgen

EL   KEBIR

Zwei Brüste   23° 30′

794

1064   802

nach Bir Messaha

1047

1064   630

23°   23°
1061

1070

Denkmal Kemals

22° 30′

Mittelländisches Meer

Alexandria

Kairo

30°   LIBYEN   Oase Siwa   O.Fayum   30°

Sand-
See   O.Farafra   Assiut

O.Dachla

25°   O.Kufra   Regenfeld   O.Kharga   25°

El Dscholf   O.Zarzura   Abu Ballas

Gebel el Nus   Gilf Kebir   B.Terfaui   Bir Murr

Peter und Paul   Bir Sahra

Bir Sahra   O.Uwenat   Bir Messaha   Wadi Halfa

ANGLO-ÄGYPT.

20°   **SUDAN**   20°

O. Merga

25°   30°

0   100   200   300 Km

nach Peter u. Paul
und Uwenat

LEGENDE:

Reiseroute   Bäume

Sandflächen und Barchans

Strichdünen   Höhen in Metern

10   0   10   20   30   40   50   60 Km.

Richard Arnold Bermann
alias Arnold Höllriegel

Zarzura
die Oase der kleinen Vögel

Die Geschichte einer Expedition
in die Libysche Wüste

Mit 137 Aufnahmen von Hans Casparius,
dem Originaltagebuch dieser Tage,
einer Karte von Dr. Ladislaus Kádár
sowie einem Nachwort

Herausgegeben
von Michael Farin und Andreas Stuhlmann

belleville

Den Kameraden
vom Gongoi-Klub

Den Umschlag gestaltete Heidi Sorg
unter Verwendung eines Fotos
von Christof Leistl

© 2003 belleville Verlag Michael Farin
Hormayrstraße 15 · 80997 München
Druck/Bindung: Druckhaus Köthen
ISBN 3-936298-04-1

INHALT

Almásy

Penderel, der Flieger

Mahmud, der Koch

Kádár, der Geograph

Casparius, der Photograph

Der Autor

Almásy

Das Abenteuer begann damit, daß mich Almásy mit seinem besonderen Wahnsinn ansteckte, langsam und in kalter Absicht.

Ladislaus Eduard von Almásy, ein magerer, blonder Ungar, ein jüngerer Sohn eines uralten Adelsgeschlechtes, stand, als ich ihn kennenlernte, am Ende der Dreißig. Erst war er Verschiedenes: Husar, Kriegsflieger, Automobilingenieur, ein berühmter Rennfahrer, ein Löwenjäger. Später hatte er nur noch *eine* Leidenschaft, *einen* Lebenszweck: die Sümpfe des Nils und unbekannte Teile der Wüste im Auto zu durchqueren. Jahr für Jahr verbrachte er die Winter in Ägypten und im Sudan. Seine ersten Reisen waren schon abenteuerlich genug; dann aber, im Winter 1929, unternahm er zusammen mit dem Prinzen Ferdinand Liechtenstein eine Fahrt, die weltberühmt geworden ist: die beiden fuhren mit zwei ganz normalen Steyr-Autos erst von Mombasa nach Khartum, die Sümpfe des Weißen Nils querend, dann von Khartum durch die ganze Wüste bis Kairo. Diese Fahrt konnte unmöglich gelingen; und sie gelang.

Von dieser Reise kam Almásy zurück, ganz erfüllt von *einem* Problem, von *einem* Gedanken, der ihn hypnotisierte: gab es oder gab es nicht in einem ungeheuren Stück der Wüste, das die Kartenzeichner bisher hatten weiß lassen müssen, gab es die sagenhafte, die umfabelte Oase der kleinen Vögel?

In meinem Arbeitszimmer in Wien erzählte Almásy mir nächtelang, ägyptische Zigaretten rauchend. Auf meinem Tisch lagen Bücher und Karten. Sein schmaler blonder Kopf mit dem scharfen Profil neigte sich über die Karte der Libyschen Wüste; seine Hand wies auf eine Stelle.

Ich begann zu verstehen: dort in der Wüste, ungefähr wo Wendekreis des Krebses die Grenze zwischen Ägypten und der italienischen Kyrenaika schneidet, gab es ein gewaltiges Stück dieser Erde, das noch kein europäischer Forscher betreten hatte, ein Quadrat, dessen Seiten etwa fünfhundert Kilometer maßen. Das ist eine zu große Distanz für eine Kamelkarawane, wenn ihrem Führer nicht ein Brunnen bekannt ist, ein Weideplatz, eine Oase. Vielleicht lag nun doch eine Oase in diesem letzten weißen Fleck der Wüstengeographie. Durch Jahrtausende hatten uralte Legenden von ihr gesprochen. Aber noch hatte keine Expedition in diese Gegend einzudringen gewagt.

»Warum fährt man nicht mit dem Auto hin?« fragte ich Almásy. »Warum fliegt man nicht hin?«

»Weil es bisher noch niemand getan hat«, sagte er achselzuckend. »Aber ich will doch eben. Kommen Sie mit?«

Er begann, fieberhaft redend, eine Menge Informationen über mich auszuschütten; er war unermüdlich und unerschöpflich, wenn man ihn nach dieser Oase fragte, von der ihm zuerst alte Wüstenführer am Lagerfeuer berichtet hatten.

»Auf die Existenz einer unbekannten Oase in der Wüste westlich vom alten Theben«, sagte Almásy, »scheint schon die herrliche Hymne hinzudeuten, die der altägyptische Priesterdichter Pentaur an die Wand des Tempels zu Karnak geschrieben hat. Später schickte König Kambyses, der persische Eroberer Ägyptens, seine Armee, die Theben erobert hatte, quer durch das Sandmeer gegen Siwah, die Oase des Jupiter Ammon. Dieses Heer ging in der Wüste zugrunde, aber auch ein wahnsinniger Despot hätte es nicht ausgeschickt, wenn er nicht Kunde von Wasserstellen gehabt hätte, die irgendwo auf dem Weg liegen mußten. Dann hatte sich durch das ganze Mittelalter hartnäckig das Gerücht von dieser geheimen Oase erhalten. Arabische Schriftsteller erzählten märchenhafte Dinge von ihr. Sie hieß *Zarzura*, das ist: Die Oase der kleinen Vögel. »Es ist eine weiße Stadt«, schrieben die arabischen Chronisten, »wie eine weiße Taube. Über dem Tor wirst du einen Vogel sehen, in Stein gehauen. Strecke deine Hand aus und nimm aus seinem Schnabel den Schlüssel. Öffne das Tor und betritt die Stadt. Du wirst viel Reichtum finden, und im Palast schlafen der König und seine Königin den Schlaf der Verzauberten. Gehe nicht in ihre Nähe, sondern nimm nur den Schatz!«

Solche Legenden von der Oase Zarzura hatte Almásy oft in der Wüste erzählen gehört.

»Arabische Märchen«, sagte er, »gewiß. Aber ähnliche Sagen der Beduinen haben im Jahre 1923 den ägyptischen Forscher Achmed Hassanein Bey dazu bewogen, in die Wüste zu gehen, – und er fand zwei unentdeckte hohe Gebirge, Uwenat und Arkenu, mit grünen Alpentälern und Wasser darin. Auch haben vor mehr als hundert Jahren die Einwohner der ägyptischen Oase Dachla dem englischen Missionar Wilkinson eine ganze Reihe unbekannter Oasen beschrieben und mit Namen genannt, die in der westlichen Wüste liegen sollten. Alle diese Oasen sind im Verlaufe dieser hundert Jahre von europäischen Forschern gefunden worden«, sagte Almásy, »mit Ausnahme von drei einander benachbarten ›Wadis‹, die nach den Notizen Wilkinsons zwischen Dachla und jenen fernen Oasen der Kufra-Gruppe gelegen sein sollten. Wenn die Leute von Dachla das Entferntere so gut kannten, ist es da wahrscheinlich, daß sie diese drei Wadis, die ihnen näher lagen, rein erfunden haben? Die Existenz der großen und wichtigen Oase Kufra hat solange als eine Fabel gegolten, bis Rohlfs hinging und sie fand. Wenn jene Oase der kleinen Vögel bisher noch nicht entdeckt worden ist, kann das nicht daher kommen, daß sie bisher noch niemand ernstlich gesucht hat?«

»Nur das Vorhandensein dieser Oase«, setzte Almásy mir auseinander, »kann gewisse geschichtliche Episoden erklären. Immer wieder im Verlauf der Jahrhunderte sind aus den Tiefen der Wüste unbekannte Menschen gekommen, schwarze Riesen nennen sie die Legenden, und haben die zivilisierten Oasen Ägyptens überfallen. Auch haben in den letzten Jahren die Wüstenreisenden unerklärliche Spuren von tierischem Leben an Stellen gefunden, die von Gras und Wasser viel zu weit entfernt schienen. Wieso gab es diese Heuschrecken in der nackten Wüste, diese kleinen Vögelchen? Man hat einmal eine Wildtaube geschossen, in deren Kropf noch eine Olive steckte. Seither glaubt ein Teil der Wüstenforscher, daß irgendwo in der Wüste eine Oase liegt, in der Ölbäume wachsen. Wo aber ist sie, diese Olivenoase?«

So wie Almásy bin ich selbst von der Wanderlust besessen. Im Jahre 1929 war auch ich im Sudan; mich faszinierte die Geschichte des sudanesischen Mahdis Achmed Mohammed, und ich besuchte ihre Stätten. Ich schrieb ein Buch darüber, und ein großer Mann, der duldende Held in diesem romantischen Abenteuer, las es und schenkte mir seine Freundschaft: Rudolf Slatin. Er liebte die Wüste und sprach mir viel von ihr; noch aber lockten mich andere Länder. Im Jahre 1930 ging ich nach Kamerun; 1931 nach Kanada und Alaska; 1932 fuhr ich zum zweitenmal den Amazonas hinauf. – Wenn ich von diesen Reisen heimkam, sah ich Almásy wieder, oft in der Burg Bernstein, einem historischen Schloß im österreichischen Burgenland, das seinem Bruder gehört. Mein Almásy hörte, wenn ich von meinen Fahrten erzählte, nicht sehr aufmerksam zu; Länder, in denen es keine Sandwüsten gab, schienen ihm nicht belangreich. Er wünschte, daß ich ihn auf einer seiner Wüstenexpeditionen begleiten sollte, und wiederholte dieses Begehren mit einem ruhigen Fanatismus, vor dem mein Widerstand schwächer wurde.

Er dachte nur noch an Zarzura. Er opferte diesem Tagtraum seine ganze Zeit und den Rest seiner spärlichen Mittel.

Im Jahre 1931 erklärten ihn einige seiner Freunde endgültig für wahnsinnig. Er hatte sich ein Flugzeug gekauft, eine lächerliche kleine »Motte«, und er und ein anderer ungarischer Flieger, der Graf Ferdinand Zichy, flogen mitten im glühenden Hochsommer über Land nach Ägypten, weil sie gehört hatten, es sei dort die Expedition des Captains G. Malins im Begriff, von Kairo zum Kap zu fahren; sie wollten Malins unterwegs einholen und mit ihm Zarzura suchen gehen.

Über Aleppo flogen sie in einen Zyklon hinein, und ihr Flugzeug ging in Stücke. Allah, der die Begeisterten schützt, ließ den beiden Zarzura-Fliegern nichts Ernstes geschehen. Aber sie kehrten geschlagen nach Hause zurück. Niemand glaubte mehr an Zarzura. Vielleicht noch ich.

Als ich zu Ostern 1932 vom Amazonenstrom heimkehrte, befand sich unter meiner Post eine Ansichtskarte von L. E. von Almásy aus Kairo, Sanddünen zeigend und ein Kamel. Es war ihm endlich gelungen, eine Expedition zu organisieren. Ein junger englischer Baronet, Sir Robert Clayton East Clayton, hatte ein kleines Flugzeug beigestellt: dazu mietete Almásy vier gewöhnliche leichte Lastautos, Marke Ford.

Außer Sir Robert Clayton begleiteten ihn H. S. Penderel, ein Fliegeroffizier der britischen Garnison in Kairo, und P. A. Clayton, ein bekannter Wüstengeograph und Inspektor des staatlichen Desert Survey in Kairo. Er war trotz der Namensgleichheit kein Verwandter Sir Roberts. Die vier, unterstützt von einigen arabischen Dienern, fuhren von der Oase Kharga aus gegen Südwesten, bis sie den Rand des Gilf-Kebir-Plateaus erreichten. Diese gewaltige Sandsteinmasse inmitten der Libyschen Wüste hatte einige Jahre zuvor Prinz Kemal el Din, der große ägyptische Wüstenforscher, zuerst erblickt und nach Süden umfahren; im Osten, Norden und Westen waren die Umrisse des großen Bergplateaus noch unbekannt. Hier, wenn irgendwo, mußten Wilkinsons Wadis liegen, in den Falten dieses Gebirgsmassivs, das offenbar zu Zeiten die tropischen Regen anzog. Almásy hatte sich das ausgerechnet und glaubte daran mit einem ruhigen Fanatismus. »Jetzt haben Sie es«, stand auf der Ansichtskarte. »Diesmal werde ich Zarzura finden, und Sie werden nicht dabei sein.«

Ich hörte nichts mehr von der Expedition Almásy-Clayton, bis eines Tages in den »Times« eine kurze Depesche stand: sie hatten eine unbekannte Oase aus der Luft gesichtet.

Einige Wochen später trat Almásy unangekündigt in mein Zimmer und legte eine Photographie vor mich auf den Tisch. Man sah ein tief eingerissenes Tal und darin zahllose Bäume, aus der Luft photographiert. Kein Zweifel, da lag ein Bild der Märchenoase Zarzura, – nur betreten hatte Almásy sie nicht. Aber das machte nichts; er ging bald wieder hin.

»Glauben Sie mir jetzt?« fragte er. »Kommen Sie im Herbst mit mir nach Zarzura?«

Er erzählte die Einzelheiten; es klang wie ein phantastischer Roman. Am Westrand des Gilf-Plateaus hatten die Forscher Spuren von Vegetation gefunden, Skelette von Tieren, die frischen Spuren wilder Schafe und uralte Zeichnungen, von Steinzeitmenschen, tief in die Felsen geritzt. Das alles bewies, daß irgendwo Wasser vorhanden sein mußte. Unterdessen litt die Expedition an Durst; Lebensmittel und Benzin begannen zu fehlen. Man fing an, vom Rückzug zu reden. Aber Almásy, so nahe seiner erträumten Oase, gab nicht nach. Er ließ seine Gefährten im Lager und brach gegen Westen auf, wo die Oase Kufra liegen mußte. Kufra, die Hochburg der Senussi-Sekte, war ein Jahr zuvor nach schweren Kämpfen von italienischen Truppen erobert worden. Hier mußte Hilfe zu haben sein. Wie aber nach Kufra gelangen? Die Karten verzeichneten endlose Dünen der Großen Sandsee, die im Osten von Kufra liegen sollten; noch nie war jemand aus dieser Richtung zu der Senussi-Oase gelangt; das Wagnis war tollkühn.

Almásy ließ also seine Gefährten in einem Lager am Gilf und fuhr in einem Auto auf Kufra zu, nur von zwei Arabern begleitet. Er fand keine Dünen, aber ein völlig unbekanntes Felsengebirge. Er durchquerte es mit seinem Auto und gelangte nach Kufra. Die Offiziere des italienischen Forts wollten es erst nicht glauben, daß er von

Osten komme; dann nahmen sie ihn gastfreundlich auf. Mt Wasser und Nahrung versehen, fuhr er sofort in sein Lager zurück. Dort empfing ihn die Nachricht, daß in seiner Abwesenheit die Kameraden mit ihrem Motte-Flugzeug einen Rekognoszierungsflug über das Gilfplateau unternommen hatten. Nur ein paar Kilometer vom Lager sahen sie tief unten ein eingeschnittenes langes Tal, in dem die grünen Bäume zu Hunderten wuchsen. Es gelang ihnen nicht, in dem engen Cañon zu landen, in dem die gesuchte Oase der kleinen Vögel lag.

»Nein«, sagte Almásy in meinem Arbeitszimmer zu mir, »auch ich habe Tags darauf, als ich über das Wadi flog, keinen Landungsplatz finden können, und die Stelle, an der das Tal in die ebene Wüste mündet, haben wir mit den Autos vergeblich gesucht. Wir mußten umkehren, das Benzin ging uns aus. Aber was tut das? Die Oase ist da, ich habe das Tal gesehen, das erste der drei Wilkinsonschen Wadis, und im Herbst bringe ich Sie nach Zarzura; Sie kommen diesmal natürlich mit; ich habe es dem Prinzen schon angekündigt.«

Daß er hingehen würde und ich mit ihm, das wiederholte Almásy mir während des ganzen Sommers mit unerschütterlicher Monotonie. Die Expedition schien gesichert; denn der ägyptische Prinz Kemal el Din, der berühmte Wüstenforscher, hatte Almásy nach seiner Rückkehr in Kairo zu sich berufen und ihn in seine Dienste genommen. Da der Prinz infolge seiner schrecklichen Krankheit ein Bein verloren hatte, konnte er selbst nicht mehr in die Wüste; so sollte statt seiner Almásy an der Spitze einer großen Expedition den Gilf Kebir durchforschen, das von dem Prinzen entdeckte Wüstengebirge.

Ich glaube, wenn der Prinz wirklich Almásys Karawane ausgerüstet hätte, ich hätte dem Unternehmen meinen publizistischen Segen erteilt und wäre nicht mitgefahren; meine physische Angst vor einem solchen Abenteuer war groß. – Ich entschloß mich zu dieser Reise erst, als sie fast unmöglich schien, als jeder Plan Almásys gescheitert war: Im August 1932 starb plötzlich Prinz Kemal el Din und bald darauf auch Sir Robert Clayton, Almásys alter Gefährte, auf dessen Hilfe er hätte rechnen können.

Als alles aus schien, merkte ich, wie sehr mich dieser Quijote der Libyschen Wüste mit seinem Fanatismus infiziert hatte. Auf einmal schien mir nichts auf Erden so wichtig wie diese Oase. Ich wußte, daß wir im besten Fall ein paar Dornsträucher finden würden und keinerlei Märchenschätze. Aber ich blickte auf diese ferne Oase, wie man auf die glitzernde Kugel in der Hand eines Hypnotiseurs starrt.

Die Zeiten waren für die Finanzierung unseres Projekts nicht eben günstig. Es war in der Tat unmöglich, was wir da wollten, nur gelang es schließlich ja doch. Eine Filmgesellschaft gab einen Vorschuß auf einen Expeditionsfilm, der gedreht werden sollte. Der Berliner Bankier Robert von Mendelssohn stellte großmütig einen kleinen, für uns aber wichtigen Betrag zur Verfügung. König Fuad von Ägypten gestattete, daß wir Zelte und anderes Material aus dem Magazin des verstorbenen Wüstenprinzen benützen durften. Es kam eine Art Expedition zustande, nur war sie bettelarm. Wir hatten weder ein Flugzeug, noch einen Radiosender, noch besonders viel oder besonders Gutes zu essen.

Acht Tage, bevor wir losfuhren, glaubte ich noch nicht daran, daß wir die Expedition zustande bringen würden. Endlich gelang das Unerwartete doch. – Es war im März 1933; der Boden Mitteleuropas wankte. Die Welt, in der ich gelebt hatte, war im Begriff, einzustürzen. Ich ließ die Wirklichkeit hinter mir und fuhr in ein Traumland, wo jenseits des Randes der bekannten Welt vielleicht das letzte Märchen schlummerte.

Auszug nach Ägypten

4. März 1933.

Im Triester Hafen gehe ich mit meinem Reisegefährten, dem Photographen Hans Casparius, an Bord eines schönen Schiffes, der »Ausonia«. Durch das Fenster der Kabine kann ich die weiße Stadt und die nebelumwallten Karstberge sehen. Es regnet jämmerlich.

Ich denke: von dieser Stelle, von dem gleichen Molo, habe ich einst meine erste Seereise angetreten, als ein neunzehnjähriger Junge. Die Reise ging nur nach Venedig, und es war genau solch ein Regentag.

Die Kreise des Lebens runden sich, schließen sich, denke ich fröstelnd.

Gestern abend im Hôtel de la Ville, in meinem Zimmer allein, habe ich mir den verwegenen Wüstenforscher A.H. genau im Spiegel besehen. Ich fand die Rolle nicht eben glücklich besetzt: ein Herr von Fünfzig, verfettet vom Sitzen am Schreibtisch, sehr kurzsichtig, schwächlich und nicht bei bester Gesundheit. Nicht so sah Cortez aus oder Henry M. Stanley. Meine Nerven hängen in Fransen, tausend Beschwerden des Körpers quälen mich.

Was also, zum Teufel, mache ich in der Libyschen Wüste?

Ich habe eine Antwort darauf: ich gehe und stecke den Kopf in den Sand, um meine Zeit nicht zu sehen, Gegenwart, Zukunft, mich selbst.

Oh, ich weiß, was ich tue. Ich laufe vor der Politik davon. Diese unbekannte Oase, die wir entdecken wollen, was ist sie mir? Ich fürchte: vor allem ein Ort, an dem garantiert keine Zeitung erscheint.

Gestern, vor diesem unangenehmen Spiegelglas im Hotel, habe ich einige Augenblicke lang ein wenig bedrückt an das Abenteuer gedacht, an die gefährlichste meiner vielen Reisen. Besorgte Freunde in Wien haben mich noch auf dem Bahnhof besonders vor den Löwen gewarnt, die mich in der Wüste auffressen könnten. Dies, weiß ich, ist so ziemlich das einzige, was einem Reisenden in der Libyschen Wüste nicht zustoßen kann, in der es Löwen nicht gibt. Alles andere Unangenehme steht zu befürchten – Sandsturm und Autounfall, Benzinbrand, Begegnung mit Räuberstämmen, Verirren, Verdursten. All das habe ich mir gestern vor dem Spiegel vorgesagt, mit ein bißchen Angst, aber wenig. Wieso im Grunde so wenig? Dieses Heldentum, mein Lieber im Spiegel, ist ja doch nur Schwäche und Müdigkeit!

Die »Ausonia« legt in Venedig an; melancholisch plätschert der Regen in den Kanal. Unter den Passagieren, die einsteigen, ist einer, der mich angeht: ein junger Ungar, Dr. Ladislaus Kádár. Er ist Assistent an dem geographischen Universitätsinstitut in Budapest und macht unsere Fahrt als Geograph, Geologe, Gelehrter für alles mit. Er kommt auf uns beide zu, den dicken Photographen Casparius und auf mich; bei der Begrüßung sehen wir einander heimlich an: wer bist du, wie bist du, der mein Gefährte sein wird, mein Kamerad? – Ich weiß nicht, wie ich ihm gefalle; er scheint mir schüchtern, ein Knabe auf seinem ersten Ausflug ins große Leben, und ich liebe ihn gleich, er ist stämmig und fest, man bekommt sofort Vertrauen zu ihm. Ich muß, fünf Minuten lang, »Herr Doktor« sagen und konventionell plaudern: »Sie also, Herr Doktor, werden die unbekannte Oase auf die Weltkarte zeichnen?«

Der junge Kádár blickt mich an: »Nicht ich. Das hat schon ein anderer vor uns getan. Mister Clayton war in Almásys berühmtem Wadi – – «

Das ist die Nachricht, die Kádár an Bord bringt. Er hat in Budapest noch vor ein paar Tagen Almásy gesehen, bevor der auf einer anderen Route nach Ägypten vorausfuhr. Almásy hat ihm einen Brief aus Kairo gezeigt: während wir so lange vergeblich das Geld für unsere Expedition zu verschaffen suchten, hat ein anderer Wüstenforscher unsere so furchtbar geheime Oase betreten. Patrick A. Clayton, Inspektor im »Desert Survey« der ägyptischen Regierung – der im vorigen Jahr Almásys Reisegefährte gewesen ist –, war seit Monaten schon in der Wüste und hat am Großen Gilf unbekannte Gebiete erforscht; es ist ihm gelungen, die aus dem Flugzeug erschaute Oase im Automobil zu erreichen und trigonometrisch zu messen. Wenn wir hinkommen, finden wir an den Felsenwänden des Cañons vielleicht schon die Benzinreklame der Firma Shell; sie folgt dem ersten zivilisierten Entdecker sofort.

Ich weiß nicht, woher es kommt; vielleicht weil ich ohnedies niedergeschlagen und matt bin, aber die Nachricht hat mich mehr amüsiert als geärgert. Es scheint, der Kolumbus-Trieb ist in mir von Anfang an ziemlich gering gewesen. Kádár bemerkt es nicht und versucht mich zu trösten, indem er von den anderen Wadis redet, die Almásy in der Nähe des ersten zu finden gedenkt. In die werden wir, hofft der junge Ungar, vielleicht als die Ersten gelangen. Ich hoffe laut mit und frage mich insgeheim: Und wenn nicht? Wenn ich sie als Zweiter sehe, werden es nicht dieselben Dornbäume sein um ein schmutziges Wasserloch?

Mit aller Gewalt dränge ich den Gedanken zurück. Nicht denken, sonst frage ich in der nächsten Sekunde: was also tue ich Narr überhaupt in der Wüste?

Wir landen in Alexandrien, und es geht ans Verzollen unserer Koffer und Kisten. Wir haben viel Zollgepäck, neuntausend Meter Rollfilm, die vielen Kameras des Photographen Casparius und Kádárs wissenschaftliche Apparate. Da ich der Dolmetscher meiner Gefährten bin, verbringe ich öde Stunden im Zollamt am Hafen, während unser syrischer Spediteur, Monsieur Chaloub, auf Arabisch lange geheimnisvolle Gespräche mit den ägyptischen Zoll-Efendis zu führen hat. Es wird, soweit ich's beurteilen kann, der Koran rezitiert, von hinten nach vorne. Gewiß ist, daß zahllose Zigaretten geraucht und Tasse um Tasse türkischen Kaffees getrunken werden müssen. Zwischendurch, sehr gelegentlich, werden die Kisten erbrochen und unsere Filmrollen gezählt, gemessen, gewogen, und, ich glaube, geschmeckt. Manchmal werde ich höflich und auf französisch um eine Auskunft gebeten. Das geschieht unter anderem, als aus Dr. Kádárs Gepäck ein würfelförmiges Kästchen zu Tage kommt. Es wird geöffnet, und etwas Seltsames liegt darin, eine Miniaturkanone, oder ist es eher ein Fernrohr mit vielen jungen Rohren in einem Nest? Ein komplettes Gewirr von Guckgläsern, Schrauben und Wasserwaagen, von Richtkreisen, Kompassen, was weiß denn ich! Es ist, wie Kádár mir großem Forschungsreisenden erst erklären muß, ein Theodolit; die Kanonen und Richtkreise dienen zum trigonometrischen Messen und zur geographischen Ortsbestimmung nach dem Lauf der Gestirne.

Der Zoll-Efendi fragt mich zweifelnd: »Und das? Was ist das, Monsieur?«

Ich nehme an, daß er davon so viel versteht wie ich; so sage ich leichthin, voll Zuversicht: »Ach, nur so ein Apparat, um zu kontrollieren, ob die Filmkamera gerade steht oder krumm!«

Der dicke Efendi mit dem roten Tarbusch über der Brille glaubt mir das oder nicht; jedenfalls wendet er sich von neuem den Filmrollen zu. Und doch soll mit dieser kleinen Maschine die Landkarte seines Landes bereichert, erweitert werden; ich bin doch ein wenig gekränkt, da ich merke, daß ihn das nicht im mindesten aufregt!

Flugaufnahme der Oase, die von der Expedition Almásy-Clayton im Frühjahr 1932 vom Flugzeug aus entdeckt wurde.

Frau mit Nasenring in Kharga

Junge Mutter in Kharga

Oasis Magna

Die Veranda des Rasthauses zu Kharga ist mit Kisten und Säcken und Ballen verrammelt; der Vortrupp unserer Expedition ist soeben angekommen, und man ladet die Autos ab.

Obwohl eine Kleinbahn vom Nil bis zu der Oase führt, sind wir von Kairo bis hieher im Auto gefahren und haben das erste Stück Wüste schon hinter uns, eine Nacht im Zelt auf dem Felsenplateau, den ersten Eindruck von der einsamen Großartigkeit dieser Wüstenlandschaft. – Nun ist dieses Rasthaus, das beinahe ein Hotel ist, mit Badezimmer und elektrischem Licht und Fliegendraht um die Veranda, noch einmal die zivilisierte Welt, von der wir schon Abschied genommen hatten. Und wir sitzen, ehe noch unsere Siebensachen verstaut sind, steif und feierlich um einen Gast, der uns einen Staatsbesuch abstattet.

Seine Exzellenz, der Kaimakam Mohammed Wasfy Bey, der Mudir (das ist: Gouverneur) der Südlichen Wüstenprovinz, ist gekommen, um uns in Kharga willkommen zu heißen.

Er ist ein Herr um die Fünfzig, ein beleibter Türke des alten Schlages, mit einer Brille. Er trägt eine militärische Uniform und einen roten Tarbusch. Sein Englisch ist ausgezeichnet, und gleich nach den ersten Zeremonien der Vorstellung stellt sich zwischen ihm und uns ein Kontakt ein; diese ägyptische Exzellenz gefällt mir, bevor ich von ihr noch etwas Näheres weiß.

Wir sitzen auf der Veranda und blicken in einen Garten hinunter, wo grellbunte Blumen wachsen und üppiges Gras. Wasser plätschert auf allen Seiten, und in den Beeten spazieren milchweiße Märchenvögel, die heiligen Ibisse. Wenn die Konversation ein wenig verstummt, hört man ein arabisches Lied, das im anstoßenden Garten des Mudirs ein Gärtner singt, ein endloses, langgezogenes Lied, melancholisch und fremd.

Wenn man nur dasitzt, scheint dieses Kharga ein einziger Garten, ein blühendes Paradies. Aber wie man sich von den Sitzen erhebt, sieht man am Horizont die fahlen Berge von Sand, die Wüste.

Da wir anfangen, Fragen zu stellen, zeigt sich der dicke Herr verständig und wohlinformiert. Die »Provinz der Südlichen Wüste«, deren unumschränkter Diktator er ist, besteht aus sehr viel Wüste und nur wenigem Fruchtland, der Oasengruppe von Kharga und einigen Nachbaroasen. Dieser Gouverneur der Wüste, das erkenne ich, liebt die Wüste, und er liebt Kharga.

»Zur Zeit der Römer«, sagt er zu uns, »als es die Große Oase hieß, Oasis Magna, wohnten hunderttausende Menschen in Kharga. Hundert Kilometer ist die fruchtbare Senkung lang; hundert Brunnen, von den Römern gegraben, zählt man noch heute. Aber der Sand hat gewaltige Stücke des Oasenbodens zurückerobert, und wo einst ein ganzes Königreich grünte und blühte, ringen jetzt dürftige Dörfer mit den Dünen, die immer weiter vordringen und das Fruchtland zu bedecken drohen.«

»Hier«, sagt der Mudir von Kharga, »und nicht im beengten Niltal, ist Platz für neue Siedlungen arabischer Bauern. Aus Kharga von neuem die Große Oase zu machen, ist schwer, aber nicht unmöglich. Das Wasser ist da, das herrliche Wasser der hundert Brunnen!«

Am späten Nachmittag fahren wir etwas spazieren und besehen uns Kharga. Unser Rasthaus steht im »Markaz«, das ist das Regierungsviertel der neuen Stadt, die Wasfy Bey zu schaffen im Begriffe ist. – Hier gibt es schon hübsche Villen, sauber gefegte Straßen, elektrisch beleuchtete Plätze. (Fernab ist der uralte Schmutz des Fellachendorfes.) Eine Landstraße führt zum Bahnhof der komischen Bimmelbahn, die Kharga mit dem Niltal verbindet. Darüber hinaus, zwischen grünen Feldern fahrend, gelangen wir zu dem Tempel von Hibis, den König Darius, der Perser, den besiegten Göttern Ägyptens errichtet hat, – ihnen und auch der syrischen Astaroth, deren Bild zu Pferde im Allerheiligsten sichtbar ist. Seltsam mischen sich hier die Kulte Asiens und Ägyptens. Nur einen Kilometer südlich davon liegt die altchristliche Nekropole; hier liegen Mönche begraben, die mit Athanasius und Nestorius in Oasis Magna als Verbannte gelebt haben und hier gestorben sind. Ein Stück weiter südlich steht wieder der Tempel des römischen Kaisers Antoninus Pius; von der Anhöhe, die er krönt, sieht man die Palmen und Minarette von Kharga. – Die Jahrhunderte und die Jahrtausende begegnen einander in dieser Großen Oase; die Wüste, überall sichtbar und älter als alle Jahrtausende, bildet den Rahmen des Ganzen. Was ist ihr Mohammed, was Astaroth, was Jupiter oder Ammon-Râ? Sie ist älter; sie hat das alles kommen gesehen.

17. März.

Am Vormittag finde ich auf der Rasthaus-Veranda kein Plätzchen zum Arbeiten. Unser schwarzer Koch Mahmud packt geräuschvoll Kisten aus; im Garten, wohin ich auswandern möchte, stehen neben dem Auto Almásy und Kádár, sehr besorgt um den großen Wagenkompaß, der nicht funktionieren will. Sie lassen den Motor schnurren, um zu sehen, wie er auf den Kompaß einwirkt, – und ich mit meinem Schreibheft entweiche ins Freie.

Ich gehe dem Bach nach, der durch unseren Garten fließt, und ich sehe, daß er von einem Hügel kommt, den eine alte Mauer aus Lehm umgibt. Der Hügel blickt schon in die Wüste. Ich steige hinauf, finde eine Bresche in der niederen Mauer, krieche hindurch und entdecke jenseits, daß der Hügel im Inneren eine tiefe Mulde enthält, so wie ein Vulkan einen Krater. Schöne hohe Akazienbäume stehen um eine klare Quelle auf dem Grund dieser Mulde; oder vielmehr, es muß einer der künstlich erbohrten Römerbrunnen von Kharga sein. – Das Wasser kommt sprudelnd aus der Erde hervor, lichte Perlen moussieren magisch darin. Zwischen den blühenden Zweigen der Bäume flitzen die buntesten Vögel herum, und schöne Libellen spielen über dem Wasser. Am Rand des Brunnens finde ich ein schattiges Plätzchen zum Lesen und Schreiben. Es ist still und nicht heiß und die Fliegen plagen nicht sehr, die drinnen im Ort eine furchtbare Pest sind. Ich trinke von dieser Quelle und finde sie köstlich. Es duftet nach Blüten, die Vögel singen, und dennoch weiß ich: nur zwanzig Schritte von hier zum Hügelrand, zu der Mauer, und ich sehe vor mir die violetten und goldenen Berge der Wüste, Dünen, so tot wie der Mond und so einsam wie der Ozean.

In diesem kleinen Paradies an der Quelle, während ein Vogel singt, kommt mir der Gedanke: wozu eine andere Oase suchen, wo es der Sage nach ebenfalls kleine Vögel gibt? Ist diese nicht jedenfalls schöner? Schon liebe ich Kharga, denke, daß ich hier leben könnte.

Den Nachmittag bringe ich wieder bei der Quelle zu; da ich am Abend heimkehre, einen Umweg am Wüstenrand machend, springt plötzlich ein Nordwind auf, und die Dünen fangen sachte zu wandern an; in leichten Schleierstreifen weht der Sand auf die Oase zu. Mit eigenen Augen sehe ich eine winzige Szene aus dem Kampf der Jahrtausende: wie der Sand, weich, sanft und gefährlich gegen den Oasenrand drängt, gegen die grüne Front der Dattelhaine, gegen die Gärten, die Gerstenfelder.

Wir essen beim Mudir zu Abend. Wasfy Beys Villa ist kein arabisches Märchenschloß, nur ein modernes Wohnhaus, traulich und bürgerlich. Porzellannippes stehen auf dem Kaminsims und gerahmte Photos hängen an den Wänden des kleinen Salons. Aber das saubere, luftige Haus (ganz frei von den schrecklichen Fliegen) heimelt uns an, und wir werden bewirtet wie Königssöhne aus Tausendundeiner Nacht. Der nubische Diener verschwindet fortwährend durch die Eßzimmertüre in geheime Regionen, in denen die versteckte orientalische Hausfrau nur geahnt werden kann, – und kommt und kommt und bringt und bringt zehntausend köstliche Dinge. Die Suppe ist säuerlich und exotisch; dann kommt ein Truthahn herein, so groß wie ein Elefant und vollgestopft mit Reis und Pistaziennüssen und mit großen Rosinen. Es folgen gefüllte Gemüse: Auberginen, farciert, und gefüllte Lorbeerblätter in einer aromatischen Sauce. Keiner von uns glaubt, in diesem Jahre noch etwas essen zu können; da bringt der Nubier einen Grießbrei mit Mandeln, der einen Toten erwecken könnte, und die berühmten Orangen von Dachla, die honigsüßen und kugelrunden, in denen gar keine Säure ist. Dann der Kaffee alla turca. Welch ein Kaffee im Haus dieses Orientalen!

Wir essen und essen, in dem Bewußtsein, daß das die letzte festliche Mahlzeit ist vor wenigstens sieben mageren Wochen.

Nachher, in seinem Salon, zeigt uns der Mudir einen Schatz, den er neulich inmitten der Wüste gefunden hat. Wasfy Bey, ein begeisterter Autofahrer, hat den Weg von Assuan bis nach Kharga im Auto zurückgelegt; vor ihm hatte es noch niemand gewagt. In der wildesten Wildnis, fern von jedem Karawanenweg, fand der Gouverneur ein gebrechliches Ding, das seit Jahrtausenden in der Wüste begraben lag: eine antike Amphora von der griechisch-römischen Form, unten zugespitzt, um in den Sand gestellt werden zu können. Der große Tonkrug ist gut erhalten, ohne Loch, ohne Bresche. Wer hat ihn so in den Sand gebohrt, zwischen Syene und Oasis Magna? Ein Verbannter, den Cäsar in die Wüste geschickt hat, ein Beamter des Ptolemäerreichs auf Reisen oder ein christlicher Mönch auf dem Weg von den Klöstern bei Theben zu dem ketzerischen Bischof Nestorius in der Großen Oase?

Da liegt, in dem Salon Seiner Exzellenz, unter dem elektrischen Lüster, da liegt sie, glattgeschliffen von den Sandstürmen zweier Jahrtausende, die Amphora aus der Wüste, anmutig, leer und rätselhaft.

18. März.

Der Photograph Hans Casparius und ich gehen gleich früh durch das Fellachendorf, um Filmaufnahmen zu machen. Wir finden die Aufgabe schwer genug. Das arabische Dorf besteht hauptsächlich aus einem Labyrinth von unterirdischen, finsteren Gängen; in einem Maulwurfshügel, in einem Ameisenhaufen kann niemand photographieren. Über den in der Erde versteckten Laufgräben und lichtlosen Plätzen liegen zwar Häuser, aus Palmlaub oder aus Ziegeln gebaut; wie könnte die aber ein Fremder betreten? – Das alles stammt noch aus Zeiten, da das Oasendorf sich gegen Wüstenräuber zu wehren hatte: immer wieder und wieder durch die Jahrtausende (zuletzt noch während des Mahdi-Krieges) sind aus der Wüste bewaffnete Reiter in Kharga eingedrungen. Da verkrochen die Bewohner sich in ihr Kastell unter der Erde. So ist das Dorf uralt und urdunkel, und seine Fliegen stammen in ungebrochener Erbfolge von der vierten Plage Ägyptens her; und ein dunkles und bleiches Maulwurfsgeschlecht schleicht durch den finsteren Maulwurfshaufen.

Ja, durch diese dunklen Gänge tappt ein augenloses Volk. Das Grauen packt mich, da ich die Menge der Blinden sehe. Diese entsetzlichen Fliegen verschleppen die ägyptische Augenkrankheit von Auge zu Auge. Vielleicht jeder zehnte dieser Höhlenbewohner erblindet, vielleicht sind es mehr. Wo immer ein Sonnenstrahl durch eine Ritze sickert, sehe ich blasse und unschöne Kinder, deren starre Augen voll Schmutz und voll Fliegen sind; blinde Bettelweiber schleichen herum, und da ich, aufatmend, ins Freie gelange, an einen schönen Brunnen auf einem besonnten Platz, sehe ich blinde Männer, alt und malerisch, schwarze Schläuche aus Bockshaut zum Wasser schleppen.

Die Leute von Kharga, ein Mischvolk, stammen von den alten Ägyptern ab und von den Stämmen der Wüste und von den afrikanischen Schwarzen, die Jahrhunderte lang hier durchzogen auf ihrer tragischen Reise zu dem großen Sklavenmarkt von Assiut. Vernegert sieht der Menschenschlag von Kharga nicht aus; er ist in seinen lichtlosen Höhlen fahlbleich geworden; er ist müde und schwächlich und entsetzlich unschön. Die erwachsenen Männer haben mitunter die Anmut und Würde des arabischen Wüstenvolks; aber die alten Weiber (die einzigen, deren unverschleierte Gesichter man sieht) sind hexenhaft und grotesk; sie tragen in ihren langen Nasen schwere Ringe mit Ziergehängen; und die Kinder von Kharga sind manchmal grauenerregend.

Nein, wirklich abstoßend können Kinder im Grunde nicht sein. Sicht man sie einzeln, auch die häßlichsten, die schmutzigsten, magersten, die blinden, in deren Augenhöhlen die Fliegen krabbeln, dann könnte man sie manchmal lieben, immer bemitleiden. Die Gesamtheit der Kinder von Kharga, die Bande, der Haufe, der schmierige Klumpen und Schwarm, der sich an den Fremden anheftet, ist schauderhaft. Dieser Fremde ist wirklich fremd: ein Wesen vom Mars oder vom Mond könnte weniger seltsam und ungewohnt sein. Man weiß nur, daß er unendlich reich ist, mit Piastern ganz ausgestopft. So muß man betteln; es ist eine Pflicht. – Erst winseln die Kinder von Kharga, demütig und hündisch, dann mutiger, schließlich frech: »Bakschîsch, Chawâga!« – »Almosen, fremder Herr!« – Und wenn der Chawâga nicht brutal werden mag, nicht zur Peitsche greifen, nicht kleine Kinder mißhandeln will, dann wird der Schwarm plötzlich feindselig, wird bedrohlich. Die Kinder fangen an, Steine zu werfen, und betteln weiter beim Steineschmeißen. Die schrillen Schreie hören nicht auf, »bakschîsch, bakschîsch«!

Manchmal möchte ich ein Zündholz nehmen und Kharga anzünden, und wäre es nur wegen der Fliegen, die ich fortwährend schlucke! Nein, die Kinder sind ärger. Ob wir am Brunnen verschleierte Frauen filmen mit ihren Wasserkrügen, ob den rotbeturbanten Derwisch, der seinen langen und schwarzen Bart wollüstig ins Wasser steckt, oder die Esel, wie sie mit Heu beladen durch eines der dunklen Löcher ins Sonnenlicht traben – ob wir den Muezzin photographieren auf dem niederen Türmchen, oder die Tric-Trac-Spieler vor dem Café, oder den Teich, in dem sich so herrlich die Palmen spiegeln, oder die Kuppelgräber auf dem arabischen Friedhof, – immer und immer steht zwischen Bild und Kamera, zwischen Auge und Gegenstand, zwischen dem Erlebnis und uns ein wirrer Knäuel von bettelnden Kindern, von

Fliegen umschwärmt. Magere Händchen, unendlich schmutzig, und lange Hälse, mit Amuletten beladen, schieben sich gierig vors Objektiv. Wir, des Arabischen unkundig, sehen uns ratlos nach Hilfe um. Aber die erwachsenen Menschen, die uns beschützen könnten, grüßen zwar freundlich: »Dein Tag sei gesegnet, Chawâga«, – aber sie sehen dem bösen Gewimmel ihrer Kinder so untätig zu, als wären es Schwärme von Fliegen.

Es ist wahr, ich kann Augenblicke des Friedens erlangen, indem ich auf eines der Häuser zutrete und mich auf die »Mastaba« setze, die steinerne Bank vor der Türe. Ich tue es vor einem Haus, das Casparius photographieren will, weil an die Wand ein Zeppelin gemalt ist, – ein Zeppelin-Luftschiff ist nämlich einmal über Kharga geflogen und hat den tiefsten Eindruck auf die Bewohner der Oase gemacht. – Sobald ich als Gast vor dem Hause sitze, hören die Kinder zu betteln auf, und aus dem Innern des Hauses kommt gravitätisch der Hausherr und bringt ein Täßchen Kaffee, mit Fliegen darin; und seine Freunde nähern sich, ernst und würdevoll, und stehen in Gruppen beisammen und reden von uns. – Diese Fremden, die mit ihren Autos in die Wüste wollen, sind furchtbar aufregend; schon weiß ganz Kharga, daß wir die geheime Oase besuchen wollen und ihre Schätze nach Kharga bringen – – –

Im Augenblick, da das Bakschîsch-Geschrei der Kinder leiser wird, höre ich fortwährend einen Unterton, einen tiefen, beharrlichen, ein fortwährend gemurmeltes Wort: Zarzura, Zarzura, Zarzura!

Ein Tor in dem äußeren Lehmwall des Dorfes ist malerisch; die Kuppelgräber der Heiligen liegen davor, und Züge von schwerbeladenen Eseln, von schwarzen Lämmern ziehen vorbei. Hier möchten wir einige Meter filmen; jetzt aber ist jedes einzelne Kind von Kharga dem Wahnsinn nahe: »Bakschîsch, Chawâga, bakschîsch!« – Sie sind nicht zu bändigen, sie greifen uns in die Taschen, sie zerren an unseren Kleidern, unglückliche, schreckliche Wesen, blinde und kranke und aussätzige Kinder.

Casparius ist völlig verzweifelt. Ich sage ihm: »Bleiben Sie stehen, richten Sie die Kamera nur auf das Tor, passen Sie auf, daß kein kleiner Teufel das Stativ umrennt; ich nehme die Kinder auf mich!«

Ich habe arabische Geomanten beobachtet, Magier, die auf dem Boden hocken und seltsame Zeichen in den Sand zu ziehen beginnen. Das versuche jetzt ich; mit meinem Stock zeichne ich wilde Figuren, geheimnisvolle. Gleich habe ich einen Kreis von Kindern um mich, einen dünnen erst, denn der Kameramann ist noch wichtiger, ihn muß man zunächst belagern. Aber ich reiße plötzlich über den Sandfiguren meine Arme zum Himmel empor und fange zu schreien an, mystische Zauberformeln. Wie Fliegen, denen man Honig hinstreicht, mit einem einzigen großen Surren (»Bakschîsch, Chawâga!«) kommen die Kinder von Kharga zu mir gerannt. Jetzt

In der Oase Kharga

Eine Straße in Kharga

Die lieben Kinderchen von Kharga

werfe ich die Arme wie Windmühlenflügel, ich verrenke den Leib, den Hals (ich kann so Casparius sehen, hamdulillah!, er filmt unterdessen, ganz unangefochten) – und mit den Gebärden eines magischen Clowns rezitiere ich meinen schrecklichen Zauberspruch – –

»Fest gemauert in der Erden«, singe ich den Kindern der Großen Oase vor, und dann, stärker, dunkler, geheimnisvoller: »– steht die Form, aus Lehm gebrannt – –«

Uff! Ich habe diese Reinigung nötig gehabt, diese Erlösung, Befreiung. Starrend von Schmutz und Fliegen, über und über bepatscht von diesen klebrigen, bleichen, armen, entsetzlichen Kinderhändchen, bin ich zu Almásy gelaufen und habe nach Sauberkeit, Stille, Schönheit geschrien; er hat verstanden, was ich will, und hat mich ein Stück in die Wüste gefahren, dort, wo der große Dünenzug Abu Moharriq (das ist: Vater des Sonnenbrands) seine halbmondförmigen Wellen gegen das Fruchtland heranbranden läßt, – und da liege ich nun, atemlos und glücklich, auf meinem Rücken, auf der halben Höhe eines der goldenen Dünenberge, liege im weichen, heißen, sterilen Sand, der sauberer ist als klares Wasser; ich bade in ihm, plätschere in ihm, und keine Fliege quält mich und kein unseliges, blasses Kind, und die Wüstensonne geht unter, die Dünen werfen bläuliche Schatten, und ich sehe im letzten Zauberlicht den Umriß einer Römerruine auf einem Hügel und das Gezack der Palmenkronen um ein Dorf, und sonst ist nur die Wüste da, eine einzige, klare, goldene Reinheit, voll Verheißung im sterbenden Licht. Und vielleicht zum erstenmal fühle ich eine Ungeduld, möchte sogleich aufbrechen, noch heute abend, hinein in diese zauberhafte, menschenlose, zeitlose Einsamkeit.

Die Karawane

Vor dem Rasthaus stehen in einer Reihe vier grüne Autos, leichte Fordwagen mit Lastwagenkarosserie; ganz gewöhnliche Autos, wie sie ein Fleischer verwenden könnte oder eine Dampfwäscherei; nur daß die Räder unserer Wagen mit dickhäutigen »Airwheel«-Pneumatiks umspannt sind. Die so vergrößerten Räder sehen mir wie die Füße von Elefanten aus. Auch haben wir, um am Gewicht zu sparen, die blechernen Motorhauben entfernt und darunter kommen die Röhren zum Vorschein; es sieht aus wie der skelettierte Hals eines Vorwelttieres.

Diese Untiere von Autos auf den Elefantenfüßen sind so hoch mit tausend Dingen beladen, daß schließlich ein Höcker herauskommt wie der eines Kamels. Ich habe diesem phantastischen Autowesen seinen Gattungsnamen gegeben: Kamelefant. Wir sprechen seitdem unter uns nicht mehr von den Autos, sondern nur von den Kamelefanten der Expedition; sie sind uns von Anfang an etwas Lebendiges, gute, befreundete, dienstbare Ungeheuer.

Jeder von unseren vier Kamelefanten hat noch seinen persönlichen Namen; die Namen sind in arabischer Schnörkelschrift, weiß auf grün, außen neben dem Führersitz aufgemalt. Almásy hat fatalistische Namen gewählt; sie verraten die äußere Skepsis, hinter der eine zitternde Hoffnung verborgen ist.

Almásys eigener Wagen, mit dem er – vielleicht – die Oase der kleinen Vögel erreichen wird, heißt: »Jemkin« (»Vielleicht«).

Wing Commander Penderel wird »Lissa« chauffieren. Lissa heißt: noch nicht. Die arabische Sprache ist, denke ich, die einzige auf der Welt, die in *einem* Wort »noch nicht« sagen kann, und der stets ungeduldige Penderel schwört, das sei das wichtigste Wort in diesem verfluchten Eingeborenen-Lingo!

Ein langer Sudanese, Sabr Mohammed, ist der Chauffeur des dritten Autos. Es heißt beruhigend: »Ma alesch« (»Schadet nichts«).

Ein kleines, schwarzes, flinkes Kerlchen, mehr einem Buschmann ähnlich als einem Araber, Abdu Musa, soll das vierte Auto fahren. Es trägt ein frommes Motto: »Insch’ Allah!« – »So Gott will!«

»Vielleicht«, sagen die Inschriften, »vielleicht, so Gott will. Noch nicht? Schadet nichts!«

Neben dem Führer eines jeden Wagens ist ein Sitz frei für einen Passagier. Acht Sitzplätze gibt es im ganzen, und aus acht Personen besteht unsere Expedition.

Ich halte stille Musterung. Fünf Europäer: L.E. von Almásy, Hubert S. Penderel, Ladislaus Kádár, Hans Casparius und ich. Zwei Ungarn, ein Engländer, ein

Ein Kamelefant in der Wüste

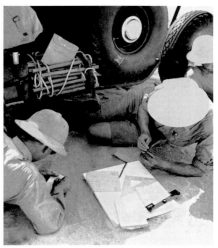

Eine Kartenkonferenz

Mahmud im Wüstendreß

Reichsdeutscher und ein Österreicher. Almásy rennt zwischen den Wagen herum, besieht die Ladung, ändert, befiehlt; er ist flink und rassig und schlank wie ein Windhund. – Neben ihm wirkt Hans Casparius (sehr aus Berlin) wie ein Bernhardiner. Dreißig Jahre und zweihundert Pfund und die entsprechenden Meter; treuherzige Augen, die die ganze Welt in Bildchen zerlegen; und riesige, träge Hände und Füße. – Dr. Ladislaus Kádár, der seine vierundzwanzig Jahre mit dem enormen Ernst der Jugend von heute trägt, ist fest und stämmig und der gute Boyscout der Expedition: fortwährend auf gute Taten aus, die er noch heute vollbringen muß; es freut ihn nicht, aber er muß. Weil er so rüstig ist und hilfreich und erfinderisch, nenne ich ihn nach dem Helden in Marryats Jungengeschichte den guten Steuermann Sigismund Rüstig.

Der vierte ist Penderel, von Beruf Wing Commander, das ist: Oberstleutnant der königlich-britischen Luftmacht. Er ist merkwürdig jung für seine vierzig Jahre und unfeierlich für seinen militärischen Rang. Gebaut wie ein Athlet, aber mit dem zarten Mund eines Künstlers; dieser sensitive Mund weiß ganz fürchterlich derb zu fluchen, wenn sich Penderel ärgert. Er ärgert sich ziemlich oft. Er sieht wie ein Hellene aus. Ein Odysseus der Luft – nein, ein Wiking der Wüste. Ein tollkühner Kriegssoldat, einer der besten englischen Flieger, dabei erfüllt von leidenschaftlichem Interesse an geistigen Dingen wie Astronomie und Geographie. Aus einem Buch von Kipling entsprungen, nur noch viel britischer: das ist der blonde Penderel.

Der fünfte bin ich. Zu gar nichts verwendbar, ein Colli mehr im Expeditionsgepäck. Nur so ein Schreiber.

Außer den beiden Chauffeuren, Sabr und Abdu, haben wir noch einen eingeborenen Diener bei uns, den Koch Mahmud. Mahmud Abdallah, ein schwarzer Nubier aus Assuan, ein Mensch von dreißig Jahren, hat dem Prinzen Kemal el Din Hussein bis zu dessen Tod gedient und mit ihm einige Wüstenreisen mitgemacht. Mahmud ist hübsch und schlank und sehr distinguiert; er liebt es, sich auf arabische Art elegant zu kleiden. Heute, für die Autofahrt durch die Wüste, hat er einen weißen Turban angelegt, mit dessen Zipfel er nach Tuareg-Art seinen Mund verschleiert; aber oben auf dem Turban hat er eine große Autobrille befestigt.

Die drei Schwarzen beladen die Wagen, – und ich sehe, unbrauchbar und überflüssig, von der Veranda her zu, wie Ordnung in das erstaunliche Chaos gebracht wird, wie diese Gebirge von Kisten und Säcken auf die vier nicht sehr großen Autos verfrachtet werden. Es ist unfaßbar, was wir alles mitnehmen müssen, unverständlich, wieso wir es diesen unseren Kamelefanten noch und noch auf die geduldigen Rücken laden können.

Den Unterbau jeder Wagenlast bilden die blechernen Würfel der Benzinfirma Shell. In einigen dieser Benzinbehälter ist wirklich Benzin, in anderen aber Wasser; wir haben aber auch eiserne Wassertanks hinten unter den Wagen. Benzin, Wasser und Lebensmittel, das ist der wichtigste Teil der Ladung. Wir sind eine arme Expedition und spartanisch verproviantiert: einige Kisten voll Fleisch- und Gemüsekonserven, Kartoffeln, Reis, Makkaroni und Tee. Nichts so Luxuriöses wie Kaffee ist in den Kisten! Aber Zucker, Marmelade, Sardinenbüchsen und haltbar verpackter Schachtelkäse. Mehl natürlich, Büchsen voll Rindsfett und Fleischextrakt und Erbswurst-Konserven zum Bereiten von Suppe. Ein Sack voll Zwiebeln als Mittel gegen den Skorbut. Wir haben auch etwas Puddingpulver und getrocknete Früchte, zum Nachtisch. Auf dem Puddingpulver steht: Ice Cream Powder, was, ohne Eis, eine Gemeinheit ist.

Mahmud führt ein eisernes Ding mit, das wie ein Tisch auf vier Beinen steht und einen Backofen vorstellt; darin soll Brot gebacken werden. Für die anderen Speisen haben wir einen Primuskocher.

Einige spärliche Flaschen Whisky sind auf einem der Wagen, und einige Flaschen Chianti. Ein Tropfen Chianti, sagt Almásy, macht das schlechteste Wasser genießbar.

Wir nehmen genug Werkzeuge und Autoteile in die Wüste mit, um im Notfall einen neuen Fordwagen bauen zu können, – was Almásy ohne weiteres tun könnte; er ist nicht nur ein Automobilingenieur, sondern auch ein gelernter Mechaniker.

Wir haben weder ein leichtes Flugzeug für unsere beiden Flieger Almásy und Penderel auftreiben können, noch einen tragbaren Radiosender, mit dem wir aus der Wüste Nachrichten in die Welt schicken könnten oder in der Not einen Hilferuf. Wir haben nur einen Kurzwellen-Empfangsapparat; er soll hauptsächlich zum Regulieren der Chronometer dienen, indem er täglich das Zeitzeichen auffängt.

Wir haben zwei Chronometer in unserem wissenschaftlichen Expeditionsgepäck, ferner zwei Theodoliten und die übliche Ausrüstung für meteorologische, geologische, botanische Untersuchungen. Auf den Wagen der beiden Führer Almásy und Penderel ist je ein großer Fliegerkompaß eingebaut, so daß sie während der Fahrt leicht abgelesen werden können. Außerdem haben wir eine ziemliche Anzahl prismatischer Kompasse, und natürlich die nötigen Karten.

Dazu kommen die Apparate und Filme des Photographen. Casparius nimmt drei Photo-Kameras mit sich (alle drei »Rolleiflex«-Spiegelreflexkameras) und zwei leichte kinematographische Kameras, System »Kinamo«. Almásy und Kádár haben ebenfalls photographische Kameras. Wir nehmen sechstausend Meter Rollfilm mit in die Wüste.

Penderel hat sein Militärgewehr mit und Almásy eine Vogelflinte. Mehr Waffen haben wir nicht.

Mit Erlaubnis des Königs von Ägypten haben wir unsere Zelte und die übrige Ausrüstung für das Lager dem Magazin entnehmen dürfen, in dem das Expeditionsmaterial des verstorbenen Prinzen Kemal el Din Hussein verwahrt wird. Wir haben zwei größere Wohnzelte und drei kleinere; außerdem ein geräumiges Küchenzelt. Für jeden der Reisenden ist ein Feldbett vorhanden und je ein Schlafsack. Wir haben ein paar zusammenklappbare Tische; auf Feldsessel haben wir verzichtet. Benzinkisten tun es auch.

Jeder unserer Schlafsäcke enthält sechs Kamelhaardecken, was mir in Anbetracht der herrschenden Hitze stark übertrieben erscheint; und vollends lache ich los, als ich sehe, daß für jede Person ein dicker weißer Schafpelz eingepackt wird. Der Gedanke, daß wir in der Sahara Pelze tragen sollen, jetzt im Frühling, erscheint mir grotesk.

Ich hatte in Kairo geglaubt, enorm genügsam zu packen, als ich mein ganzes privates Gepäck in zwei kleine Suitcases preßte, – aber in Kharga muß ich eine davon noch zurücklassen. Außer dem Khakizeug, das ich am Leibe trage, bleiben mir ein leichter Anzug und zwei Garnituren Wäsche, nebst einem Flanell-Pyjama, dem das Schmutzigwerden bei Strafe verboten ist, und einem Paar starker Reserveschuhe.

Ich habe mir weder durch Überredung noch durch Drohungen mein Toilette-Necessaire abtreiben lassen, in dem ich eine Anzahl einfacher Medikamente verwahre. Obwohl eine offizielle Reiseapotheke vorhanden ist (mit Schlangen- und Skorpionserum und Verbandzeug), weiß ich von anderen Reisen her, wie ungern man jedes winzige Unwohlsein gleich publik macht; ich muß eine Aspirintablette schlukken dürfen, ohne erst die ganze Karawane zu alarmieren.

Als ein erfahrener Reisender habe ich schon zu Hause gedacht, daß in der Wüste die Warenhäuser relativ selten sein dürften; so habe ich alle Taschen geschwollen von zehntausend Kleinigkeiten. Vielleicht geht das Wasser uns aus, aber die Sicherheitsnadeln bestimmt nicht!

Etwas schwer war meine Reisebibliothek auszuwählen. Sie mußte einem hungrigen Bücherwurm endlose Lektüre für viele Wochen gewähren; sie sollte außerdem nützlich sein, keinen Platz beanspruchen und nicht mehr als etwa ein Kilo wiegen. Ich habe lang hin und her überlegt, und dann seufzend den »Ulysses« von Joyce, die Odyssee und selbst den Koran in Kairo gelassen und schließlich nichts mitgenommen (außer einem Handwörterbuch der arabischen Sprache) als »Tausendundeine Nacht«, in der englischen Übersetzung von Lane, in vier Bändchen, und die »Geschichten« des Herodot.

Almásy hat »Kufra« von Gerhart Rohlfs in seinem Koffer und ein paar Broschüren des Prinzen Kemal el Din über die Wüste. Kádár hat eine Abhandlung über das Wandern des Sandes, Penderel einen astronomischen Almanach, Casparius den »Aufstand in der Wüste« von Oberst Lawrence. Aber er steht in dem schweren Verdacht, beim Photomaterial neben anderen geheimen Luxusdingen (eine Maniküre-Kassette) einen Kriminalroman verborgen zu halten.

Unser unwahrscheinlichstes Gepäckstück ist ein richtiges Marmormonument. Jawohl, Almásy schleppt einen Marmorstein mit Inschrift in die Wüste, eine Gedenktafel, die er zu Ehren seines verstorbenen Protektors, des Prinzen Kemal, an der Südspitze des Gilf Kebir aufstellen will.

Wir hatten gestern geplant, bei Sonnenaufgang aufzubrechen; aber es wird fast Mittag, ehe die Segeltuchplachen über der turmhoch gestapelten Last auf den Rücken unserer Kamelefanten sorgfältig festgeschnürt sind. Die vier Wagen vor dem Rasthaus sehen martialisch aus wie ein militärischer Train. Die Stangen unserer Radioantenne ragen von dem einen Wagen zum Himmel, an dem anderen hängt Penderels geliebtes Schießgewehr in seinem Futteral; Feldflaschen baumeln neben den Sitzen; ganz oben über den Plachen sind zusammengerollte Strickleitern angebunden, mit deren Hilfe im Sande gestrandete Autos flott gemacht werden sollen.

Wie wir fünf Europäer die dunklen Brillen vor die Augen stecken, kommen wir uns sehr feierlich vor. Wir setzen auf der Veranda die Tropenhelme auf; zum letztenmal sind sie mit Kreide geputzt und daher reputierlich. – Unsere drei Schwarzen sind sehr erregt und rufen fortwährend zu den Leuten von Kharga hinüber, die sich am Garteneingang versammelt haben und gaffen. Ich höre sie ununterbrochen einander zuflüstern: »Zarzura, Zarzura, Zarzura!« – Nur ein paar Kinder schreien noch rasch mal: »Bakschîsch, Chawâga!«

Oh, wie ich mich darauf freue, die Kinderchen los zu werden und die Fliegen von Kharga! Noch muß ich mit dem Wedel wild um mich fuchteln, aber warte nur, balde – – –

Punkt halb zwölf erscheint, begleitet von seinem Polizeichef, der Mudir Wasfy Bey, um von uns Abschied zu nehmen. Ich glaube, er ist ein bißchen gerührt und möchte gern mit.

Der dicke Mudir legt die Hand an die Stirn, wir grüßen ernst zurück, und die Wagen fahren zum Tore hinaus, in der Ordnung, die sie in der Wüste einhalten sollen. Voran Almásy auf »Jemkin«; er hat den Geographen Kádár bei sich, und ihre Sitze sind beengt durch Kartenrollen und Kompasse. Auf dem zweiten Wagen »Ma alesch«, sitze ich neben Sabr, dann kommt »Insch' Allah« mit Abdu und Mahmud und als Nachhut »Lissa«, geführt von Penderel, der Casparius als Passagier neben sich hat.

Wir fahren westwärts, zunächst die steinige Straße entlang, die von Kharga gegen Dachla, die Nachbaroase, führt.

Neben mir sitzt Sabr, der große Sudanese. Er hat treuherzige Knabenaugen, und auf seinen schwarzen Wangen sind Schnittnarben sichtbar, ein barbarisches Stammeszeichen. Er war im Sudan Soldat und versteht ein wenig englisch. Ich will zu ihm etwas sagen, da bemerke ich rechtzeitig, daß sich seine starken Lippen bewegen: er betet erst leise, dann halblaut.

Auch ich kenne die arabischen Worte der »Fât'ha«, jene »eröffnende« Sure, mit der der Moslem jedwedes Beginnen begleitet:

»Bismillahi rachmani errachhim.

El hamdu lillahi rabi lalamîn.

Arrachmani rahim.«

Sabr Mohammed hört mich mitsprechen, er lächelt, er hebt – es ist ein wenig gefährlich – seine beiden knochigen, starken, schwarzen Hände vom Steuerrad, hebt sie hoch empor, wir beide sagen:

»Im Namen Gottes, des Erbarmers, des Barmherzigen!

Gelobt sei Gott, der Weltenherr!

Der Erbarmer, der Barmherzige!

König am Tag des Gerichts!

Nur Dich verehren wir, zu Dir nur rufen um Hilfe wir.

Führe Du uns den geraden Weg,

Den Weg jener, denen Du gnädig bist, – denen Du nicht

zürnst und die nicht in die Irre gehen.«

Rechtzeitig erinnere ich mich noch, daß ein Engel eigens zu Mohammed herabgestiegen ist, um ihn zu ermahnen, er möge niemals nach dieser hochheiligen Sure das Schlußwort Amen unterlassen. So sage ich laut nochmals

»– – und die nicht in die Irre gehen. Amîn!«

Unsere Karawane ist unterwegs.

Der Gongoi-Klub

Ich erwache, nicht sehr ausgeschlafen, im ersten Morgengrauen. Es ist furchtbar kalt, und ich habe zuletzt von winzigen Eisbären geträumt, die mich überall bissen. Ich mache Licht (ich habe ein elektrisches Lämpchen im Zelt, das an den Akkumulator eines der Autos angeschlossen ist), hole aus dem Inneren einer Benzinkiste, die als Kleiderschrank neben dem Feldbett steht, meine knallgelben arabischen Lederpantoffeln, hülle mich rasch in den Pelz – ich weiß jetzt, wozu diese Pelze gut sind! – und trete vors Zelt hinaus; ich habe dort draußen etwas sich regen gehört.

Am grauen Himmel sieht man noch einige Sterne; ein fahles Halbdunkel liegt auf der sandigen Ebene am Fuß der Düne, wo wir unser erstes permanentes Lager errichtet haben, dreihundert Kilometer südwestlich von Kharga. Ich kann die zerrissenen Sandsteinhügel im Hintergrund finster aufragen sehen, und den Zug der Dünen, über die jetzt ein eisiger Wind fegt. Unsere Wohnzelte sehe ich, in einer geraden Reihe; das Küchenzelt steht weiter abseits, und von dort kommt ein Licht: wahrscheinlich bäckt Mahmud über dem Primuskocher frisches Brot für uns. – Noch jemand ist wach im Lager: Dr. Kádár, gespenstisch im weißen Schafpelz, hat das Stativ seines Theodoliten in den Sand gebohrt und beobachtet durch das kleine Fernrohr die erbleichenden Sterne.

»Schon auf, lieber Kádár?«

Nein, nicht schon. Er ist überhaupt noch nicht schlafen gegangen.

Wir sind von Kharga drei Tage hindurch bis hieher gereist, über steinige Wüstengebirge und rollende Ebenen. Nun soll dieses günstig gelegene Lager uns als erste Basis dienen; wir schicken morgen noch einmal drei von den Autos nach Kharga zurück, um noch mehr Benzin und Wasser hierherzuschaffen. Unterdessen sollen vom Lager aus gewisse Ausflüge unternommen werden. Dazu ist es nötig, daß wir genau erfahren, wo wir eigentlich sind; wir kennen zwar unsere Distanz von Kharga und ungefähr die Kompaßrichtung; aber Kádár ist eben dabei, aus dem Lauf der Gestirne die exakte geographische Länge und Breite des Ortes zu berechnen.

Vergeblich versuche ich, den eifrigen Jüngling zum Schlafengehen zu überreden. Mit einem angenehm schlechten Gewissen gehe ich selbst noch einmal ins Zelt und ziehe mir die sechs Kamelhaardecken genießerisch über die Ohren.

Ich erwache nochmals, als eine schwarze Hand ein wenig unheimlich durch den Spalt meiner Zeltklappe greift, an den Schnüren nestelnd, mit denen der Eingang verschlossen ist. Dann strömt auf einmal das warme Licht des Wüstenmorgens heftig zu mir herein, und der gute Mahmud bringt mir ein Glas Tee ins Zelt.

Ich stehe auf und suche mein Gummiwaschbecken. Es ist nicht da, einer von den Kameraden muß es gegongoit haben.

»Gegongoit«: ein Wort aus unserem Lagerjargon. In Kharga und schon in Kairo haben wir viel von einem gewissen Gongoi gehört, einem schwarzen Räuberhauptmann, der mit seiner Bande seit einiger Zeit die Wüste unsicher macht. Man hat ihn an diesem und jenem Brunnen gesichtet, und er hat einen Raid gegen Dongola ausgeführt. Penderel hat mit seinem Flugzeug-Geschwader vergeblich die Wüste abpatrouilliert, um Gongoi zu finden. – Uns allen spukt Gongoi nicht wenig im Kopf herum und in unserer Lagersprache. Wir sagen immer: »to gongoi« statt: stehlen. Wer geborgte Bleistifte nicht wiedergibt, ist ein »Gongoi«. Der Obergongoi ist Penderel, in dessen Taschen die Bleistifte aller sich gerne versammeln.

Das Waschbecken findet sich; unschuldvoll hat es, wer immer es gegongoit und dann benützt hat, zum Trocknen auf einen Sandhaufen gelegt. Ich nehme es in die eine Hand und in die andere einen Taschenbecher, den ich zum Zäheputzen benützen will. So gehe ich zu Almásys Auto, um aus dem Blechbehälter zwischen den Hinterrädern ein wenig Wasser zu zapfen. Ich drehe den Hahn, und blutrote, dicke Tropfen sickern in meinen Becher. Das Wasser in diesen Wagentanks ist nämlich rostig, während das Wasser in den Ex-Benzinbehältern nicht rostig ist, sondern benzinig.

»Einen Augenblick«, sagt hinter mir Penderels Stimme, auf verdächtige Weise höflich. Er nimmt mir den Becher sanft aus der Hand und läßt selber das Wasser hinein, mit einem freundlichen Grinsen. »Ich sehe Ihnen seit Tagen zu«, sagt er dann. »Sie sind ein blutiger Anfänger in der Wüste und kennen sich noch nicht aus. Es macht nichts, im Augenblick haben wir Wasser genug; aber wollen Sie mal die Ration kennenlernen, auf die wir alle Anspruch haben?«

Er hält mir den Zinnbecher halb gefüllt unter die Nase. »So«, sagt er, »das dürfen Sie seelenruhig an jedem Morgen zum Zähneputzen verwenden – und zum Baden!«

Ich seufze. Die Gewohnheit des Waschens war süß! Ich sehe uns der Reihe nach aufmerksam an: vor drei Tagen waren wir leidlich zivilisiert, wie sehen wir jetzt schon aus? Wie Wüstenstrolche! Der weiße Tropenhelm des braven Casparius ist, als er ihn vom Wagen herabhängen ließ, vom Rad gestreift worden und ganz schwarz gemacht. Almásy trägt eine gestrickte Nachtmütze Sabrs und ich eine seidene Autokappe mit Ohrenklappen; man kann auch im Zelt nicht ohne Kopfbedeckung sein, des ewigen Windes wegen. – Kádárs geologische Leidenschaft treibt ihn fortwährend auf die steinigen Hügel, so daß ein Paar Schuhe schon jetzt in Fetzen geschnitten ist. Um das zweite zu schonen, trägt er gelbe arabische Lederpantoffeln an den nackten Füßen. Und Penderels athletischer Körper hat eine eigene Art, seine Hemden zu sprengen. Durch die Risse brennt ihm die Sonne dann tiefe Löcher in seinen Rücken. Wir sehen, mit einem Wort, wie ein Verein von Briganten aus. Wir haben uns auch einen passenden neuen Namen gegeben: wir sind der Gongoi-Klub.

Heute früh besorgen sich die Mitglieder des Gongoi-Klubs noch extra schauerliche Verbrecherphysiognomien, indem sie einander mit einer kleinen Maschine die Köpfe ratzekahl scheren. Schon sind nämlich unsere Haare unleidlich mit Sand durchsetzt, und wir können sie gar nicht kurz genug kriegen. Aber der Sand gerät sofort auch in unsere Schermaschine; dem vierten, der an die Reihe kommt, reißt das schartige Ding schon die Kopfhaut wund; ich als der fünfte kann die Maschine nicht mehr benützen und muß ungeschoren durch die Wüste wandeln, mit einem Kilo Sand in meinen verfilzten Haaren.

Also mache ich einen kleinen Morgenspaziergang in der Nähe des Lagers. Ich mache Entdeckungen in der Wüste – ein richtiger kleiner Rohlfs! Wie ich zurückkomme, trete ich gravitätisch zu Almásy hin und bitte ihn, sehr offiziell, mir zu folgen. So kommt er mit mir, und hundert Schritt von den Zelten findet er einen riesigen Pfeil in den Sand gemalt und daneben elf Lettern, ich fürchte, in meiner Schrift: NACH ZARZURA.

Ein bißchen weiter in der Richtung des Pfeils – und, jawohl, da ist sie, die erste Oase, die wir gefunden haben, ein bißchen klein zwar, es sind nur einige Büschel vergilbten Grases, – aber doch die erste Vegetation, die wir seit Kharga erblicken; und sie kann vielleicht das Dasein des toten Grashüpfers erklären, den ich neben den Zelten gefunden habe.

Die Wüste scheint nur tot; sie ist voll von Lebewesen. Ich weiß, obwohl ich's nicht zu deuten vermag, daß einige Tropfen Wasser, aus den Autos tropfend oder beim Waschen verschüttet, sofort aus dem blauen Nichts ein paar große bunte Libellen herbeilocken können. Jawohl, Libellen! Man stellt sie sich sonst über Teichen und Bächen dahinschwebend vor; aber da sind sie – in der wasserlosesten Wüste der ganzen Welt.

Auch weiß ich schon, daß die steile Düne hinter dem Lager, gleichsam eine Woge aus Sand, von Fischen bewohnt wird wie eine beliebige Woge im Wassermeer. Der Sandfisch (man sagt wirklich »Sandfisch«) ist eine Eidechse, die im Sand schwimmt wie ein Fisch im Wasser; sieht und verfolgt man sie, dann krabbelt sie in die Dünenwand hinein und schwimmt davon, quer durch die Düne. Auch gibt es ein kleines, unglaublich flinkes Geschöpf, das über den flachen Sand davonwirbelt, mit den hastigen Bewegungen einer verfolgten Krabbe, und das man deswegen die Sandkrabbe nennt; es ist aber eine Art Grille, deren Vorderbeine Krebsscheren ähnlich sind.

Dieser erste ruhige Tag im Lager macht mir die Wüstenlandschaft lieb und vertraut. Ich liebe es, bis zur Höhe der Düne emporzusteigen und zuzusehen, wie der heftige Nordwind den Sand über den messerscharfen Dünenkamm springen und rieseln läßt. Und ich liebe es, auf den Felsenhügeln merkwürdige Formationen zu suchen: Stücke versteinerten Holzes, aus wer weiß wie fernen Urzeiten stammend, als hier noch ein Wald stand, und seltsam geformte, vielfarbige Erosionen: Stücke von Sandstein, die durch die Jahrtausende der wehende Sand geschaffen und ausgehöhlt hat, so daß hohle Röhren entstanden sind, oder Kegelkugeln, oder hauchdünne Platten, vielfach durchbrochen, – Kunstschmiedearbeit in Stein, oder Aschenbecher und größere Pfannen und tausend phantastische Dinge und Formen. Am meisten liebe ich es, bäuchlings im warmen Sande zu liegen und die Steinchen, die der Sand enthält, sinnlos nach ihren Farben zurechtzusortieren: ein Häufchen von winzigen gelben Kieseln, die durchscheinend sind wie Topase und in der Sonne zu funkeln beginnen; und rote Kieselchen, groß wie Stecknadelköpfe, kleine Rubine, Kameole, Korallen – und grüne und blaue und violette – –

Dann sinkt die Sonne und ich gehe ins Lager zurück; nein, ich laufe mit meinem Schatten einen Wettlauf. Der Schatten ist endlos lang, und oben darauf sitzt ein kleinwinziger Tropenhelm.

Im Messezelt essen wir Cambridge-Würstchen mit Sauerkohl und trinken Wasser dazu, das nach Benzin schmeckt. Dann beruft Almásy eine große Versammlung des Gongoi-Klubs ein, mit der Tagesordnung: wie organisieren wir unsere Arbeit am Gilf Kebir? Wir sitzen und rauchen und sprechen lange und angeregt. Noch sind wir frisch und voll Eifer; noch ist uns das Abenteuer dieser Expedition von Romantik umwittert.

Nachher treten wir alle ins Freie. Über dem Lager scheinen die Sterne, golden der Jupiter und rötlich der Mars. Wir halten Ausschau nach dem Kreuz des Südens; es stieg noch nicht über dem Horizont empor. Ich fühle mich müde, und es wird bitterlich kalt. Der Gongoi-Klub vertagt sich ins frühe Bett.

Dünenformation

Der Hügel von Abu Ballas

Die Töpfe von Abu Ballas

Unsere Ausbeute

Vater der Krüge

26. März.

Am Morgen bricht Wing Commander Penderel mit drei von unseren vier Autos auf, wieder nach Kharga zurück, um noch mehr Benzin und Wasser in unser Basis-Lager zu bringen. Er nimmt die beiden eingeborenen Chauffeure mit sich; der Koch Mahmud bleibt mit uns vier Europäern im Lager zurück.

Wir berechnen, daß Penderel frühestens in etwa fünf Tagen zurück sein könnte. Solange müssen wir in unserer Basis I auf ihn warten. Wir beschließen, die Zeit zu Ausflügen zu verwenden.

Gleich am Nachmittag fahren wir mit dem einen Auto, das uns geblieben ist, nach Abu Ballas, einer der seltsamsten Stätten der Libyschen Wüste, die nur zwanzig Kilometer von unserem Lager entfernt liegt. Prinz Kemal el Din, der Abu Ballas vor Jahren besuchte, hat die Lage des Ortes genau berechnet und in die Karten einzeichnen lassen. Wir wissen zudem aus einer Broschüre des Prinzen, daß wir zwei Wüstenberge zu suchen haben, einander ganz ähnlich, ein Zwillingspaar. Die Spitzen der Hügel müssen mit Steinpyramiden bezeichnet sein, jenen »Alamat« (Einzahl: Alam), mit denen man in der Wüste die Wege bezeichnet. Trotzdem finden wir die Stelle erst nach einigem Suchen, denn solche Hügel und Gruppen von Hügeln sind über die ganze Gegend verstreut.

Aber auf einmal stößt unser Auto beinahe an die rostbraunen Felstürme von Abu Ballas, genau an der Stelle, wo im wilden Geröll des Abhangs das große historische Rätsel zutage liegt, eines von den uralten Geheimnissen dieses Wüstenlandes.

Ein enges Tal zwischen den Zwillingsbergen und einer niederen Düne. Kein Baum, kein Grashalm in Sicht, nichts als Sand und Steine und der brennende Himmel. Man meint, daß noch niemals ein Mensch hier gewesen sei. Aber auf dem Hang und am Fuße des einen Hügels liegen zerbrochene Töpfe. Zerbrochene irdene Krüge zu Hunderten!

Dieser Ort hat zwei Namen, die fast das gleiche bedeuten. Der erste Entdecker, der Engländer Dr. Ball, schrieb auf die Karten: Pottery Hill. Der Wüstenprinz Kemal el Din Hussein gab dem Hügel seinen arabischen Namen: Abu Ballas, das heißt: Vater der Krüge.

Dr. John Ball (ein um die Wüstenkunde sehr verdienter Gelehrter) fand den Hügel im Kriegsjahr 1917; er begleitete damals eine Autopatrouille, die in der Wüste westlich von Kharga und Dachla nach feindlichen Stützpunkten Ausschau hielt. Mehrmals waren im Verlauf des Krieges bewaffnete Banden aus der Wüste bis an den Rand des ägyptischen Fruchtlandes vorgedrungen. Die mit den Zentralmächten verbündeten Scharen der Senussi hielten nicht nur in Libyen die italienischen Truppen lange in Schach, sondern besetzten sogar zeitweise die große ägyptische Oase Dachla, nicht weit von Kharga. Auf welche Weise sie, aus dem fernen Kufra kommend, die Wüste durchquert haben mochten, das ahnte niemand.

Vielleicht hatten die Teilnehmer an Dr. Balls Patrouillenfahrt in Dachla von einer Örtlichkeit reden gehört, wo von Alters her Raubkarawanen zu rasten pflegten. Die Leute von Dachla wußten sehr wohl von dieser Stätte.

Dachla ist unter den Oasen Ägyptens die am besten angebaute, die am besten bevölkerte. Die Datteln von Dachla sind wegen ihrer saftigen Würze weit und breit berühmt, auch die honigsüßen Orangen. Durch alle die ägyptischen Jahrtausende war Dachla fruchtbar und reich; und in ihren schwarzen Zelten träumten die Wüstenräuber durch all die Jahrtausende davon, Dachla zu plündern. Von den einsamen Brunnen im fernen Westen der Wüste, von den spärlichen Weideplätzen jenseits der Großen Sandsee kamen immer wieder die Raubkarawanen. Heimlich und schweigend ritten sie durch die Wüste; plötzlich fielen sie eines Tages über Dachla her, stahlen Kamele von der Weide, raubten Frauen; verschwanden, wie sie gekommen waren.

Wie diese Razzous (das ist: Raubkarawanen) auf ihren Rennkamelen die Wüste bis Dachla durchqueren konnten, das war lange ein großes Rätsel. Diese Räuber beschrieben die Chronisten vieler Jahrtausende stets als fremdartige, riesenhafte Schwarze, der arabischen Sprache nicht mächtig; sie kamen aus weiter Ferne.

Die letzte große Razzou (vor der der Senussen im Weltkrieg) kam um die Mitte des 19. Jahrhunderts aus der Wüste gegen Dachla geritten, schlanke Männer mit weißen Schleiern über ebenholzschwarzen Gesichtern.

Diesmal aber waren die Leute von Dachla auf ihrer Hut. Sie wehrten sich kräftig und es gelang, den Angriff der Räuber zurückzuschlagen. Die Besiegten flohen in die Wüste zurück, und die erzürnten Bewohner von Dachla verfolgten sie hartnäckig. Viele Tagereisen weit ließen sie von den Spuren der Räuber nicht ab. Es ist zweihundert Kilometer vom äußersten Westrand von Dachla bis zu der Stelle, wo die Verfolger die Lösung des uralten Rätsels fanden: die Raubbeduinen hatten hier, bei zwei Zwillingshügeln, ihr geheimes Wasserdepot. Im Sande vergraben und zwischen Steinen versteckt lagen, wohlverschlossen, mehrere hundert Töpfe; jeder mochte zehn bis zwanzig Liter fassen. Vielleicht enthielt ein Teil der Töpfe auch Getreide statt Wasser.

Die Leute von Dachla, als Wüstenmenschen, erfaßten die Situation sofort: bevor ein neuer Raubzug gegen die Oase unternommen würde, kamen von irgendwoher (die Bewohner von Dachla wußten natürlich: aus dem Märchenlande Zarzura) langsame Lastkarawanen und brachten Wasser und Lebensmittel an diese geheime Stelle, füllten die Wasserkrüge aus ihren ledernen Schläuchen. Die bewaffnete Raubkarawane kam später; sie hielt hier ihre letzte große Rast vor dem Überfall; die

Rennkamele wurden noch einmal getränkt, dann ging es windschnell weiter, fast ohne Aufenthalt, bis man am Horizonte die Dattelhaine von Dachla erblickte.

Als die Männer von Dachla das geheime Depot ihrer Feinde gefunden hatten, taten sie, was ihnen nur ein Archäologe verübeln kann: sie zerbrachen diese Töpfe, jeden einzelnen. Als im Jahre 1917 die britische Patrouille die Trümmerstätte zufällig fand, lagen die großen Krüge alle in Scherben. Die am besten erhaltenen hatten faustgroße Löcher.

Nach dem Kriege, im Jahre 1923, kam Prinz Kemal el Din an den Hügel der Töpfe, um ihn näher zu untersuchen. Der Prinz kam mit seinen Citroën-Raupenschleppern durch die Wüste gefahren und errichtete am Fuße der Hügel ein großes Lager, dessen Spuren noch heute gut sichtbar sind. Unser Koch Mahmud, der damals den Prinzen als Diener begleitet hat, zeigt uns die aus leeren Benzinkannen geschichtete Windmauer und das eiserne Postament, auf dem die Geographen der Expedition ihren Astrolab aufgestellt hatten, ein gegen Erschütterung besonders empfindliches Instrument.

Über die Funde von Abu Ballas hat der Prinz, der die Ergebnisse seiner Forschungen sonst selten veröffentlichte, eine Broschüre verfaßt, dieselbe, die Almásy jetzt in seinem Gepäck hat.

Der Wüstenprinz fand auf dem Scherbenhaufen die Reste von etwa dreihundert irdenen Krügen, von denen jeder etwa zwanzig Liter gefaßt haben mag. Nur einige von diesen Gefäßen waren leidlich erhalten; der Prinz nahm sie nach Kairo mit. – Die meisten der Töpfe haben eine bauchige Form, wie sie noch heute im Westen der Wüste gebräuchlich ist, und sind am Hals mit rhombusförmigen Malen bezeichnet, so wie sie das schwarze Volk der Tibu in ihre Gefäße einzubrennen gewohnt ist. Aber es sind auch noch ganz anders geformte Krüge vorhanden, deren edlen Umriß niemand verkennen könnte: es sind Amphoren von der antiken griechisch-römischen Form. Einige zeigen noch Spuren einer feinen Glasur.

Antike Amphoren? Was immer die wahre Geschichte der Hügel von Abu Ballas gewesen sein mag, sie waren den Menschen schon lange bekannt, ehe ein athenischer Töpfer seine erste Amphora brannte. Prinz Kemal el Din entdeckte an der einen Wand des Felsenturmes prähistorische Bilder von Menschen und Tieren, in den Stein geritzt. Wir selber finden in der Nähe der Töpfe jene steinernen Reibplatten und gerundeten Mahlsteine, die in allen Steinzeitsiedlungen in der Wüste gewöhnlich sind.

»Dieser Ort«, sagt Almásy zu mir, der mit einer entfalteten Karte der Libyschen Wüste im Schatten eines der Steine sitzt, »ist nämlich keineswegs zufällig hierhergeraten. Sehen Sie auf der Karte: Abu Ballas liegt so ziemlich genau am Ende des ersten Drittels der ungeheuren Wüstenstrecke zwischen Kharga im Osten und Kufra im Westen. Hier haben seit jeher die Wüstenreisenden ihre Rast gehalten, hier fanden sie Wasser und Lebensmittel. Und was folgt daraus? Daß am Ende des zweiten

Drittels wieder Wasser gewesen sein muß! Und jetzt: schauen Sie her! Das zweite Drittel der Distanz Kharga-Kufra endet eben an jenem Punkte, wo ich in den Schluchten des Gilf Kebir mein Wadi gesehen habe; die Raubkarawanen gingen von Kufra über Zarzura nach Abu Ballas!«

Meine Gefährten klettern in den Felsen herum, um guterhaltene Krüge zu suchen; wir möchten ein paar mit uns nehmen. Unterdessen liege ich gegenüber dem Hügel der Töpfe auf dem sanften Abhang der Düne: kein besseres Lotterbett als ein Dünenabhang. Ich habe den Band Herodot in der Tasche, den ich mit gutem Bedacht in die Wüste mitnahm, und lese jene Stelle nach, die von Amphoren handelt, die man in der Wüste hinlegt. Ich blättere, rücklings auf meinem Sanddivan liegend, bis ich die schon oft gelesene Stelle finde, gleich am Anfang des Buches »Thalia«:

»Ich will jetzt ein Ding erwähnen, das wenige von denen wissen, die nach Ägypten segeln. Zweimal im Jahr wird aus allen Teilen von Hellas und auch aus Phönizien Wein nach Ägypten gebracht, in irdenen Krügen. Und doch kann man in dem Lande fast nie einen Weinkrug sehen. Was also geschieht mit den Krügen? Ich erkläre es: der Bürgermeister einer jeden ägyptischen Stadt hat die Pflicht, die Weinkrüge seines Distriktes zu sammeln und nach Memphis zu bringen; die Leute von Memphis füllen dann alle die Krüge mit Wasser und bringen sie in die Wüste auf Syrien zu ... Diese Methode, den Weg nach Ägypten passierbar zu machen, indem man dort Wassergefäße stapelt, haben die Perser begonnen, sobald sie sich Ägyptens bemächtigt hatten – –«

Ich wende ein paar Seiten im Herodot um und lese von dem Perserkönig Kambyses, dem Sohn des Kyros, wie er, der Eroberer des Landes am Nil, auch die berühmte Oase des Gottes Ammon zu unterwerfen gedachte. Er sandte von Theben (also von Luxor) aus ein ganzes Heer gegen die Ammon-Oase (also gegen das Siwah von heute); diese Truppen, berichtet mein Herodot, »hatten Führer mit, und man kann ihre Spuren bis zu der Stadt Oasis verfolgen, sieben Tage quer durch den Sand, und in unserer Sprache heißt sie: ›Die Insel der Seligen‹.« (Das ist unzweifelhaft die Oase Kharga.)

»Von da an«, schreibt Herodot weiter, »hat man nie mehr etwas von dieser Armee gehört, außer dasjenige, was die Ammoniter berichten. Es ist gewiß, daß sie weder zu der Ammon-Oase gelangten, noch je nach Ägypten zurückgekehrt sind. Und die Ammoniter erzählen, daß die Perser von Oasis durch den Sand zogen und schon auf halbem Weg zur Ammon-Oase waren; da, als sie bei ihrem Mittagmahl waren, erhob sich ein Wind vom Süden her, stark und tödlich; ungeheure Säulen wirbelnden Sandes bedeckten die Soldaten, und sie verschwanden darunter für immer.«

Ich bin ganz wach, ich sehe meine Gefährten, die über die Steinböcke klettern, ich sehe Kádár, der einen Krugscherben mißbilligend anblickt; es ist leider nur eine halbe klassische Amphora. Ich sehe Casparius, der etwas photographiert, – und ich sehe doch auch zugleich, wie ein Heereszug in dieses sandige Tal herniedersteigt, bärtige, ernste Perser mit seltsam geformten Tiaren auf ihren Köpfen, Meder in leinenen Hosen und Schuppenpanzern, mit langen Bogen in ihren Händen, Skythen, deren Mützen spitz in die Höhe laufen, tiefbraune Inder in Baumwollgewändern und flinke Parther mit kurzen Speeren. Sie sind schon lange durch die Wüste marschiert, gefolgt von Lastochsen und den ersten Kamelen, die dieser Erdteil zu sehen bekommt. Aber das Wasser in den ledernen Schläuchen auf den Rücken der Tiere ist bald zu Ende. Hier würden sie neues finden, haben die Führer versprochen.

Natürlich hier, eben hier! argumentiere ich mitten in den Tagtraum hinein. Sie marschieren, nicht wahr, von der Großen Oase gegen die Oase des Ammon Râ, die sie erobern sollen, so wie sie Memphis und Theben erobert haben. Also: von Kharga nach Siwah. Folglich führt ihr Weg ja doch hier vorbei. Wenn sie auch Lasttiere hatten, die Wasser trugen, muß irgendwo unterwegs ein Depot vorhanden gewesen sein oder eine Zisterne. Kambyses, der Großkönig, kann so verrückt nicht gewesen sein, daß er ein Heer ohne Wasser quer durch die Libysche Wüste schickte. Irgendwo lagen Wassergefäße, auf jene Art in der Wüste niedergelegt, die Herodot als eine neue Methode der Perser schildert. Wenn irgendwo, warum dann nicht hier? Dies ist eine uralte Stätte, die Steinzeitbilder beweisen es, und die Wüste ist konservativ. Und so wenig gewiß es auch sein mag, diese zerbrochene Amphora, die Kádár da hochhält, war möglicherweise erst mit dem süßen Wein von Chios gefüllt und lag dann hier, gut verschlossen, und barg das Wasser für das Heer des Kambyses. – Die Perser leerten den Inhalt der Wasserkrüge in ihre Schläuche und marschierten dann auf den Brunnen zu, auf die Oase inmitten des Wüstengebirges, von der ihre Führer wußten. Ja, die Führer kannten die Oase der kleinen Vögel und wollten hin. Unterwegs kam der Sandsturm, der dem Heer den Untergang brachte. –

Ich rutsche erregt über die Düne hinab und laufe zu Almásy hinüber. Plötzlich ist es mir eingefallen, daß doch bestimmt irgendwo zwischen dem Hügel von Abu Ballas und dem Großen Gilf die Armee des Königs Kambyses im Sande begraben liegt, mit all den unendlichen Schätzen aus den Tempeln, aus den Königsgräbern von Theben, die sie geplündert hatten – –

»Almásy«, schreie ich schon von weitem, »halten Sie es für möglich, daß wir das Heer des Kambyses finden?«

Penderel würde nur lachen, fragte ich so etwas; Kádár würde ernsthaft zweifeln und Casparius freundlich von etwas anderem reden. Almásy, auch ein Phantast wie ich, versteht mich sofort und spielt mit.

»Natürlich doch«, sagt er. Im Sand geht gar nichts zugrunde. Nicht eine eherne Lanzenspitze, nicht eine goldene Münze, nicht eine Perle aus dem Halsband einer toten ägyptischen Königin. Ein Sandsturm hat all das vor ein paar tausend Jahren begraben? Ein Sturm kann heute nacht den Sand wieder weiterblasen und die verborgenen Schätze enthüllen, wenn Allah will. – – Passen Sie auf, wir finden sie, direkt bei Zarzura.«

»Und, zum Teufel«, schreit er, plötzlich ins Wirkliche springend, »wie verpacke ich nur diese verdammten Töpfe, daß sie mir nicht noch vollends zerbrechen?«

Das Dokument von Regenfeld

Bei Sonnenaufgang alarmiert Almásy das ganze Lager, und in unseren Pyjamas halten wir einen großen Kriegsrat. Gestern, nach der Rückkehr vom »Vater der Töpfe«, haben wir lange noch debattiert, ob es möglich und tunlich wäre, mit einem einzigen Auto während Penderels Abwesenheit die schwierige Fahrt nach Regenfeld zu wagen. Wir haben als weise Männer und vorsichtige Wüstenfahrer gefunden (mit einem Seufzer), daß es Wahnsinn wäre. In der Wüste fahren auf große Distanzen Autos nur paarweise, damit, wenn ein Wagen im Sande steckt, der andere ihn flottmachen könne, im Notfall die Insassen bergen. Und nun gar Regenfeld: man muß direkt in die Große Sandsee hinein, in die Zone der hohen Dünen!

Regenfeld – darf man denn überhaupt hoffen, die historische Stätte zu finden?

»Regenfeld« hat der große deutsche Erforscher der Libyschen Wüste, Gerhard Rohlfs, ein Lager genannt, das er am 2. Februar 1874 am Rande der Großen Sandsee errichtet hatte. Er blieb dort mit seinen Gefährten vier Tage lang, und ein heftiger tropischer Regen hörte während zweier Tage nicht auf. Deswegen der seltsame Name des Ortes, der in seiner deutschen Form auf allen Landkarten zu lesen ist.

Rohlfs war damals von Dachla nach Westen gezogen mit der Absicht, quer durch die Große Sandsee nach Kufra zu reisen. Regenfeld war das erste Lager, das er in den Dünen bezog, und man weiß heute noch nicht ganz genau, weswegen er dort seine Pläne so plötzlich geändert hat. Statt, wie er wollte, westwärts zu reisen, – er hätte in diesem Falle das Felsengebirge des Gilf Kebir ein halbes Jahrhundert vor Kemal el Din entdeckt –, ging er nun nordwärts nach Siwah. Erst vier Jahre später kam er als der erste Europäer nach Kufra.

Diese Begebenheit, die Sintflut mitten im Dünengewirr der Sandsee, hat Rohlfs in einem Schriftstück geschildert, das er, in einer Flasche verschlossen, zu Regenfeld in einer Steinpyramide begrub. – Erst fünfzig Jahre darauf kam wieder ein Mensch in diese entsetzliche Einöde: Prinz Kemal el Din Hussein suchte und fand im Jahre 1924 die Stätte von Regenfeld, nahm die Flasche des Dr. Rohlfs aus dem Steinhaufen fort und brachte sie mit sich nach Kairo. Er hat unter den Steinen des Alams zu Regenfeld ein anderes Dokument niedergelegt, eine Abschrift der Rohlfs-Urkunde und einen Bericht über seine eigene Expedition. Und nun ist es Almásys große Idee, daß wir für das Wüsteninstitut, das König Fuad in Kairo gründen will, wieder das Dokument des Prinzen aus der Pyramide von Regenfeld holen sollen.

Nachdem wir am Abend einig darüber geworden waren, daß man das mit einem einzigen Auto nicht machen könne, weil es unmöglich sei, hat in der Nacht Almásy sich dann gefragt: weswegen denn eigentlich? Regenfeld ist von unserem Lager kaum hundert Kilometer entfernt; wenn uns das Glück ein wenig begünstigt, können wir heute abend dort sein und morgen abend wieder im Lager zurück.

Angenommen, wir haben kein Glück und bleiben im Sande stecken? Was dann? – Wir können Lebensmittel und Wasser für acht oder zehn Tage mit uns nehmen; in vier oder fünf Tagen ist Penderel mit den drei Autos im Lager zurück. Wir hinterlassen ihm einen Brief und bitten ihn, wenn er uns nicht antrifft, unseren Spuren zu folgen. Wenn wir nicht das ärgste Pech haben und in einen Sandsturm geraten, der die Räderspuren auslöscht – – –

Die Versammlung des Gongoi-Klubs autorisiert ihren Präsidenten, den Wahnsinn zu wagen. Wir beschließen, alle zu fahren.

Nun haben wir nichts weiter zu tun, als irgendwo in den schmalen Dünentälern einen niederen Haufen von Steinen zu finden, der so groß sein mag wie ein besserer Tisch. Wohl kennen wir die geographische Länge und Breite des Punktes und die unseres eigenen Lagers genau. Wer aber dürfte hoffen, sich nicht um einige Meter zu irren, nicht in ein falsches Dünental zu geraten?

Es ist, als wenn man im Meer eine Stecknadel suchen müßte!

Auf dem Führersitz vorn am Wagen ist für zwei, in der Not für drei Personen Platz; aber wir sind fünf. So baut Almásy für den Photographen und mich hoch auf dem Gepäck zwei Plätze zum Sitzen; sorgfältig formt er aus Wasserkisten, Schlafsäcken und Pelzen zwei weiche, bequeme Fauteuils.

Nachdem wir das Lager ordentlich aufgeräumt und eine Flaschenpost für Penderel an sichtbarer Stelle niedergelegt haben, besteigen wir unsere Sitze und fahren los.

Und nach den ersten paar Kilometern erfahre ich, wie das Reisen in einer Wüste in Wahrheit ist. Bisher habe ich immer das Schutzdach des Führersitzes über mir gehabt und die gläserne Windscheibe vor mir. Jetzt, da ich hoch oben auf dem Kistenhaufen sitze, peitscht mir der Sand ins Gesicht und die Sonne bringt die Haut meiner Lippen und meiner Hände zum Platzen, daß das Blut aus den Rissen zu tropfen beginnt. Der Tropenhelm und die dunkle Brille gewähren mir einigen Schutz, aber wie viel nützlicher wäre mir jetzt der schwarze Schleier eines Tuaregs oder die weiten Ärmel eines Beduinengewandes! Da ich Idiot keinerlei Handschuhe in die Wüste mitgenommen habe, ziehe ich ein paar meiner dünnen weißen Socken über die wunden Hände; das schützt sie ein wenig.

Wir fahren durch flaches Wüstengelände. Selten nur finden wir eine Strecke ganz ebenen harten Sandes, die der Araber »Serira« nennt (es bedeutet: Bett) – meistens haben wir uns durch eine gewellte »Hamada« hindurchzuwinden, bergauf, bergab über ganz niedere Kämme. Wir fahren immer nur wenige Kilometer und halten dann, damit Almásy und Kádár eine neue Kompaß-Peilung vornehmen und die Karten genau befragen können. Wohl haben wir einen theoretischen Kurs von unserem

Lager nach Regenfeld berechnen können, aber es ist nicht möglich, längere Zeit die gleiche Richtung beizubehalten. Einmal ist es ein Berghang, der zum Ausweichen zwingt, oder messerscharfes Geröll; ein andermal tückischer Flugsand, in den das Auto nicht einsinken darf. Almásy vermeidet mit einer märchenhaften Geschicklichkeit alle diese gefährlichen Stellen der weglosen Wüste; aber der kleinste Umweg, den er fährt, zwingt ihn, immer wieder stehen zu bleiben, die bisher zurückgelegten Distanzen genau zu notieren, den nötig gewordenen neuen Kurs mit dem prismatischen Kompaß festzustellen und mit dem Hauptkurs nach Regenfeld zu vergleichen.

Lange haben wir kein Wegzeichen, an das wir uns halten können; um uns ist nichts als das formlose Weizengelb der Ebene, das Buttergelb der Dünen und das Braunschwarz der niederen Felsenhügel; es ist ein Land ohne Antlitz. Dann endlich erblicken wir eine etwas höhere Kuppe und darauf ein ragendes Ding, das Menschenhände gebaut haben müssen: einen »Alam«. Und fast in dem gleichen Moment bemerkt das geschulte Auge Almásys im Sand eine Spur von Rädern, zwei fast verwischte parallel laufende Streifen.

Es ist, als käme aus diesem Wüstensand eine Hand, die Hand eines Toten, uns unseren Weg zu weisen. Wir sind auf den Spuren des Prinzen Kemal el Din.

Man sollte meinen, daß der ewige Wind und der wehende Sand solche Spuren sogleich verwischen. Aber nein, sie halten sich jahrzehntelang. Die Hufe der Kamele oder die Räder der Autos schieben die kleinen Steine beiseite, radieren eine Furche in den Wüstenboden, die sich wohl wieder mit Sand füllt, nicht aber mit Steinen. Der leichte Flugsand, den der Wind herumtreibt, hat eine andere Farbe als der mehr stabile Sand der Ebene. Daran erkennt man auch auf Sandgrund lange die Räderspuren, und im losen Steingeröll halten sie sich endlos. Nur wo Dünen wandern, bleiben die Spuren nicht lange.

Wir fahren weiter und weiter. Manchmal läuft die Spur dieser Citroën-Raupenschlepper, die vor nun neun Jahren hier durchgekommen sind, kilometerweit vor uns her; manchmal verlieren wir sie ohne ersichtlichen Grund. Spur oder nicht Spur, Almásy hält an seinem eigenen Kurse fest, bleibt stehen, nimmt Peilungen vor und rechnet mit Kádár. Wir kommen nur langsam vorwärts und der Abend ist nahe, als vor uns rosenrote Dünenkämme aufzutauchen beginnen, die ersten Wogen der Großen Sandsee. – Wir wissen, fünfhundert, sechshundert Kilometer weit gibt es nun nichts mehr als solche Dünen, Wellenberg, Wellental, hohe und niedere Dünen, nichts als goldgelben und orangefarbenen Sand, den der Wind vor sich hertreibt.

Und irgendwo in diesem erstarrten Wogengewirr, in dem Sand-Ozean, steckt dieses Nichts, das wir suchen: ein Häuflein Steine, und darin eine Flasche.

In meinem skeptischen Herzen kann ich nicht glauben, daß wir sie finden werden. Die Spuren des Prinzen, die einen Anhaltspunkt bieten konnten, hören in den Dünen mit einemmal auf. Das Kollegium der Kolumbusse, Almásy und Kádár, hält eine lange und ernste Beratung vor dem wartenden Auto. Sie vergleichen die zurückgelegten Entfernungen, wie sie der Distanzmesser des Autos ausweist, mit ihrer Karte, berechnen die Umwege. Dann kommen sie zu dem Wagen zurück und melden, daß nicht mehr weitergefahren wird. Hier irgendwo muß Regenfeld sein; aber in welchem engen Schlauch zwischen den zahllosen Dünen die Steinpyramide steht, das weiß Allah allein, der Erbarmer! Um sich zu orientieren, steigt Almásy auf die Höhe der Düne, an deren Fuß wir gerade halten. Die Sonne ist tief; ich sehe Almásys langen und dünnen Schatten über den Dünenkamm laufen. Auf einmal schreit er etwas, wirft die Arme hoch – –

Unter ihm liegt im nächsten Dünental eine Steinpyramide!

Wir beherrschen uns wunderbar, beschließen, erst am nächsten Morgen die Flasche mit dem Schriftstück suchen zu gehen. Unsere Zelte stehen im Basis-Lager, und ich soll zum erstenmal in einem Sandloch übernachten. Mahmud, in solchen Dingen erfahren, gräbt mir ein »Beduinenbett«, das ist ein Loch wie ein Grab, mit einem aus Kisten gebauten Windschirm zu Häupten. Dann lege ich meinen Pelz in das Grab im Sande und darüber den Schlafsack.

Wir sitzen am Abhang der Düne und warten auf Mahmud, der über dem Primuskocher Tee kocht, Konserven wärmt, eine Suppe braut und getrocknete Früchte in Wasser aufweicht. Die Nacht ist schon da, und ich wundere mich, daß nicht durch die erste Dunkelheit dieses Abends die frühen Sterne zu scheinen beginnen, der goldene Jupiter und der blutige Mars. Der Himmel ist ganz bewölkt, – und auf einmal sage ich schüchtern und selber zweifelnd, ich habe einen Regentropfen gespürt. Die anderen lachen mich furchtbar aus, besonders Almásy, der auf all seinen Wüstenreisen noch nie einen Regen erlebt hat. Aber ein zweiter Tropfen kommt nach, und dann noch einer, – Herrgott, so regnet es *immer* in Regenfeld? In ein paar Minuten ist ein Platzregen da, wirklich naß und von niemand wegzuleugnen. Dazu ein heftiges Wetterleuchten am Horizont.

Halb fürchten wir ein heftiges Tropengewitter, halb wünschen wir es herbei. Wir haben die Zelte nicht da und würden fürchterlich naß; aber es wäre doch sensationell, ein Gedächtnis-Regen im Regenfeld!

Wir sind doch ein bißchen enttäuscht, als der Regen dann plötzlich aufhört und die Sterne am Himmel wieder zum Vorschein kommen.

28. März.

Ich erwache als erster; in der Nacht hat mich meine alte Ischias nicht wenig geplagt. Ehe ich die anderen wecken gehe, hole ich mir vom Wagen einen Becher voll Wasser zum Trinken. Jetzt nach der kalten Nacht ist das Wasser so köstlich kühl, und der Rost, der das Wasser im Eisentank sonst blutrot färbt, hat sich niedergeschlagen. Ich glaube, noch nie etwas so Gutes getrunken zu haben.

Wir frühstücken rasch und klettern dann gleich auf die Düne. Und richtig, dort steht in der nächsten Senkung das aus Steinen geschichtete spitze Mal (wie ein Schlafwandler ist Almásy darauf zugefahren!). Sofort beginnen wir alle die Steine mit unseren Händen von dem Haufen zu nehmen; wir suchen die Flasche des Prinzen, die irgendwo in der Steinpyramide versteckt ist.

Wir finden: erst einen Vogelbalg; dann die Haut einer Schlange. Die Schlange muß das Vögelchen unter die Steine geschleppt haben, und später fuhr sie dann aus der Haut. Zum Glück ist die Viper in diesem Moment nicht zu Hause. – Was nicht unter den Steinen zu finden ist, das ist die gesuchte Flasche.

Ein schrecklicher Gedanke schlägt in mir ein: ist das nun doch nicht das richtige Regenfeld?

Aber auf einmal beschattet Almásy mit der Hand seine Augen. Er geht etwa hundert Schritte von dem Steinhaufen weg zu einer Stelle, wo im tiefen Sand etwas liegt. Er hat nur ein Eckchen gesehen von einem Ding, das für einen Stein doch zu regelmäßig geformt ist. Er bleibt stehen, wirft sich über den Gegenstand, beginnt mit beiden Händen zu wühlen. Atemlos renne ich auch hinüber und sehe, wie er einen großen eisernen Kasten freilegt. Eine Schatztruhe! denke ich hoffnungsvoll. – Aber es ist nur ein »Fantaß«, ein eiserner Wasserbehälter der Karawane von Gerhart Rohlfs.

Nein, kein Zweifel ist möglich! Noch liest man auf dem eisernen Kasten die Firma, die ihn erzeugt hat: Stieberitz und Müllner, Apolda. – Wir wissen aus Rohlfs eigenem Buch, daß er dort zweihundert solcher Fantasse anfertigen ließ, ein jeder verschlossen mit dem dreieckigen Coupéschlüssel der preußischen Eisenbahnen. Das ist ein Ding, das ein Kameltreiber nicht gleich bei der Hand hat, wenn er Wasser zu stehlen gesonnen wäre.

Schnell laufen wir nun zurück zu dem Steinhaufen; die Flasche mit dem Schriftstück *muß* da sein! Aufgeregt steckt Mahmud seine schwarzen Arme bis zu den Ellenbogen in den Sand, ohne an Vipern auch nur zu denken. Dem guten Kerl sind die Tränen nahe, er denkt an den Prinzen, seinen verstorbenen Herrn.

Und dann findet Mahmud diese Flasche. Sie lag tief unter der Basis der Steinpyramide: eine Champagnerflasche, deren französische Etikette noch lesbar ist. Die Flasche ist mit dem Siegel des Prinzen verschlossen; im Inneren sehen wir das Schriftstück liegen.

Wir beschließen, die Flasche, ohne das Siegel zu lösen, nach Kairo zu bringen, für König Fuad, den Oheim des Prinzen Kemal el Din. Natürlich nehmen wir auch die Wasserkiste mit uns.

Wir haben längst eine neue Urkunde vorbereitet, in deutscher Sprache. Die wohnt in einer Sektflasche der Firma Kempinski, Berlin, nebst einer Photographie des ersten Rohlfs-Dokuments, das hier lag, ehe der Prinz es holte. (Die Photographie hatte der Prinz Almásy gegeben.) – Unser eigenes Schriftstück erwähnt in geziemenden Worten die beiden großen Erforscher der Libyschen Wüste, Gerhart Rohlfs und Kemal el Din

Hussein. Wir fügen die Daten unserer eigenen Expedition hinzu und unterschreiben, zuletzt Mahmud, der vor Rührung die Feder kaum halten kann. Dann geht er abseits. Er weint; er wirft sich nieder und betet. Wir blicken nicht hin.

Aber auch Almásy ist schweigsam. Er hat eine romantische Verehrung für das Andenken dieses Prinzen, der die Wüste geliebt hat.

Wir bauen über dem Schriftstück in der Kempinski-Flasche eine neue und höhere Pyramide. Wenn die Schlange von ihrem Ausflug zurückkommt, die wird ihr Haus nicht wiedererkennen.

Fünfzig Jahre lag das Dokument Gerhart Rohlfs' unter den Steinen von Regenfeld, neun Jahre das Schriftstück des Prinzen Kemal el Din. Wie lange bleibt nun das unsere liegen? Der nächste Autofahrer, der es zu holen gedächte, findet den Weg durch unsere Spuren bezeichnet und auch durch Steinhaufen, die wir unterwegs hier und dort aufgerichtet haben. Eine gute sportliche Leistung bleibt ein Besuch in Regenfeld dennoch. Wer holt als der Nächste die Flaschenpost aus der Steinpyramide?

Kádár im Beduinenbett. Zu seinen Häupten als Windschirm eine von Gerhard Rohlfs' eisernen Wasserkannen.

Sabr

Almásy in Regenfeld

Robinson in der Wüste

Wir haben noch einmal in den Dünen bei Regenfeld übernachtet und fahren nun zu unserer Basis zurück, davon überzeugt, daß wir Penderel noch nicht vorfinden werden. Als wir uns aber gegen zwei Uhr mittags dem Lager nähern, sehen wir erst über unseren grünen Zelten einen großen Raubvogel kreisen, – und dann bemerken wir staunend, daß die drei Autos schon da sind. Der Wing Commander hat die gewaltige Strecke nach Kharga hin und zurück in einer wahren Rekordzeit bewältigt und ist seit einer Viertelstunde im Lager.

Wir finden ihn neben den noch beladenen Autos und nicht in der besten Laune; er hätte den Ausflug nach Regenfeld gerne mit uns gemacht. Nachdem wir sein Schelten ein wenig besänftigt haben, zeigt er uns seine Ladung: außer Benzin und Wasser hat er frische Gemüse gebracht, Obst, eine Kiste voll von Eiern und einen Korb voll Whiskyflaschen, mit den herzlichsten Grüßen von Wasfy Bey. Braver alter Muselmann! Er selbst trinkt keinen Whisky, wenigstens offiziell nicht.

30. März.

Die Ischias, die mich seit einigen Tagen peinigt, hat nun doch, wie gewöhnlich, einen Wettersturz zu bedeuten gehabt. Der heiße Südwind, der gestern herrschte, schlägt plötzlich nach Westen um, und dumpfes Gewölk zieht unheilverkündend auf. Ein Dunst erhebt sich, man sieht die nächste Umgebung nicht mehr, und schon fegt ein Sandsturm durch die Wüste.

Wir haben Pläne gehabt: drei Autos sollten von neuem beladen und zu der nächsten Etappe vorausgeschickt werden. Aber das Sandtreiben macht jede Arbeit unmöglich; man liegt in den fest verschlossenen Zelten, und die Sandkörner prasseln auf die Leinwand wie Hagel. So sorgfältig man die Klappen der Zelte verbinden mag, der Sand weht beständig herein und bedeckt zollhoch den Boden. Es ist ein blutroter Sand, wie er in der Nähe des Lagers nicht vorkommt. Bald ist das Bett voller Sand und das Buch und das Innere meines versperrten Koffers. Voll Sand meine Ohren und Augen; die Haare sind blutrot gepudert.

Vor dieser Reise in die Libysche Wüste habe ich oft genug mit Bangen gesagt: und wie, wenn ein Sandsturm käme? Jetzt, da er in Wirklichkeit da ist, erkenne ich, daß man ihn schließlich ertragen kann. Die Phantasie hatte ihn ja doch ärger gemalt: keine fliegenden Sandsäulen kommen, um uns zu begraben, man erstickt nicht, man wird nicht davongeweht.

Schön ist die Sache zwar nicht: hinter den Zelten baut sich eine rote Ringmauer auf; da ich ins Messezelt will, stolpere ich bei jedem der wenigen Schritte und ringe atemlos mit dem Wind. Dann sind die Makkaroni mit Sand bestreut, und wir trinken mehr Sand als Wasser aus unseren Gläsern.

Es wird kein gemütliches Mittagessen, und doch haben wir Anlaß, dankbar zu sein. Wäre der Sandsturm schon gestern gekommen, wie leicht wären wir mit unserem einzigen Auto irgendwo steckengeblieben, und Penderel hätte uns dann vielleicht gar nicht gefunden. Die gestrigen Räderspuren in der Ebene sind vom Sturm fast gänzlich verwischt.

31. März.

In der Nacht hat das Sandtreiben aufgehört, dafür hat es mehrmals schwere Tropfen geregnet. Ein ungewöhnliches Ding so spät im März! – Wie die Sonne aufgeht, fängt der Sand schon wieder zu fliegen an, obwohl nicht so heftig wie gestern. Penderel, der gegen Sand eine merkwürdige Abneigung hat, schlägt vor, unser Messezelt auf ein Felsenplateau zu verlegen, das er in den Bergen jenseits der Lagerebene kennt. Wir tun es, und dort oben fliegt wirklich kein Sand mehr herum; desto stärker bläst der glühende Wind.

Ich bin als ein Invalide mit einem Ischiasbein dazu verdammt, den ganzen Tag dort oben zu hocken, während unten im Tal meine Kameraden trotz dem Sandwind die Wagen für morgen beladen. Ich kann mich mit meinem kranken Bein zwischen den scharfen Felsbrocken nicht bewegen, mit denen dieses Plateau bedeckt ist, und verbringe einen scheußlichen Tag wie ein Mann auf der Teufelsinsel. Durch die Zeltöffnung sehe ich diesen großen Falken, der gestern über dem Lager kreiste. Hier oben also hat er seinen Horst!

Es wird Nachmittag, ehe ich die Gefährten von der Ebene her zu meiner Teufelsinsel heraufkommen sehe. Sie bringen Konserven und Wasser mit, und wir essen doch wenigstens Speisen, in denen kein Sand ist. Zum letztenmal sprechen wir über die Pläne für morgen. Ich mahne mich innerlich zur Disziplin, denn es ist beschlossen, daß ich mit Casparius und dem Koch im Lager verbleiben soll, während die anderen mit drei möglichst schwer beladenen Autos zum Gilf Kebir fahren sollen, um dort eine neue Basis für unsere eigentliche Forschungsarbeit zu finden; wir drei, die wir hierbleiben müssen, werden dann mit dem Rest des Gepäcks von Almásy abgeholt werden.

Ich sage: »Allright!«, aber schweren Herzens. Casparius ist so wie ich in der Wüste ein Neuling; wir würden recht hilflos sein, wenn irgend etwas passierte.

1. April.

An diesem Morgen weht kein Sandsturm mehr, und es ist angenehm kühl. Drei Wagen werden mit Sorgfalt weiter beladen, einer bleibt im Lager zurück. – Um ein

Uhr mittags ist es endlich so weit, daß Almásy, Kádár und Penderel mit Sabr und Abdu davonfahren können. Casparius wünscht den Auszug der Karawane zu filmen und steigt auf den Hügel über dem Lager. Ich stehe unten am Weg und winke, ein wenig beklommen.

Casparius kommt zurück, mit seinen riesigen gelben Pantoffeln über die Steine laufend, und macht sich daran, das Innere seiner Kameras zu reinigen, die voll von Sand sind. Ich betrachte melancholisch meine beiden Uhren; sie sind beide stehen geblieben, und kein Rütteln hilft. In meiner elektrischen Taschenlaterne ist die Batterie geschmolzen, mein Koffer schließt nicht, weil Sand ins Schloß geraten ist.

Eine zum Sterben matte Schwalbe, die der Sandsturm hierher verschlagen hat, kreist um unsere Zelte. Wir stellen für sie einen Napf voll Wasser in den Sand, aber sie sieht ihn nicht oder ist zu scheu, um zu trinken.

Casparius und ich, zwei verlassene Robinsone der Wüste, hocken ein jeder in seinem Zelt, jeder trübselig mit sich selber beschäftigt. Aber unser schwarzer Mann Freitag rumort ganz fröhlich in seiner Küche. Mahmud hat den Ehrgeiz, uns durch ein Festmahl zu trösten, und öffnet fortwährend neue Konservenbüchsen.

Die Sonne geht unter, es wird stockdunkel und ich weiß nicht, wo das elektrische Glühlämpchen steckt, mit dem mein Zelt am Abend beleuchtet wird. Ich gehe, Mahmud zu fragen. Auf dem Weg zum Küchenzelt sortiere ich meine arabischen Vokabeln, deren erst wenige sind. Was zum Teufel heißt: Licht? Mir fällt der berühmte Kohinur ein, der »Berg des Lichts«. Aha, Licht heißt »Nur«! Ich bin doch ein bißchen stolz, weil ich so viel weiß. Ein gebildeter Mensch, sage ich selbstgefällig zu mir, findet sich doch immer leicht zurecht. Dem Nubier dort, zum Beispiel, kann ich doch schon sagen, was ich haben möchte, während er – –

So komme ich zu dem Koch und sage: »Ya Mahmud, nur ma fisch!« – »Ma fisch« weiß ich auch: »es gibt nicht.« – Mahmud sieht mich an, mit dem aristokratischen Lächeln, das ihm eigen ist, und antwortet auf arabisch. Ich verstehe kein Wort. Nein, doch ein Wort. Er hat mehrmals gefragt: »franzaui?«

Plötzlich dämmert mir auf, daß er fragt, ob ich nicht französisch verstehe! »Mais oui, mon ami«, sage ich, »est-ce que tu parles français, toi?«

Bei Mohammed und den vier Kalifen, er kann es, er hat von den französischen Chauffeuren des Prinzen Kemal el Din viel besser französisch gelernt als ich je arabisch lernen werde, und er hat nur bisher angenommen, daß ich nicht so gelehrt sein könne, auch französisch zu sprechen. Mein Selbstgefühl ist etwas begossen, aber die Sprachschwierigkeit ist nun beseitigt.

Mahmud gibt uns zum Abendessen Nudelsuppe, Gänseleberpastete, grüne Erbsen, einen Vanille-Custard und frisch gebackenes Brot. In der ersten Rührung schenke ich ihm, der leidenschaftlich gern raucht, meine schönste Büchse Pfeifentabak.

Die Robinsonade zu Dreien geht fort, ziemlich ereignislos. Wenn Almásy zurück-kehrt und uns abholt, wird es eine belanglose Episode gewesen sein; wie aber, den-ke ich während der Nachmittagsruhe im Zelt, wenn er nicht wiederkäme? Ich male mir den peinlichen Gedanken noch weiter aus. Casparius behauptet immer, er kön-ne ein Auto chauffieren. Bewiesen hat er es mir noch nicht; wahrscheinlich hat er es einmal gekonnt und hat es wieder vergessen. Ich jedenfalls habe keine Ahnung vom Autofahren. Mahmud? Ich weiß nichts davon. Aber, wenn schon einer von uns im letzten Notfall das Auto zu lenken vermöchte, wohin sollen wir fahren? Almásys Spur nach? Oder auf Kharga zu? Wo mag Kharga nur liegen? Es wird mir klar, daß wir nie hinfinden würden. Wir würden – schöne Robinsone sind wir! – uns einfach nicht zu helfen wissen, wenn Almásy und Penderel etwas Menschliches widerführe und sie uns nicht abholen kämen.

Wir haben für acht Tage Wasser, stelle ich fest. Wie ist das, wenn man langsam verdurstet?

Der zweite Robinsontag schleicht auf den Abend zu. Ich lebe seit vielen Jahren zum erstenmal ohne Uhr und empfinde es als lästig. Immer wieder muß ich Casparius fragen. Dann ist die Sonne unten, und Mahmud bringt uns wieder ein Festmahl. Casparius ist ein starker Esser; auf dem Marsch, wenn wir zum Mittagessen nur Brot und eine Zwiebel bekommen, leiden seine hundert gesunden Kilos fürchterlich. Jetzt nützt er die Chance und futtert mächtig. Ich, ohne viel Appetit, sehe ihm heimlich zu. Was wird er tun, denke ich, in dem Fall, daß – – sage ich ihm, daß wir sparen müssen? Er trinkt so viel Wasser beim Essen!

Nach Tisch zeigt Casparius dem Koch Mahmud die Mappe mit seinen schönsten Photographien, von denen er sich auch in der Wüste nicht trennen mochte: vergrö-ßerte Aufnahmen von unseren letzten gemeinsamen Reisen, aus Kanada, aus Alaska, aus Marokko, aus den Kolonien Westafrikas. Mahmud sieht die Blätter aufmerksam durch. Die Photos von Indianern und Cowboys bewundert er sichtlich, – aber als er die Bilder aus Kamerun sieht und aus Senegal, wird er kritisch. Er sieht die Bilder der dortigen Neger mißbilligend an. Es dauert ein Weilchen, bis ich herausbekomme, was ihn verstimmt. Unserem schwarzen Mann Freitag sind Kamerun-Neger – zu negerisch. Schwarz darf man ja schließlich sein, man ist es in Nubien immer. Aber dicke Lippen? Mahmud verabscheut Lippen, die dick sind, und platte Nasen! Krauses Haar geht noch an, denn das hat er selber.

3. April.

Der dritte Robinsontag beginnt frühmorgens mit großer Hitze. Kádár hat seine Thermometer mit sich genommen; die bekämen heute etwas zu tun. Trotz dem heißen Wetter klettere ich mit Casparius auf den Dünen herum, um Sandformationen zu photographieren. Dann brennt die Sonne doch zu stark, und jeder verkriecht sich in sein Zelt. Auch Mahmud ist keineswegs von der Hitze erfreut.

Ich liege auf meinem Bett, geplagt von der Zwangsvorstellung: und wenn Almásy niemals zurückkehrt? – Es ist nicht gemeine Angst, sage ich zu mir, viel eher ein Gefühl der Demütigung, weil ich allein so lächerlich hilflos wäre. Ich denke solange daran, bis die Hitze mich einschlafen läßt. In wirren Träumen leide ich schrecklichen Durst.

Gegen fünf Uhr fährt auf einmal Almásy ins Lager ein.

Almásy kommt mit Sabr zurück, mit einem einzigen Auto. Die anderen beiden, mit Kádár und Penderel, sind zum Messaha-Brunnen gefahren, der einsam inmitten der Wüste liegt, um weiteres Wasser nach der zweiten Basis zu schaffen, dem neuen Lager am Rande des Gilf Kebir. Dort liegt schon unser vieles Gepäck, und wir übersiedeln dahin mit dem ganzen Rest. Von Basis II aus beginnt dann die Forschungsarbeit im Gilf.

Blaue Berge am Horizont

Wir fahren in einen neuen Sandsturm hinein, der uns die scharfen Körner ins Gesicht fegt. Ich reise im zweiten Wagen mit Sabr; weit vorn ist das andere Auto, in dem Almásy mit Casparius und Mahmud fährt.

»Schneller, Sabr, du verlierst ja den Cont' aus dem Gesicht!« (»El Cont'«, der Graf, das ist für unsere Schwarzen Almásy.)

Aber der sanfte Sabr ist heute störrisch wie ein Kamel. Sein Stamm, die Jaalin in Dongola, hat von dem ewigen Kamelzüchten selbst etwas Kamelhaftes angenommen; ich habe es schon an anderen Jaalin bemerkt. Treibe ein Kamel, so sehr du auch willst, es geht ja doch, wie es möchte. Nichts Irdisches brächte Sabr dazu, in so schlechtem Gelände und gegen den Sandsturm so rasch zu fahren wie Almásy, der heute wie rasend voraneilt.

»Musch quajiss!« sagt Sabr und deutet auf den Weg. Der besteht freilich aus steinernen Reibeisen und Messerklingen. »No good, Sir!«

Wir reden miteinander ein Gemisch aus Arabisch und Englisch. Ich lerne von Sabr ja doch ein bißchen arabisch sprechen.

»Nicht gut, Herr!« – Natürlich ist er nicht gut, dieser Weg. Für ein schwer beladenes Auto fast nicht passierbar! Dennoch, wir müssen ja durch; ich verstehe Almásys fiebrige Eile. Wir fahren auf seinen gestrigen Spuren, und die macht der Sandsturm immer weniger lesbar. Autospuren auf Wüstenboden halten sich ein Jahrzehnt oder einen Tag, je nachdem. Und wenn wir die Spur verlieren, so bedeutet das mühsame Orientierung, vielleicht etwas Ärgeres. Wir haben ja Kádár nicht bei uns und seinen Theodoliten. Also durch; um jeden Preis heute noch bis zu dem neuen Lager!

Sabr knurrt wie ein mißvergnügtes Kamel, Sabr stöhnt, Sabr betet. Er ist ein gläubiger Moslem, denn er stammt, wie er häufig genug erzählt, von Abbas ab, dem Oheim Mohammeds. So betet er öfters während des Fahrens; aber leider nimmt er dann jedesmal seine Hände vom Lenkrad und hebt sie zum Himmel empor; es ist zwar erbaulich, doch auch ein bißchen gefährlich. Wir fahren jetzt durch das Vorgelände eines Höhenzugs, und das bedeutet Steine, Steine und noch einmal Steine. Und wieder Steine!

Auf einmal, mitten im Stoßgebet, hält Sabr den Wagen an und beschaut sich den Motor, an dem etwas nicht stimmt. Ich steige – von meinem Sitz, meine Beine sind steif. Ich sehe mich nach Almásy um. Der ist wer weiß wo, ich sehe ihn nicht. Der Wind bläst mir Sand ins Gesicht, ich sehe nicht drei Schritte weit. Und der Motor hört plötzlich zu schnurren auf.

»Ya salâm!« macht Sabr. Es ist seine nächste Annäherung an einen Fluch.

Ich atme erleichtert auf, als ich durch den Sandnebel auf einmal den Umriß von Almásys Auto erblicke, das in rasendem Tempo zurückkommt. Gegen seine Art fährt Almásy den armen Sabr derb an. Der verteidigt sich sehr phlegmatisch.

»Musch quajiss, Cont' – – Der Wagen ist nicht in Ordnung!«

Almásy sieht sich hastig die schöne Bescherung an. Ein Zylinder arbeitet nicht. Keine Zeit jetzt, den Fehler zu beheben. Weiter, rasch! Almásy übernimmt die Führung des kranken Autos, er muß es durchbringen, Defekt oder kein Defekt. Sabr bekommt das heile Auto mit der Mahnung, nicht wieder zurückzubleiben.

Dann auf einmal ist der Sandnebel weg, fortgeblasen im wahren Sinne des Wortes. Die Sicht wird wunderbar klar, ein großer Vorhang ist aufgegangen, und blaue Berge erscheinen am Horizont. Ein wunderbarer, berauschender Anblick!

Ich sehe den mächtigen Wall sich in der Ferne erheben. Das also ist sie, die Große Mauer, »el Gilf Kebir«, das hohe Felsenplateau inmitten der Wüste. Es ist noch sehr wenig erforscht, nur Teile seines Umrisses sind bekannt und gar nichts vom Inneren des gewaltigen Berglandes, das an Umfang nicht kleiner sein mag als die Schweiz, obwohl seine höchsten Teile sich kaum über 1100 Meter erheben.

Zum erstenmal auf dieser Wüstenreise habe ich dieses seltsame Kolumbus-Gefühl: bald werde ich Länder zu sehen bekommen, die andere Augen noch niemals erblickten.

Ein Gürtel von Dünen liegt vor den ersten Bergen des Großen Gilfs. Wir kommen bei Sonnenuntergang hin, und das kranke Auto, das Almásy behutsam führt, bekommt einen Anfall von Schwäche gerade in der entscheidenden Viertelstunde, da wir die Dünen noch bei Licht zu passieren vermöchten. Almásy flucht; diese zehn Minuten, die die Panne ihn kostet, sind unersetzlich. Gerade hier beginnt das schwerste Stück unseres Weges, eine schmale Durchfahrt zwischen den ärgsten Dünen. Almásy und Penderel haben die Passage mühsam gefunden; wer weiß, ob die Räderspuren von gestern noch sichtbar sind! Der Sandsturm hat aufgehört, aber für wie lange? Deswegen, weil er bei Tageslicht hier durchfahren wollte, hat uns Almásy so sehr gehetzt. Wir haben weder gegessen, noch getrunken, noch gerastet. Und jetzt im entscheidenden Augenblick fällt wie ein schwarzer Vorhang die tropische Dunkelheit nieder!

Was ist zu tun? Wir beraten. Die Stelle, an der unsere Vorräte sich befinden, das neue Basis-Lager, liegt vierzig Kilometer von hier. Haben wir nur erst die Düne passiert, dann ist der Weg völlig eben. Sollen wir hier im Sand kampieren und morgen früh wieder so mühsam die Autos beladen? Obwohl wir todmüde sind, beschließen wir endlich etwas Gewagtes. In einer Stunde geht der Mond auf; wir wollen ihn abwarten und dann versuchen, über die Düne zu fahren.

Diese Düne, ein niederer Kamm aus lockerem Flugsand, kommt von einem Felsen, der im Hintergrund aufragt, schwarz und gespenstisch in dieser Nacht.

Almásy und Penderel haben vorgestern zu Fuß die Düne passiert und den Sand sehr verräterisch und gefährlich gefunden; nur irgend eine Laune der Geologie hat in der Mitte einen ganz schmalen Streifen härter gepflastert, so daß ein Auto zur Not hindurchfahren kann. Nur eine Spanne weit von diesem härteren Streifen ab, und schon steckt man tief im unpassierbaren Sand. Wenn ein Auto hier einsinkt, wie soll man es je wieder heben?

Soll man es wagen? Wir wagen es doch.

Der Mond geht auf, aber er ist nicht ganz voll, und sein Licht genügt nicht. Die Scheinwerfer an Almásys Wagen funktionieren nicht recht, aber die an Sabrs Auto sind gut; so muß denn der kranke Wagen voran. Ich setze mich neben Almásy. Vor uns fällt der Lichtkegel voll auf den Sand, er reißt einen grell-hellen Tunnel in die brütende Finsternis. Ich kann nichts sehen als lauter formlosen Sand. Aber Almásys Augen sind gut; er hat eine dünne, verschwindende Linie deutlich gesehen: seine gestrige Autospur. Der folgt er. Nun durch!

Wir kommen an die gefährlichste Stelle. Wer nicht chauffiert, der steigt ab und erleichtert die Last des Autos. Casparius, ich und Mahmud stellen uns längs der Autospur auf, der Almásy folgt, und zeigen ihm so, wie sie verläuft. Zehn Zentimeter Abweichung nach rechts, und die Autos liegen im tiefen Flugsand.

Sonderbar still ist die Wüstennacht. Dann auf einmal brüllt mir Almásys Motor sein Lied ins Ohr, und das Licht macht mich blind. Dann ist der Wagen glücklich vorbei. Dann sofort darauf das Geräusch des anderen Autos. Ich höre durch all den Motorlärm Sabr rufen: »Hamdullilah!« Er dankt Allah dafür, daß er jetzt nicht umfällt. Mit einem Schwung rasen die beiden Autos den Dünenhang hinab. Wir drei laufen dem Licht nach. Die Autos sind stehen geblieben, wo der Sandboden sie wieder sicher trägt. Und wir alle schwärmen sogleich mit unseren elektrischen Taschenlaternen aus, um die Fortsetzung der Fährte zu finden. Da kommt schon Sabrs erneutes »Hamdullilah!« Er hat wie Almásy das richtige Wüstenauge, und er hat die Spur aufs neue entdeckt. Jetzt ist die Gefahr überwunden.

Eine halbe Stunde darauf: wir fahren in einen Talkessel ein, zwischen dunklen Bergen. Die Scheinwerfer zeigen eine hohe Mauer aus Kisten, sehr ordentlich aufgeschichtet. Das ist unser Depot, unsere neue Basis. Hier halten wir und entladen rasch einen der Wagen, bis unsere Schlafsäcke zum Vorschein kommen und die Futterkiste des Kochs. Wir essen gierig kalte Konserven; dann legen wir unsere Schlafsäcke in den Windschutz der Kistenmauer. Windschutz? Der Sandsturm beginnt soeben von neuem; da ist dieser Schutz kein Schutz. Aber wir sind zu müde, um Zeltpflöcke einzuschlagen. Müde, müde – – –

Spuren im Sande

5. April.

Bei Sonnenaufgang liegt mein Kopf im Innern des Schlafsacks vergraben; ich bin, so tief ich nur konnte, hineingekrochen, denn die ganze Zeit hat ein eiskalter Sandwind gepfiffen. Ich krabble mühsam heraus, mein Pyjama ist schwer von Sand; ich schüttle den Sand aus den Haaren; aus meinen Augen reibe ich lauter Sand.

Aber der neue Morgen ist windstill und schön, und in dem magischen Licht der Frühe sieht dieses Wüstental, in dem ich erwache, wie eine Landschaft aus den arabischen Märchen aus; – nichts als Rubine und Onyx und Feueropale.

Wir liegen in einem Kessel, den dunkle Berge fast völlig umschließen. Ein ziemlich niederer Kegel (den ich gleich die »Schlafmütze« nenne; er hat die Form der gestrickten Mütze, die Almásy zu tragen liebt) beschützt das Lager gegen den ärgsten Nordwind. Am Fuß dieses Hügels liegt, über den sandigen Talgrund ein wenig erhaben, eine steinerne Plattform. Hier sind unsere Ballen und Kisten zu einer Mauer gestapelt.

Sofort nach dem Frühstück beginnt Almásy, das Lager zu organisieren. Es ist sein Ehrgeiz, ein Musterlager daraus zu machen. Da gibt es sehr viel zu bedenken: zum Beispiel, daß die Benzinkisten fern von dem Küchenzelt bleiben und nicht in der üblichen Windrichtung: ein einziger Funke, der das Benzin erreichte, würde unserer Expedition ein furchtbares Ende bereiten. – Die fünf grünen Wohnzelte werden in einer kleinen Dorfgasse vereinigt; das Küchenzelt steht abseits davon. Auf der steinernen Plattform über dem Zeltdorf erbauen wir eine Akropolis, einen Höhenkurort, eine Warte und ein Freiluftkasino, – unsere Kisten und Kasten werden derart geschichtet, daß sie ein Quadrat von drei Seiten ummauern, in dessen Innerem Tische und Sitze sind. Almásy, verspielt wie ein Knabe, arbeitet lange an diesem Prunkbau.

Während meine Freunde geschäftig das Lager errichten, tue ich unter dem Vorwand anerkannter Ungeschicklichkeit nicht mit, sondern strolche durch die Umgebung, mache Forschungsreisen auf eigene Rechnung. Die Tatsache, daß wir in einem bisher noch von niemand erforschten Gebiet sind, steigt mir etwas zu Kopf; ich muß mir ein ziemlich knabenhaftes Vergnügen daran eingestehen. Zehnmal am Vormittag komme ich zu Almásy und frage:

»Ist das sicher unentdecktes Territorium? Ein weißer Fleck auf der Karte?«

Er schwört: »Weiß wie Flugsand. Weiß wie ein Kamelskelett. Von keines Menschen Aug' betreten, von keines Menschen Fuß geschaut!«

»Also, dann kann ich den Bergen hier Namen geben, wie ich will?«

58

Sogleich tue ich's, mit dem hohen Recht des Entdeckers. Einen orangeroten Kegelberg, von dem schwarze Streifen wie Lava herunterrinnen, nenne ich den Fujijama; ein dreihäuptiger Berg in der Ferne heißt von jetzt an der Triglav, ein anderer: die Bastei. Und von einem erhöhten Punkt am Abhang des Fujijama kann ich einen ganzen Zug höckriger Hügel sehen, die sich auf die Dünen der großen Ebene hinbewegen. Das nenne ich: die Kamelkarawane.

Ich umsegle, ein neuer Vasco da Gama, als der erste Sterbliche – ganz allein die »Schlafmütze«, und in den Schründen des tiefschwarzen »Kohlenberges« mache ich einen Fund, – nicht Gold oder Diamanten oder das vom Wüstensturm begrabene Heer des Königs Kambyses finde ich, sondern einen schönen toten Kranich, den ein Zugvogelschwarm hier zurückließ. Die schwarzweißen Flügelfedern sind unversehrt, und ich sammle sie, um aus ihnen einen Besen zu machen für mein Zelt. Dann habe ich einen anderen Einfall: ich gehe zum Lager zurück und schmücke, um doch auch am Lagerbau irgendwie teilzunehmen, die Giebel der Zelte mit je zwei gekreuzten Kranichfedern; jetzt sehen die Zelte wie die Wigwams von großen Häuptlingen aus.

Almásy und Penderel haben für das zweite Standlager unserer Expedition diese Stelle nicht planlos gewählt. Wir sind hier nicht nur inmitten der Vorberge des Gilf-Massivs, das wir erforschen sollen, sondern auch nicht weit von einem mächtigen Riß in diesem Gebirge, den kennenzulernen von äußerster Wichtigkeit ist. – Vor einigen Monaten hat Wing Commander Penderel während eines militärischen Aufklärungsflugs über der Wüste dieses »Gap« gesehen, diese Spalte, die das Gilfplateau in eine nördliche und eine südliche Hälfte teilt. Ob dieses »Gap« für Autos passierbar ist, das freilich hat Penderel aus der Luft nicht zu erkennen vermocht. Sollte es etwa der Fall sein, dann würde der Weg vom Nil zu den Kufra-Oasen durch dieses Loch in der Großen Mauer recht erheblich verkürzt.

Wir sind sehr begierig, den Paß zu besuchen, und als am späten Nachmittag der Bau des Lagers vollendet ist, macht Almásy dem Photographen und mir den Vorschlag, gleich jetzt zu dritt eine Erkundungsfahrt in die Mündung des Gaps zu unternehmen.

Wir wollen in einer Stunde zurück sein, so nehmen wir nur einen der beiden Wagen und laden nichts auf als eine Flasche Wasser und die Strickleitern, mit denen man steckengebliebene Autos flott macht. Im letzten Augenblick vor der Abfahrt bedenken wir noch, daß die Sonne bald untergeht und daß es dann kalt werden wird; so legt noch jeder seinen Pelz in den Wagen.

Wir fahren um den Fujijama herum. Ich sitze vorn neben Almásy und Casparius hinten auf den Strickleitern und Pelzen. Bald nähern wir uns der Stelle, wo die starren Felsenmauern des Gilfs auf einmal zur Seite weichen; eine klaffende Öffnung tut sich im Westen auf. Noch könnte es eine bloße Einbuchtung sein; wahrscheinlich aber ist es ein wirklicher Paß.

Almásy und ich sind sehr aufgeregt. Wechselseitig singen wir einander verfrühte Triumphlieder vor. Hier und heute, sagen wir, beginnt ein neuer Abschnitt in der Erforschung der Libyschen Wüste. Unsere bisherige Reise ist nur ein Vorspiel gewesen, bessere Wüstentouristik. Jetzt aber dringen wir als die ersten europäischen Menschen in ein unentdecktes Stück Afrika ein; wir werden die wichtige Durchfahrt durch den Gilf Kebir als die ersten entdecken!

Vorschuß-Kolumbusse, die wir sind, Triumphatoren vor dem Erfolg! Während wir noch jubeln und prahlen, zeigt uns auf einmal die sinkende Sonne auf dem Boden vor uns zwei parallele Striche im Sand. Autospuren! Ja, in unseren unentdeckten Paßweg ist kürzlich ein Auto hineingefahren!

Und wir wissen sehr gut, wer da außer uns in der Libyschen Wüste spazieren fährt.

Schon seit dem Anfang des Winters ist Patrick A. Clayton, Inspektor des »Desert Survey« zu Kairo, in der Wüste tätig. Im vorigen Jahr war dieser vortreffliche Kartograph Almásys Gefährte auf einer gemeinsamen Expedition gewesen; in diesem Jahr operiert er getrennt von uns; wir stehen freilich im freundlichsten Einvernehmen. Vor einigen Wochen hat sich zu der Claytonschen Expedition eine Dame hinzugesellt, Lady Dorothy Clayton East Clayton. Sie ist die Witwe Sir Robert Claytons, der vor einem Jahr gleichfalls Almásys Reisegefährte gewesen ist. Die junge und schöne Frau scheut die Beschwerden der Reise nicht; sie will das Wadi im Gilf besuchen, das ihr verstorbener Gatte mit den andern zuerst entdeckt hat.

Eines der Autos dieser Clayton-Expedition muß es gewesen sein, das hier vor uns in das Gap hineinfuhr.

Nun ist das so: wir und die beiden Claytons (die nicht miteinander verwandt sind) arbeiten gemeinschaftlich an der Erforschung des Gilfs; wir haben die gleichen Ziele und machen einander nicht Konkurrenz. Der Sportsmann achtet den Mitbewerber und gönnt ihm seinen Erfolg. Aber dennoch – –

Daß Clayton vor uns das Gap entdeckt hat, das freut uns dennoch nicht!

Aber ist er auch wirklich durch den Paß gefahren?

Wir folgen den Räderspuren. Zehn Kilometer weit und noch zehn. Deutlich sieht man die Fährte in dem tiefen Flugsand, der hier den Boden der breiten Bergkluft bedeckt. Die Spuren hören nicht auf und die Schlucht hört nicht auf. Das ist wirklich ein Paß durchs Gebirge; und Patrick Clayton war vor uns hier.

Vielleicht fährt Almásy nicht ganz so sicher wie sonst; er hat nur Augen für diese Autospur, die hartnäckig vor uns einherläuft. – An einer Stelle sind Claytons Räder offenbar sehr tief eingesunken, und der Sand ist ganz aufgewühlt. »Hier ist Clayton stecken geblieben«, sagt Almásy. – Und in der nächsten Sekunde kleben wir selbst fest und können nicht weiter. Wir sind dreißig Kilometer von unserem Lager entfernt, und die Nacht bricht soeben herein.

Oft schon sind wir im Sande stecken geblieben, und wir wissen, wie man wieder herauskommt. Manchmal genügt es schon, wenn der Wagenführer vorsichtig vorwärts zu fahren versucht, während die anderen hinten das Auto schieben. Genügt es nicht, dann kommen die Strickleitern daran; wir haben zwei auf jedem unserer Wagen. Sie sind etwa ein halbes Dutzend Meter lang und haben Sprossen aus Bambusrohr. Man schiebt die letzte Sprosse der Leiter unter das in den Sand verbohrte Vorderrad, oder in manchen Fällen unter das Hinterrad, und die andere Strickleiter unter das Parallelrad. Die Strickleiter gibt dem Auto, wenn es darüber fährt, im weichsten Sand einen Halt. Aber besonders das Rückwärtsfahren ist schwer, weil der Fahrer die schmalen Leitern nicht sieht und leicht davon abrutscht.

Diesmal aber geht alles schief. Der Sand ist schon von Clayton zerwühlt; es ist hoffnungslos, den Wagen durch bloßes Schieben freizubekommen. Auch die Strickleitern helfen nicht viel. Immer wieder breiten wir sie unter die tief versunkenen Räder; dann setzt sich Almásy auf den Chauffeursitz; keuchend schieben wir beiden anderen hinten an; das Auto macht einen Ruck – und bleibt am Ende der Strickleiter wieder stecken; es ist, wie wenn eine Fliege auf dem Fliegenleim strampelt. Stets von neuem müssen wir in der Dunkelheit mit unseren Händen den Sand unter den Rädern und Achsen zur Seite schaufeln; dann schrauben wir mit dem Wagenheber jedes einzelne Rad mühsam hoch. Der Heber versinkt im Sand und ist schwer zu bedienen. – Wir schwitzen, während wir arbeiten, und wenn wir ausruhen, schlottern wir vor Kälte in unseren Pelzen. Es ist eine frostige Wüstennacht und sehr dunkel.

Schließlich scheint uns alles verloren zu sein. Wir haben durch öfteres Anfahren den Wagen in eine böse Lage hineinmanövriert. Vorn ist der Sand hoffnungslos aufgewühlt, eine einzige, tiefe Grube, und hinten versperrt ein großer Felsblock den Weg. Schon sehen wir uns hier in der nackten Wüste gestrandet. – Nein, Sabr wird uns zu Hilfe kommen, wenn wir lange nicht wiederkehren!

Sabr, guter Sabr, wenn er nur hier wäre! Ich und Casparius sind wenig geeignete Wagenschieber. Wenn wir vor oder hinter dem fahrenden Auto die Strickleiter straff halten sollen, rutscht sie uns immer zur Seite. – Was sollen wir tun?

Wir machen einen letzten Versuch. Da es rückwärts nicht geht, will Almásy vorwärts fahren, aber dann, während die Räder noch auf den Strickleitern sind, seitlich scharf abbiegen, aus dem zerwühlten Sandloch hinaus.

Gut. Zum hundertstenmal legen wir die verdammten Leitern unter die Vorderräder; zum hundertstenmal schieben wir hinten an. Der Motor beginnt zu grollen, das Auto bewegt sich langsam, dann schneller. Mit einem plötzlichen Ruck entkommt es unseren schiebenden Händen.

Dann schreie ich auf vor Angst. Almásy ist mit dem Auto auf einmal zur Seite geschwankt und dann in einer Versenkung verschwunden. Von nichts in der Welt bin ich in diesem Augenblick so fest überzeugt als davon, daß er über die Düne hinuntergefallen ist. Und wir sehen seine Lichter nicht mehr, und er antwortet nicht auf unsere Rufe.

Wir finden ihn, heil und gesund, einen Viertelkilometer weiter; früher hat er nach seinem tollkühnen Sprung über die Düne das Auto im Flugsand nicht anhalten können.

Deprimiert und durchfroren kehren wir spät in der Nacht in unser Lager zurück.

Eine Fahrstraße in der Wüste

Ein Wagen ist im weichen Flugsand
stecken geblieben

Mit Strickleitern wird er wieder flott
gemacht

Grand Sand-Hotel

Unser Lager am Ostrand des Gilfs mag offiziell »Basis II« heißen – aber ich gebe ihm einen besseren Namen: Grand Sand-Hotel (mit fließendem warmem und kaltem Sand in jedem Zelt).

Mein Zelt-Appartement im Grand Sand-Hotel ist gerade so hoch, daß ich in der Mitte aufrecht zu stehen vermag. Auf der einen Seite steht mein Feldbett, gegenüber ein Klapptisch mit einer Leinwandplatte. Kein Stuhl: ich sitze auf meinem Bett. Kein Schrank als mein Köfferchen. Ich habe bei windstillem Wetter den sybaritischen Luxus (um nicht zu sagen: die Wohnkultur) so weit getrieben, einen Kleiderhänger im Zelt zu befestigen, aber im Wüstenwind schaukelt meine Reservehose gewöhnlich zu heftig.

Auf dem Fußboden liegt ein Teppich, tief und weich und orangerot, nämlich Sand, noch vom letzten Sandsturm her. Da hilft kein Kehren mit dem Besen aus Kranichfedern.

Um die Wahrheit nicht ganz zu verheimlichen: das Grand Sand-Hotel hat seine kleinen Mängel. Die Sandversorgung ist ja befriedigend, und die Ventilation ist eher zu gut: Tag und Nacht bläst es durch die Klappen des Zeltes, heiß am Tag und kalt in der Nacht. Aber die Wasserversorgung ist nicht so ganz auf der Höhe; in den wirklich guten Riviera-Hotels oder in den Palaces des Engadins schmeckt das Trinkwasser kaum jemals so stark nach Benzin wie im Sand-Hotel, wo es nun einmal in den blechernen Büchsen der Firma Shell verwahrt werden muß. (Was das Waschwasser betrifft, ist keines vorhanden. Wir baden in einem leicht angefeuchteten Schwamm.)

Diese Benzinbleche und die hölzernen Kisten, in denen sie geliefert werden, sind übrigens das Um und Auf unseres vornehmen Meublements. Sie dienen als Sitze im Freien, als Waschtische (wenn man sich wäscht), als Schränke, als Mauern, als alles.

Das Grand Sand-Hotel hat selbstverständlich Gesellschaftsräume. Ein Zelt dient bei Tag als Messelokal, als kartographisches Institut und als Werkstatt. Für den Abend, an dem man kein Schattendach nötig hat, haben wir auf der steinigen Plattform über dem Lager diesen Prunksaal aus geschichteten Kisten erbaut. Die Sterne der Wüste schauen von oben herein, aber der Wüstenwind bleibt nach Möglichkeit draußen. Wir haben uns aus Benzinkisten Sitze gemacht und sie mit überzähligen Autoreifen gepolstert: kein Klubsessel ist halb so luxuriös. Da sitzen wir am Abend und unser Mahmud bringt uns Suppen, gebraut aus Erbswurst und Fleischextrakt, und warme Fleischkonserven und das weiße Brot, das er Nacht für Nacht in einem Sandloch zu backen pflegt.

Es gehört die tropische Nacht dazu, die über unserem Speisesaal liegt, und ein bißchen Sand in sämtlichen Speisen, und die angenehme Müdigkeit nach dem Wüstentage. Welche Schmäuse, welche Festmahle! Welches Hallo, als uns Almásy seinen berühmten Wüsten-Risotto kocht! Und nachher die guten, langen Männergespräche, wenn die Zigaretten brennen und tiefschwarzer Tee in den Gläsern dampft!

Ich vergesse den größten Vorzug des Grand Sand-Hotels: es hat keinerlei Lesezimmer. Keine einzige Zeitung bringt uns Nachrichten, über die wir uns ärgern könnten. (Dies ist dennoch der April des Jahres 1933.)

Es ist wahr, wir haben das Radio, und am Abend stellen wir die Antenne auf und fangen mit unserem Kurzwellenempfänger das Zeitzeichen der Station Massaua ein, in der italienischen Eritrea. Wir brauchen es, um unsere Chronometer richten zu können. Nachher drehen wir wohl noch müssig an den Schrauben herum, ob wir andere Sendungen auffangen können. Viel ist es nicht: chiffrierte Morsedepeschen, zwischen britischen Kriegsschiffen im Roten Meer gewechselt, und Signale, wir wissen nicht für wen und von wem. Einmal hören wir plötzlich eine Stimme, die russisch redet, und ein andermal kommt ein Lied in tschechischer Sprache aus Brünn in Mähren. Ein einziges Mal nur vermuten wir: dort in der unausdenkbaren Ferne spricht jemand jetzt Deutsch. Aber wir erraten es nur aus dem Tonfall und verstehen kein Wort.

Seltsam, wie wenig neugierig wir hier im Grand Sand-Hotel auf die Stimmen im Äther sind, die da am Abend zu flüstern beginnen. Sie kommen aus einer fernen, uns fremd gewordenen Welt, an deren Wirklichkeit wir kaum mehr zu glauben vermögen. Der Vollmond versilbert unsagbar herrlich die Wüste, und es ist uns zumute, als lebten wir selbst auf dem Mond.

Meine Reisegefährten haben mit trigonometrischen Exkursionen, mit Autofahren und Kartenzeichnen und Photographieren recht viel zu tun. Ich bin mit der Verantwortung für die höhere Geographie nicht beladen, und die Pflichten des Chronikschreibers lassen mir massenhaft Zeit. Allenfalls wirke ich noch (komischerweise) als Chefarzt im Sand-Sanatorium, klebe Pflaster über verletzte Finger und tröste unsere Schwarzen in ihren geheimnisvollen Leiden. Erst konnte ich unruhig werden, wenn Sabr zugleich im Kopf etwas hatte, im Magen und in der Brust, – jetzt weiß ich, es ist weder Lungenentzündung noch Pest, sondern mein schwarzes Necessaire zieht ihn magisch an, in dem ich allerlei Drogen verwahre. Er kommt sich sehr wichtig vor, wenn er Medizinen zu schlucken bekommt; gehätschelt möchte er werden, das riesenhafte schwarze Kind. – Also gut, der erfahrene Doktor (der ein Doktor der

Philosophie ist) schneidet genau das gewünschte teilnahmsvolle Gesicht und verabreicht Medikamente, die eindrucksvoll aussehen, übel schmecken und relativ wenig schaden. Aus Tierkohle, Aspirin, Speisesoda und Fruchtsalz, mit etwas Wasser, braue ich furchtbare Getränke, – sie helfen immer, ganz unfehlbar. Aber mein berühmtestes Mittel sind gewisse Mundwasserkugeln, die man im Wasser auflöst; mit denen lasse ich in den schwersten Fällen die Patienten gurgeln. Die Heilerfolge sind einfach wunderbar. Besonders Abdu bekommt jeden zweiten Abend eigens Halsschmerzen, um sie durch die kleinen Kugeln wegkurieren zu lassen.

Ich selbst genieße den Aufenthalt in diesem Wüstental, als wäre es ein schönes Seebad. Es ist ja ein Seebad, nur ohne Wasser. Was macht denn wirklich das Seebadvergnügen aus? Der Sandstrand. Sand haben wir hier, oh, so herrlichen weißen Sand, roten Sand, gelben Sand, kiesigen, groben und mehlfeinen Sand; immer ist er sauber wie klares Wasser, er beschmutzt nicht, er reinigt. Nachdem nur unsere Haut erst dunkel gebrannt ist, können wir nach Herzenslust nur in Badehosen auf den Dünen liegen, und wir gehen barfuß über den elastischen Teppich. Einst haben wir als Kinder den Sand über alles geliebt, und keiner von uns hat damals nur annähernd so viel Sand gekriegt wie er wollte. Jetzt sättigen wir uns endlich einmal an Sand; eine alte Sehnsucht erfüllt sich. Wie sollten wir nicht sehr glücklich sein?

Grand Sand-Hotel, freundliches Heim inmitten der endlosen Wüste, ich liebe dich wegen dieser großen, weltentfernten Stille, ich liebe dich wegen dieser großen, unbefleckten Einsamkeit!

Erst glaubte ich, wir seien hier das einzig Lebende in einer vollkommen toten und leeren, anorganischen Natur. Das stimmt nicht; ich habe zwar hier nicht das winzigste Büschel verdorrten Grases gefunden, nicht einen einzigen aschgrau versengten Strauch. Dennoch gibt es, nach ein paar Tagen weiß ich es wohl, auch hier tierisches Leben. Eine Wüstenspringmaus, Micky genannt, besucht unser Küchenzelt (Casparius meint, sie suche ein Engagement für den Wüstenfilm, den er dreht). Vereinzelte Schwalben kommen ins Lager geflattert, arme, verdurstende; sie sind so scheu, daß sie wieder verschwinden, ehe wir ihnen Wasser geben können. Auf einmal kommen Libellen geflogen, ein Marienkäfer, ein brauner Schmetterling. Und an welchem Gras hat der große Heuschreck sich fett gefressen, der plötzlich zwischen den Zelten herumspringt? Mehrmals fliegen zwei riesige weiße Adler, von einer uns nicht bekannten Art, von Norden her über das Lager. Von Norden? sagen Almásy und ich und sehen einander an. Nach Norden führt die schon Jahre alte Spur, die wir im Geröll eines wasserlosen Wildbachs gefunden haben; es ist ein Wechsel von wilden Schafen, und sie sind von Norden gekommen.

Dort im Norden, sagen wir zueinander, liegen im Gilf die drei Wadis, die Oase der kleinen Vögel, von dort müssen diese Vögel doch herkommen, diese Heuschrecken, diese Libellen!

Durst

Lagerszene

Frühstück im Grand Sand Hotel

Oft, wenn die anderen in der Wüste sind, um ihre Arbeit zu tun, und sie glauben, ich tue im Lager die meine, die Arbeit des Schreibers, liege ich statt dessen im Nachmittagsschatten der Felsen und blicke hinüber zum Gilf, zu den zerrütteten Wänden, aus deren Breschen die Sandströme fließen wie Gletscher. Nein, nicht eine Mondlandschaft, denke ich. Auf dem roten Mars muß es solche Bergklüfte geben, solche zerrissenen Bastionen und Kuppeln. Dunkel und drohend liegt das Gewirr und Gezack von phantastisch zerfressenen Steinen in einem großen weichen Bett aus Sand, der in der Sonne glitzert und farbig wird.

Ich habe mich zu der Stunde des Sonnenunterganges, ganz einsam auf der Düne liegend, dabei ertappt, daß ich wie ein Knabe, wie ein Verliebter, wie ein lyrischer Dichter zärtlich unsinnige Worte zu stammeln anfing, etwas von der rosigen, von der perlmutterschimmernden Wüste, der Wüste aus Opal und Achat. Und dann immer wieder und wieder: rosige Wüste, rosige, rosige Wüste! Neben mir liegt das Bändchen von »Tausendundeiner Nacht«, aber ich lese nicht, denn was sind die Feenpaläste der Märchen, die Juwelenhaufen Aladdins oder die Höhle der vierzig Räuber gegen die sinnenberauschende Wirklichkeit dieser Abendstunde? Das wechselnde Licht verwandelt Türkis in Onyx, Lapis Lazuli in Rubin, Diamant in Topas. Ich liege im magisch schimmernden Sand und grabe meine Hände tief in die weiche Wärme. Meine Blicke gehen zu den geheimnisvollen Bergbastionen, sie suchen, ich weiß nicht was. Das alles, denke ich halb im Traum, das alles ist eher der Tod als das Leben; nein, es ist etwas anderes, Drittes, etwas Zweckloses, Schönes, so unfaßbar Schönes.

Der Theodolit

Die Autos, die zum Messaha-Brunnen gefahren sind, kommen zurück, schwer mit Wasserkisten beladen; es ist herrliches süßes Wasser. Mit der Miene eines Monarchen, der einen hohen Orden vergibt, überreicht mir Penderel als persönliches Geschenk einen Liter von diesem Wasser. Ich kann damit machen, was ich will, und wäre es selbst: mich waschen.

Da auch Dr. Kádár zurück ist, kann an die wichtige Aufgabe geschritten werden, die Landkarte dieser Gegend zu skizzieren. So bohrt gegen Abend Kádár das Stativ seines Theodoliten tief in den Sand; angstvoll ist er darum bemüht, mit der Wasserwaage das Gleichgewicht des Apparates zu kontrollieren. Zwanzig Schritte im Umkreis um dieses dreimal heilige Stativ darf niemand gehen, niemand atmen, aus Angst, das Ding zu erschüttern.

Nun kommt eine andere Zeremonie: die genaue Ortszeit muß festgestellt werden. – Ein paar Minuten vor acht (schon scheinen am Himmel die Sterne) sitze ich mit Penderel auf leeren Benzinkisten hart neben dem Auto, an dessen elektrische Batterie der Radiokasten geschaltet ist; der Wing Commander hat die Hörklappen über den Ohren, ich, als sein Adjutant und Sekretär, halte das Notizbuch bereit. Das elektrische Lämpchen am Führersitz des Autos gibt mir das Licht zum Schreiben. – Achtung, Achtung, genau fünf Minuten vor acht beginnt das Radio leise zu surren. Die Station Massaua gibt tickende Morsezeichen von sich: S–T, S–T– »Segnale di tempo! Segnale di tempo!« – Penderel, atemlos lauschend, diktiert mir von Zeit zu Zeit Reihen von Zahlen, die die Zeit von Greenwich bedeuten, auf Bruchteile von Sekunden genau, und ihren Vergleich mit der Zeit, die unser Chronometer ausweist. Der Chronometer geht um drei oder vier Sekunden nach, mir scheint es nicht übertrieben, aber ich werde darüber belehrt, daß diese Sekundendifferenz bei der Ortsbestimmung einen Fehler von mehreren Kilometern ergeben würde, genug, um zum Beispiel einen Brunnen nicht aufzufinden. Man könnte hilflos in der Wüste verdursten, weil der Chronometer um eine Zehntelminute nachgeht!

Den richtig gestellten Chronometer tragen wir dann, behutsam als wäre es der heilige Gral, zu Kádár, der bei seinem Theodoliten schon voll Ungeduld wartet. (Aber ich falle im Dunkel über einen Zeltpflock und ruiniere um ein Haar die ganze höhere Geographie.)

Die Zeit ist vorbei, da ich den Theodoliten für eine kleine Kanone gehalten habe oder für eine Vorrichtung zum Geradestellen der Filmkamera. Nicht, daß ich jetzt besonders viel davon wüßte, aber eines weiß ich doch, daß all das seinen sehr guten Sinn hat: das krampfhaft erregte Bemühen um die wirklich horizontale Basis, all die dunklen Manöver mit Wasserwaage und Richtkreis und Kompaß, das Gucken durch all die kleinen Röhren und durch das größere Fernrohr mit dem Fadenkreuz. Dieses Fernrohr, das Sternrohr, ist jetzt auf den Polarstern gerichtet, der über uns glänzt – all das andere Flimmern und Leuchten am Tropenhimmel ist gegenwärtig ohne Belang – und nur der Polarstern hat brav und still und gehorsam das Fadenkreuz zu passieren. Ein gewisser Winkel, am Theodoliten abgelesen, muß dann nachher in einem magischen Buche gefunden werden, das »Almanach« heißt; dann folgen Berechnungen ohne Ende, bis die geographische Länge und Breite des Ortes ermittelt ist. Das heißt, aus Kádárs Gesprächen mit Penderel entnehme ich, daß diese kleine Sternkanone, der Theodolit, noch im Laufe der Nacht auf andere Himmelskörper wird schießen müssen. Ein Attentat auf Alpha Arcturi wird vorbereitet und auf andere Glitzersterne fern im Weltall. Jeder von ihnen wird (scheint es) zu seiner richtigen Zeit seinen Zenith erreichen, dann passiert er das Fadenkreuz.

Das alles bedeutet, unter anderen Dingen, daß Kádár heute wieder nicht schlafen wird.

Ich gehe, für mein Teil, in das Messezelt und berichte dort über die Transaktionen:

»Kádár«, erzähle ich, »schießt nämlich soeben auf den Wassermann, – der ist eifersüchtig geworden, weil Kádár doch das Verhältnis mit der Jungfrau hat – – Ihr wißt ja, nächtelang flirtet er mit der per Theodolit!«

8. April.

Nun wissen wir ganz genau, wo wir sind; Kádár hat es gegen Morgen glücklich herausgebracht.

Wir sind also wirklich (seltsames Gefühl!) an einem Punkt angekommen, wo die Karten der Welt, die sonst so beredten, zu schweigen beginnen, wo sie weiße Flecke zeigen ohne Umrißlinien oder Schraffierung. Die Wüstenkarte des Prinzen Kemal el Din hört unvermittelt mit zwei Pünktchen auf, die als »die Brüste« verzeichnet sind. Das sind die von weitem sichtbaren Landmale, die wir von unserem Lager aus wahrnehmen können: zwei runde Kuppen, anzusehen wie Frauenbrüste. Hier wird unsere künftige neue Karte an die vorhandene angeknüpft werden können.

So fahren wir also mit einem der Autos ein bißchen in den weißen Fleck des Schwarzen Erdteils hinein. Siehe da, der Fleck ist aber gar nicht so weiß; er ist orangerot von Wüstensand und schwarz von dunklem Gestein, und er hat Umrisse, hat Konturen, hat jene Bergnasen, Kuppen, Täler, die auf einer ordentlichen Karte mit Linienzügen verzeichnet sein sollen. Wie aber das tun, wie das Gewirr dieser tollen Landschaft entwirren?

»Auch das«, sagt Kádár, »tut der Theodolit.«

Wir kommen zu einem Stück Ebene, und Almásy und Kádár messen mit Kompaß und Meßband eine schnurgerade Linie aus, gerade sechshundert Meter lang. Das ist die Basis des Ur-Dreiecks, auf der die ganze trigonometrische Arbeit beruhen soll. Schon vorher ist ein benachbarter Berggipfel ausgewählt worden. Auf den klettern wir; wie Rasiermesser schneiden die scharfen Steine in unsere Sohlen. Auf der Spitze des Wüstenhügels schichten wir Steine zu einem »Alam«, einer Steinpyramide; die gilt nun als trigonometrischer Höhenpunkt. Von hier oben sieht man deutlich »die Brüste«, die letzte genau bestimmte Stelle auf der Landkarte Afrikas. Wir können von hier aus hinübervisieren und den Anschluß an die Karte des Prinzen gewinnen.

Nun wieder hinunter zu der abgesteckten Linie. An einem ihrer Enden und dann an dem anderen wird, oh, wie vorsichtig, der Theodolit aufgebaut, und durch sein Fernrohr wird die Steinpyramide visiert, der trigonometrische Höhenpunkt Nummer eins. Das gibt uns die beiden Winkel an der Basis des Dreiecks, das die abgesteckte und vermessene Linie mit dem Höhenpunkt bildet. Daß man alle Seiten eines Dreiecks berechnen kann, von dem man eine Seite und zwei anliegende Winkel kennt, das habe selbst ich mir aus meiner Schulzeit gemerkt: nun wissen wir, wie weit der Höhenpunkt von uns entfernt ist und wie hoch er über der Ebene liegt. Das Ur-Dreieck ist berechnet; das erste von zahllosen Dreiecken, aus deren Übereinander das Netz für die neue Karte sich bilden soll.

Die beiden Trigonometer schleichen auf Zehenspitzen um die Beine des verdammten Stativs, das um Gottes willen nicht erschüttert werden darf; dann blickt Kádár durch das Fernglas, das auf den nächsten Vermessungspunkt gerichtet ist wie das Rohr einer kleinen Kanone, und Almásy skizziert die Umrisse einzelner Bergprofile, so wie sie später auf die Karte kommen sollen.

Schon stehen in Kádárs Notizbuch lange Kolonnen von Zahlen, die lauter Winkel bedeuten; dann kehren wir mit der heutigen Beute des Theodoliten, mit all den geschossenen Winkeln, ins Lager zurück, – und dort vergessen dann Almásy und Kádár das Ausruhen, das Essen und Trinken. Bis spät in die Nacht sitzen die beiden im Messezelt und rechnen, daß einem der Kopf vom bloßen Zusehen rauchen kann. Dann kommen schließlich der Zeichenblock an die Reihe, das Winkelmaß, das Lineal, die zärtlich gespitzten Bleistifte. Erst ist ein schneeweißes Blatt da; in eine Ecke zeichnet Almásy zwei winzige Pünktchen, das sind »die Brüste«. Von dort aus zieht er, im rechten Winkel, die erste Linie zu einem neuen Punkt, dem Triangulierungspunkt Nummer eins; eine neue Linie schneidet sie und noch eine; so entsteht ein schwer verständliches Netz von spitz zusammenlaufenden Geraden, die einander an gewissen Punkten begegnen; sorgfältig zeichnet Almásy die rechten Distanzen ein, im Maßstab von eins zu einer halben Million; aus dem Chaos wird eine Karte.

Manchmal im Verlauf des Abends trete ich (um doch irgendwie mitzuhelfen) an den Eingang des Giebelhäuschens aus grüner Leinwand, vor den Klapptisch, über dem das elektrische Lämpchen hängt, und rufe hellen Blödsinn zu ihnen hinein:

»Kinder, bedenkt, daß Sinus Alpha mal Pi die Wurzel ist aus Cosinus Beta!«

»Wenn Sie nicht aufhören«, droht Almásy über das Zeichenbrett herüber, »dann sage ich Ihnen sofort die geometrische Zahl π aus dem Gedächtnis auf, mit allen fünfunddreißig Dezimalen. Also: Drei Komma, eins, vier, eins, fünf, neun, zwei, sechs, fünf, drei, fünf – – «

Erschrocken entweiche ich.

9. April.

Sandtreiben bei Sonnenaufgang; man sieht nicht die Hand vor den Augen. Erst am Nachmittag kann das Triangulieren fortgesetzt werden. Während Almásy und Kádár in dieselbe Gegend wie gestern fahren, bringt Penderel den Photographen und mich zu einer Anhöhe, die wir schon lange von Osten herüberblicken gesehen haben und die einen guten Ausblick verspricht.

Wie wir näherkommen, über wild zerrissenes Gelände mit dem Auto holpernd, fällt uns die graue Farbe und besondere Form dieses Berges auf, Unter all diesem bröckligen Kalkstein steht er ganz anders da, eine basaltene Kuppe. Wir steigen mühsam zu dem Kamm empor, auf dem ein Triangulierungsmal erbaut werden soll. Wir tragen die Wasserflaschen, Kompasse, Kameras, und Sabr schleppt den schweren Theodoliten.

Der Blick von oben ist märchenhaft, – aber es ist ein trauriges, wildes Märchen. Ein maßlos zerrissenes Bergband liegt da, Höhen und Schluchten und Wände und Türme und Dünenwellen. Vergebens versuche ich eine Orientierung; ich sehe ein bloßes Chaos von Fels und Geröllschutt und Sand. – Aber Penderel, mit dem besonderen Ortssinn des Fliegers, erkennt hinter den verwirrenden Vorgebirgen und zerrissenen Ketten den festen Umriß des nördlichen Gilfplateaus.

Penderel hat immer den Ehrgeiz, neue Wege zu finden; wenn sie sehr gewagt sind, dann desto besser. Diesmal sieht er den Weg, auf dem man im Auto zur Plateauhöhe fahren kann; das muß jetzt probiert werden, sofort, obwohl der Abend heranbricht.

Sabr murmelt: »Musch quajiss«, wie er diesen Weg sieht, den der »Bimbaschi« uns führt. – Es ist allerdings der verrückteste Weg, den ein Auto jemals gefahren ist; in keinem irdischen Zirkus wird tollere Akrobatik gegen Eintritt gezeigt. Wir fahren Steilhänge hinauf und hinab wie noch nie ein Auto, klettern über Geröllmoränen, rutschen durch lockeren Sand, klimmen mit den Rädern über kopfgroße Steine, überqueren schließlich ein Felsband, das steil und schief und fürchterlich schmal über einem schrecklichen Abgrund hängt. Ich sehe nach Sabr, der ganz grau in seinem Negergesicht ist, und höre ihn beten. Dann schließe ich meine Augen. – Wir müssen hinunterstürzen! Nein, wir sind glücklich drüben. Penderels eiskalte Tollkühnheit hat gesiegt; schon sind wir oben, auf einer steinigen Hochfläche, die sich vor uns ausdehnt.

Wilde Felslandschaft am Gilf Kebir

In den Klüften des Gilf Kebir

Lager in der Höhle der drei Burgen

»All right«, sagt Penderel ruhig. »Wahrscheinlich sind wir die ersten Menschen, die die Höhe des Gilf Kebir betreten haben.«

Die Rückfahrt treten wir schon in der Dunkelheit an; diese Stunde ist vollends ein böser Alptraum. – Irgendwie kommen wir dennoch unzerschmettert ins Tal hinunter. Schon von weitem leuchtet das große Feuer, das Mahmud entzündet hat; unsere Gefährten, ganz weiß in den Pelzen, hocken ums Lagerfeuer und trinken Tee.

»Wir haben eine herrliche Autostraße auf den Gilf Kebir entdeckt«, sagt Penderel und schmunzelt ein wenig in seinen struppigen blonden Wüstenbart hinein.

El Gilf Kebir

14. April.

Es ist Karfreitag und einen Monat her, seitdem wir Kairo verlassen haben; es wird Zeit, daß wir weiterwandern. Wir haben die kartographische Arbeit in dieser Gegend beendet und wollen die Fahrt durch das »Gap« erst später versuchen, nachdem wir weiter im Norden gewesen sein werden. Irgendwie lockt uns der Paß durch das Bergland viel weniger, seitdem wir dort Claytons Autospuren gefunden haben. So wollen wir unser Lager vorläufig weiter nordwärts verlegen.

Penderel, der mit einem Teil unseres großen Gepäcks gestern vorausgefahren ist, kommt heute mit leeren Wagen ins Lager zurück: »Aufladen, aufladen, Kinder, wir fahren sofort!«

Er ist in strahlender Laune; es scheint, er hat hundert Kilometer von hier am Ostrand des Gilfs ein Eldorado entdeckt, in dem es an fremden Autospuren vollkommen gefehlt hat.

Wir freuen uns, aber ich habe mit dem tapferen Oberstleutnant so meine Erfahrungen: ich habe ihn ein wenig in dem Verdacht, ein Wunderland aufgefunden zu haben, in das kein Auto einfahren kann, es sei denn eins, das er selbst chauffiert.

Das ist eine eigene Sache, wie unser prächtiges Grand Sand-Hotel im Handumdrehen in Säcke und Kisten gepackt wird; es bleibt nur der leere Sandplatz zurück, sauber aufgeräumt, aber doch melancholisch. Überall laufen die Furchen unserer Autoräder und die Abdrücke unserer Füße im Sande. Sie wirken gleichsam gespenstisch in dem entleerten Raum.

Gerade, als über den Autos die Plachen befestigt werden, – das ist immer der Schluß der verwickelten Packerei – erscheint über uns dieses weiße Adlerpaar, das uns schon öfters besucht hat. Sie scheinen uns neugierig zuzusehen und setzen sich in unserer Nähe auf einen Felsen. Almásy, in dem der Jagdtrieb plötzlich erwacht, sucht hastig nach Penderels Flinte, die schon am Wagen hängt; er glaubt, daß die Adler von einer noch unbekannten Gattung sein müssen, und er möchte einen erbeuten. – Aber die Adler fliegen davon, ehe Almásy das Gewehr im Anschlag hat, und ich freue mich heimlich. Irgendeine abergläubische Regung in mir hat gegen den Schuß Protest eingelegt.

Wir fahren gegen ein Uhr mittags. Ich sitze neben Penderel; er übersprudelt vor Lebensfreude. Er ist furchtbar stolz auf den neuen Weg, den er entdeckt hat, eine Durchfahrt durch eine Kette von Dünen, die sich an das hohe Gebirge preßt.

»Sie werden schon sehen. Die Berg- und Talbahn im Lunapark ist Mist gegen P. P. P. P.«

Ich frage, nicht ohne Ahnungen, was P.P.P.P. bedeute. Er lacht: »Penderel's Peerless Private Passage.« – Penderels Pracht-Privat Passage. Das kann ja gut werden!

Wir passieren die weite Mündung des »Gaps«, und vor uns entrollt sich die machtvolle Silhouette des nördlichen Gilfplateaus. Plateau? So steht es auf den Karten verzeichnet, aber wir zweifeln allmählich daran, daß es stimmt. Diese Torte ist, scheint es uns, reichlich zerschnitten. Überall sprengen gewaltige Risse die Einheit des Bergmassivs; tiefe »Wadis«, geheimnisvoll aus dem Inneren kommend, münden am Rand in die Ebene ein; zerfressene Sandsteinwälle und massige Türme und zersägte Rücken geben dem Gebirge sein wildes Profil; das ist eine wirkliche Libysche Schweiz. Noch kennen wir nur ihre äußere Grenze; was mag im Inneren liegen?

Penderels Pracht-Passage, die Dünendurchfahrt, ist alles, was ihr stolzer Entdecker versprochen hat, – und noch viel ärger. Der Weg durch die Dünen ist nicht länger als zwei Kilometer, aber er dreht sich und windet sich und krümmt sich. Der Wing Commander hat gestern fast den ganzen Tag damit zugebracht, diesen Weg zu Fuß zu durchmessen; er hat vorsichtig tastend die härteren Stellen im Sande gefunden, zwischen den Dünenkämmen, über die Dünenwellen, auf und ab, vorwärts und wieder zurück. Schließlich hat er die Wagen hinüberzuführen gewagt. Auf der anderen Seite fand er ebenen Boden und Ausblicke voller Verheißung. So hat er das Gepäck jenseits der Dünen gelassen und ist uns ins Basislager abholen gekommen.

Jetzt ist die Passage durch die Spuren der hin- und widerfahrenden Autos zwar gut markiert, aber schon nicht wenig zerwühlt und schwierig geworden. Es handelt sich nicht darum, über einen einzelnen Dünenkamm mit den schweren Wagen zu fahren, sondern es ist ein Irrgarten von Sandbergen und Sandtälern da, ein Meeresarm der Großen Sandsee, die hier von Osten her gegen die Große Mauer heranrollt. Um durchzukommen, muß man sich endlos durch die engen Wellentäler winden, bis man den Wellenkamm an einer niederen Stelle schneidet; – Penderel hat recht, keine Berg- und Talbahn in einem dummen Lunapark könnte halb so aufregend sein; fortwährend verschwinden die Autos in tiefen Gruben, dann schnellen sie hoch empor auf den nächsten Rücken. Es sieht furchtbar gefährlich aus, aber alles geht gut. Nur einmal bleibt Sabr stecken, und sein Wagen muß mit den Strickleitern flottgemacht werden.

Ich mache einen Teil des Weges zu Fuß, um die Wagen auf phantastische Weise über die Dünen springen und tanzen zu sehen wie die Gondeln einer riesigen Schaukel. Unterwegs finde ich ein Stück Schale von einem Straußenei.

Jenseits der Düne finden wir unser Depot, das in einer Bergnische liegt. Wir halten Mittagsrast, packen dann einige von den hier hinterlegten Dingen auf unsere Autos, andere lassen wir ruhig liegen; wir kommen hier später wieder vorbei.

Nun fahren wir weiter. Vor uns liegt das Wunderland, von dem Penderel so geschwärmt hat.

Den Umriß des Großen Gilfs hat bis zu dieser Stunde noch niemand zur Gänze gekannt. Europa weiß kaum von diesem Bergland im Herzen der Libyschen Wüste, obwohl es beinahe so lang und so breit ist wie die Schweiz. Auf den Karten ist nur das südliche Ende des Gilfs verzeichnet, das Prinz Kemal zuerst umfahren hatte, und im Westen haben Almásy, Clayton und Penderel im vorigen Winter erfolgreich gearbeitet. Vom Ostrand des nördlichen Gilfs ist noch gar nichts bekannt. Die Karten zeigen keine bestimmte Kontur, nur Pünktchen, die die Dünen der Großen Sandsee bedeuten. Daß sie sich hier bis ans Gebirge und in seine Täler presse, war die Meinung der Geographen.

Indessen finden wir, nachdem der eine Dünengürtel passiert ist, den Weg vor uns frei von Dünen. Zwar können wir gegenüber dem hohen Gebirgswall die Dünenwellen erkennen; wie ein wirkliches Meer liegt die Sandsee da. Aber zwischen diesem Sandmeer mit den erstarrten Wogen und dem Rand des Gebirges liegt eine Art Strand, sandig und flach wie ein Meeresufer. Das gibt eine herrliche Straße für unsere Autos, so eben und hart und bequem, als wäre sie asphaltiert. Wir könnten in einer Rekordzeit vorüberrasen; es ist eine Strecke für Autorennen.

Aber wir eilen nicht; es ist zu schön hier. Das Gebirge zu unserer Linken beschreibt einen machtvoll geschwungenen Bogen; es ist eine hohe Bastion mit Kuppeln und Zinnen. Hinter jedem Vorsprung, in jedem der Täler, die aus dem Inneren kommen, kann ein Geheimnis stecken, etwas ungeahnt Neues. Fortwährend zeigt sich ein neuer Aspekt, eine neue Offenbarung dieser magischen Landschaft.

Lange fahren wir schon auf eine Bergspitze zu, die weit im Norden zum Himmel aufragt. Erst war sie blau umwittert, fremd und geheimnisvoll. Sie scheint kaum näherrücken zu wollen; wir fahren dreißig Kilometer und vierzig, bis wir an den Fuß des schönen Berges gelangt sind. Nun sehen wir, es ist eine mächtige Klippe, die das Gebirge vorschiebt; die Große Sandsee, die bisher den Wall des Gilfs nicht berührt hat, brandet an dieser Stelle an ihm empor. Die Dünen erreichen die Felsen und umklammern sie. Mit unserer freien Durchfahrt ist es zu Ende.

Wir beschließen, hier am Fuß dieses Berges zu bleiben. Wir geben dem unbekannten Gipfel seinen Namen: Gebel Almásy heißt er von heute an.

Während unsere Schwarzen das Lager errichten, steigen wir auf den Berg. Fast bis zur Höhe der Felsenklippe führt eine Düne empor; sie erleichtert den Aufstieg. In dem Sand dieser Düne finde ich Leichen von kleinen Vögeln, und bunte Federchen fliegen mit jedem Windhauch auf. Ein Zugvogelschwarm muß hier Schiffbruch gelitten haben.

Die Aussicht von oben ist überwältigend. Diese Libysche Schweiz, aus formreichem Sandstein gebaut, hat alle Gestalten der Phantasie und alle Farben des Märchens. Der Wind und der stete Anprall des Sandes haben die steilen Wände zerschlissen; bizarre Figuren sind ausgeschnitten, kolossalische Menschenstatuen und Adler mit geöffneten Schwingen.

Weiter nach Norden hin scheinen Sand und Felsen seltsam in Eins zu verschwimmen. Wir haben gedacht, wir könnten den nördlichen Gilf im Auto umfahren, so wie Prinz Kemal el Din um die Südspitze des gewaltigen Felsenmassivs gefahren ist. Auf der Höhe des Gebel Almásy sehen wir, daß das nicht so leicht ist. Wer weiß, welche tollkühnen Dünenpassagen Penderel noch wird aufstöbern müssen; wer weiß, durch wie viele verschlungene Täler und enge Pässe man sich hier erst durchwinden muß?

Wir sitzen am Abhang des Berges auf den großen Steinen und diskutieren erregt alle Möglichkeiten. Hierbleiben und triangulieren? Oder gleich ein energischer Vorstoß, rund um die Spitze des Gilfs? Oder erst nach Kufra, um mehr Benzin und Lebensmittel zu holen?

Ich höre die Freunde mit Leidenschaft streiten, und plötzlich bemerke ich, daß es auch mir sehr viel zu bedeuten scheint, ob dieser Haufe von öden Steinen, der Gilf Kebir, am nördlichen Ende krumm oder gerade verläuft. Sonderbar, denke ich; die Wüste macht einen anderen Menschen aus mir!

Das Loch in der großen Mauer

Der ganze Tag vergeht in Debatten über das, was wir zunächst unternehmen sollen. Schließlich beweist uns eine Revision unserer Lebensmittel und unseres Benzins, daß wir davon nicht genug besitzen, um die abenteuerliche Fahrt rund um den Gilf zu unternehmen. Mit schweren Herzen beschließen wir endlich, nun doch zuerst quer durch das »Gap« zu den Kufra-Oasen zu fahren, wo wir von der italienischen Garnison vermutlich bekommen können, was wir brauchen. Wir wollen, um an Benzin zu sparen, einen von unseren Wagen hier am Gebel Almásy lassen, mit unserem überflüssigen Gepäck und soviel Konserven, Benzin und Wasser, als wir glauben, entbehren zu können, wenn wir nach Kufra reisen, in ein Land des Überflusses, beherrscht von einer zivilisierten Macht. – Almásy, der dort im vorigen Jahr mit der äußersten Freundlichkeit aufgenommen wurde, rechnet darauf, uns dort verproviantieren zu können. Nach einigen Tagen der Rast wollen wir dann wieder hierher zurückkommen und das nördliche Ende des Gilfs im Ernst zu erforschen beginnen.

Nachdem wir uns einmal geeinigt haben, schreiten wir an die große Arbeit des Packens. Alles Überflüssige wird aussortiert, Kádárs geologische Sammlung und das Denkmal für Kemal el Din, und von den schweren Autoersatzteilen eine Menge, auf gut Glück. – Ich, in diesen Fragen nicht kompetent, verbringe den Nachmittag glücklich genug auf einer der Dünen, die köstlich im Schatten liegt.

16. April.

Ostersonntag! denke ich beim Erwachen. Aber wir können keinen Feiertag halten, obwohl eine kleine Osterspazierfahrt geplant ist. Das Packen füllt den größeren Teil des Tages, erst gegen drei Uhr können wir fahren. Wir lassen Sabrs Wagen, enorm beladen, am Fuß des Berges stehen; es ist nicht nötig, jemand dabei als Wächter zu lassen; unser Marmordenkmal wird uns hier niemand stehlen.

Endlich geht's los; wir fahren über die wunderbare Autostraße zwischen Gebirge und Sandsee zurück. Unsere Spuren von neulich sind da, doch keine anderen. – Wir kommen zu P.P.P.P. und überwinden ganz ohne Zwischenfall Penderels verrückte Dünenschaukel. Jenseits dann kommen wir bald in die breite Mündung des »Gaps«. Almásy führt uns einen Weg, den er zusammen mit Kádár schon vom Grand Sand-Hotel ausgekundschaftet hat; wir schneiden ihre Räderspuren von damals, und bald läuft, ach, parallel dazu noch eine andere Spur, die unseres Freundes Clayton. – Wir kommen flott vorwärts und sind gegen fünf Uhr Nachmittag am Fuß des »Signal Hill«, eines Berges, von dem aus Kádár noch vor einigen Tagen trianguliert hat. Es ist ein merkwürdiger Sandsteinfelsen an der linken Seite des breiten Paßwegs; oben darauf sitzt eine steinerne Kuppe von der Form der ehrwürdigen Kaiserkrone des Heiligen Römischen Reiches.

Zwei von unseren Autos sind an dem Berg schon vorbeigefahren und sind weit voraus; ich sitze mit Almásy im dritten. Gerade an der Stelle, wo die Kaiserkrone des Signal-Bergs majestätisch auf uns herabblickt, versagt unser Motor. Was immer Almásy versucht, er bringt ihn nicht wieder zum Laufen. Schwere Panne! – Und unsere Freunde sind außer Sicht.

Nein, nicht ganz. Auf einem Hügelkamm fern am Horizont können wir durch den Feldstecher zwei kleine Figürchen erblicken; wahrscheinlich Kádár und Penderel, die dort oben eine Kompaß-Peilung vornehmen dürften. – Rasch nehmen wir einen Spiegel, der in dem Netz über unseren Sitzen liegt, und geben den beiden ein Lichtsignal. – Hamdullilah, sie haben's bemerkt und richtig gedeutet. Die beiden Wagen kommen zu uns zurück!

Ein Kollegium von Weisen und Sachverständigen, die beiden schwarzen Chauffeure, Almásy und Penderel, stehen um den armen kranken Kamelefanten herum, und ihre Diagnose ist alarmierend: Zylinderkopf durchgebrannt! Hastig werden die Ersatzteile revidiert, die wir mit uns genommen haben, – ein Zylinderkopf ist nicht darunter. Der liegt mit vielen anderen nützlichen Dingen jenseits der großen Dünenrutschbahn in unserem Depot. Und gleich wird es Nacht sein.

Wir sind alle verdrießlich; wer weiß, wie lange uns der Zwischenfall aufhalten wird. Nur Penderels Augen leuchten. Das ist so recht etwas für ihn. Sofort erbietet er sich, gleich jetzt, bei beginnender Dunkelheit, mit einem einzigen Wagen zurückzufahren. Hin und zurück über P.P.P.P. im Finstern, was macht das ihm? Nur einer von uns soll noch mit, um im Notfall den Wagen aus dem Sande schieben zu helfen.

Casparius opfert sich. Wir geben den beiden ihre Schlafsäcke mit und etwas zu essen; daß sie die Nacht in den Dünen verbringen müssen, scheint uns gewiß. Wahrscheinlich, denke ich, müssen wir sie dann morgen aus einem Loch dieser Pracht-Passage retten!

Sie fahren. Wir anderen bleiben recht deprimiert zurück. Wir improvisieren ein Lager. Die beiden zurückgebliebenen Autos werden unter den Berg gestellt und der Zwischenraum zwischen ihnen auf der Windseite durch eine Wagenplache geschlossen.

Ein paar Stunden vergehen. Die Nacht ist da. Wir alle sitzen traurig herum. Nur Kádár jubelt. Was kümmert ihn ein gestrandetes Auto? Er hat soeben auf einer Felsenstufe des Signal Hill ein Gebilde aus tropfsteinähnlichem Sand entdeckt, das die Wissenschaft nicht kannte. Mehr, es paßt in seine liebste geologische Theorie! Gleich hat er sein Hämmerchen draußen und klopft und klopft.

Auf einmal mischt sich in dieses helle Klopfen ein Motorgeräusch. Penderels Auto kommt siegreich zurück. Es ist zwar durchaus nicht möglich, daß er im Finstern so schnell über die Dünenpassage hin und zurück gekommen sein könnte, – aber er ist es. Und er bringt den neuen Zylinderkopf.

Wir trinken zum Nachtmahl eine Flasche Whisky aus, auf das Wohl des verwegensten Autofahrers in Afrika.

17. April.

Am Ostermontag morgen erwachen wir in dem geschützten Kämmerchen zwischen den Autos; nur Kádár hat sich von seiner Tropfsteinstufe nicht trennen mögen, und wie ich nach ihm sehen komme, liegt er darauf und schläft, selig lächelnd, als wäre sie ein Federbett.

Bei Sonnenaufgang beginnen die beiden Chauffeure den Wagen zu reparieren; um zehn Uhr sind wir glücklich zum Aufbruch bereit. – Bis hierher und nicht weiter hatte in der vergangenen Woche Almásy mit Kádár das Gap erkundet. Die Mühe, den weiteren Weg zu finden, nimmt der bewährte Clayton uns freundlichst ab: seine Räderspuren laufen immer vor uns in den Paß hinein. Daß es ein wirklicher Paß quer durch das ganze Gebirge ist, das wird jetzt vollkommen klar. Der Riß in der Großen Mauer, der erst Dutzende Kilometer breit war, verengt sich allmählich, aber die riesigen Zwillings-Plateaus des nördlichen und des südlichen Gilf Kebir bleiben doch immer deutlich getrennt. Es ist, ohne weiteren Zweifel, ein Weg durch den ganzen Gilf, der im Auto passiert werden kann. Der Beweis: es hat ihn Patrick Clayton passiert!

Die Zahlen, die der Distanzmesser unseres Autos ausweist, zeigen, daß wir etwa die Hälfte des Paßwegs zurückgelegt haben müssen; wir stecken genau im Herzen des Großen Gilfs. Hier wird aus der breiten Straße, die wir bisher in rasendem Tempo befahren konnten, ein enger, sandiger Hohlweg, der rasch zu einer Höhe emporsteigt. Wir bringen die Autos nicht ohne Mühe hinauf und steigen dann aus, um von der Höhe zu rekognoszieren. Wir klettern zum Kamm hinauf; unter uns liegt, steil und gefährlich, ein Absturz, eine von Dünensand durchrieselte Spalte. Wir werden hinunter müssen. Vielleicht gelingt es. Und dann? Unter uns sehen wir ein Stück Ebene, auf der leuchtet etwas wie rosenfarbene Wellen. Es muß eine Kette von Dünen sein. Ob Clayton durch sie einen Weg finden konnte?

Während wir andern das diskutieren, ist Almásy abseits gegangen. Jetzt kommt er, durch den Sand stapfend, zurück mit einem eigenen Ausdruck im Gesicht.

»Kinder«, sagt er zu uns, »ich habe nach Claytons weiteren Spuren gesucht. Ma fisch! Gibt es nicht; die Spuren gehen nicht weiter. – Clayton ist hier wieder umgekehrt, man kann es ganz deutlich an der Fährte erkennen!«

Ich sage, schwächlich und heuchlerisch: »Der Arme hat hier nicht durchkommen können!« Die anderen freuen sich schamlos, weil nun die zweite Hälfte des »Gaps« uns zu erkunden bleibt. Penderel, der über den ganzen Riß im Gebirge geflogen ist, beharrt darauf, daß es möglich sein muß, mit den Autos hindurchzukommen.

Der steile und sandige Hohlweg vor uns sieht freilich gefährlich genug aus. Wir wagen den Abstieg im Vertrauen auf unsere breiten »Airwheels«, auf denen der Druck der Wagen sich gut verteilt. Wir schlittern hinunter, mehr als wir fahren, und gelangen heil und gesund mit allen drei Wagen auf die tieferliegende Stufe des Passes. Hier finden wir leicht einen Weg rund um das Ende der Dünen herum. Der Riß im Gilf setzt sich endlos fort, und wir fahren weiter.

Plötzlich, nach einem Defilee zwischen Felsen, bemerken wir Zeichen von Vegetation. Es sind nur graue, vertrocknete Büschel Gras, aber viele, förmlich eine Wüstenprärie. Dann tut sich ein Kessel auf, eine tiefe Mulde, die von einem Kranz von Bergen umgeben ist. Und diese Mulde ist völlig mit Sträuchern bedeckt. Sie sind so hoch wie mein Stock; an vertrockneten Stengeln sitzen die graugrünen dürren Blätter. Der Boden der Mulde besteht nicht aus bloßem Sand, sondern aus brüchigen Humusschollen. Offenbar sammelt sich hier in der Mulde zeitweilig Regenwasser, dann wird es hier grün, und Tiere weiden. Wir finden die Losung von wilden Schafen (Wadan genannt) und die leierförmigen Hörner einer Antilope von der Gattung Addax. Dieser Vegetationsfleck mag schon seit Jahren vertrocknet sein, die welken Sträucher zerbröckeln uns unter den Händen.

Wir haben zwar nicht gerade Zarzura entdeckt, aber doch schon ein Stückchen Erde, wo zeitweilig Leben gedeiht. Unsere Hoffnungen steigen. Wir werden im Inneren des Gilfs noch anderes finden!

Kádár notiert für die Karte einen Namen, der auf dieses Tal paßt: Wadi Addax.

Dann geht es eine neue Stufe hinab; wir können vom westlichen Rand des Gebirges nicht weit entfernt sein. Der Paßweg, dem wir bisher gefolgt sind, löst sich in zahlreiche Risse und Wadis auf; sie sind so tief eingerissen und malerisch wie die »Canyons« in den Felsenwüsten von Arizona. Blickt man von oben in diese Röhren hinein, dann sieht man jenseits ein Flimmern und Schimmern; am Ende dieser Felskorridore brennt eine ungeheure Ebene im Licht der Nachmittagssonne.

Wir halten die Autos an und beraten. Wir wissen: dies ist der kritische Augenblick; hier gelingt oder scheitert unsere Expedition. Bis hierher sind wir glücklich gelangt; wie aber werden wir in das Tiefland hinunterkommen? Wir können in zehn Minuten auf einer Felsenterrasse gelandet sein, von der eine schroffe Wand in die Tiefe führt, hundert Meter hinab oder fünfzig. Und wäre es eine steinige Stufe, nur wenige Meter tief, – wie bringt man ein beladenes Auto darüber hinunter?

Es ist klar, wir müssen rekognoszieren. Mächtig regt sich in Penderel sein alter Ehrgeiz. Er fragt mich, ob ich mit ihm fahren wolle, um einen Ausweg aus dem Gebirge zu finden. Eine Sekunde graut mir vor seinen Zirkuskünsten im Auto; dann sage ich ja, als ein braver Soldat der Expedition. Er ruft rasch den anderen zu, in zwanzig Minuten kämen wir wieder zurück.

Anderthalb Stunden darauf befinden wir uns in einer Schlucht zwischen düsteren Felsen. Halsbrecherisch steil geht es in einen Abgrund hinunter. Penderel bremst und bittet mich, auszusteigen. Er sagt, ich solle hier warten, um den Kameraden, wenn sie uns suchen sollten, Bescheid zu geben. Aber er täuscht mich nicht: die Fahrt dort hinunter ist so toll verwegen, daß er nur sein eigenes Leben riskieren möchte und nicht das meine. Stumm steige ich aus, mit einem Gefühl von Schuld. Aber was nütze ich ihm, wenn ich bei ihm bleibe?

Ich sehe in der grellen Sonne ein Stückchen Schatten, von einer Felsenzacke geworfen. Da bleibe ich sitzen, mit einer Feldflasche und einem Bändchen von Tausendundeiner Nacht.

Jetzt ist das Auto verschwunden, in den dunklen Abgrund hinein, und ich sitze da, ich weiß nicht, ob für Minuten, für Tage, für den Rest meines Lebens. Die Landschaft um mich sieht auf einmal so anders aus, so verzaubert. Was zerrissene Steinplatten waren, wird in der Sonne zu seltsam geformten Burgen; Blumen aus Stein blühen überall. Ich weiß nicht, ist das noch Wirklichkeit? Ich zwinge mich, an reale Dinge zu denken: wird Penderel etwas zustoßen?

Und wird dann Almásy uns suchen kommen?

Auf einmal ertappe ich mich dabei, wie ich mir mit den Fingern die Ohren verstopfe; ich will diese Totenstille nicht hören!

Ich ermahne mich, ruhig zu bleiben. Ich zünde mir eine Zigarre an, ich hole das Buch aus der Tasche, ich nehme die Feldflasche, in der noch ein Restchen ist, und trinke sie leer. Besser gar kein Wasser haben, als wenige Tropfen! Wenn Penderel jetzt nicht wiederkommt – – –

Wie ich das eben denke, höre ich unter mir das Stöhnen und Puffen des Autos, das mühsam wieder heraufkommt.

Trotz seinem wilden Wüstenbart sieht der Wing Commander wie ein vergnügter Bub aus, dem irgend ein Streich geglückt ist. Er lacht mich von weitem an und schreit, er habe die Durchfahrt gefunden. Ganz leicht und bequem, er führe mich noch einmal hinunter! Ich muß einsteigen, und es folgt eine Kombination von Looping the Loop im Auto, von Wüstenrutschbahn und Wackeltopf, dann sind wir, weiß Gott, in einem Wadi, das unverkennbar zur Ebene strebt.

So, und jetzt wieder hinauf, die anderen holen. Es ist ein echter Penderel-Weg, aber man kann ihn fahren; wir beweisen es, denn wir kommen lebend wieder ans andere Ende der Schlucht.

Dort treffen wir Almásy, der eben nach uns Ausschau gehalten hat, nicht wenig besorgt. Aus den zwanzig Minuten, die wir ausbleiben wollten, sind zwei Stunden geworden.

Wir lassen es nicht zu Vorwürfen kommen. Wir sagen, nicht wenig stolz, daß wir einen Weg ins Freie gefunden haben.

»So?« sagt Almásy, »Ihr auch?«

Es ist bezeichnend für unsere beiden Führer: während Penderel, heldenhaft bis zur Tollkühnheit, in den Felsen Akrobatenstücke vollführt hat, ist Almásy auf die nächste Höhe gestiegen und hat unter sich sogleich einen fahrbaren Durchgang gesehen. Nein, eine Rennbahn, eine fast ebene Autostrada, den bequemsten Weg, den man sich für ein Auto nur wünschen könnte!

Penderel ist ein bißchen betrübt. Aber dann sieht er sich Almásys Durchfahrt an und gesteht, wie ein Sportsman, daß sie besser ist als die seine.

Wir fahren in dieses letzte tiefe Wadi des großen Gaps, und das herrlichste Felsentor öffnet sich uns; immer wieder bleiben wir stehen, die schöne Landschaft zu photographieren. Phantastische Felsen begleiten das Defilee; am Ende weichen sie wie Torpylone zur Seite, und der Ausblick in eine rollende Ebene öffnet sich. In heftigen Farben geht die Sonne soeben über dem Tiefland unter. Es ist alles zum Weinen schön, und wir sind so froh!

Almásy und Penderel blicken einander an. Sie wissen genau, wo wir sind. Bis zu dieser westlichen Öffnung des »Gaps« sind sie im vorigen Jahr gelangt; sie wußten nur damals nicht, was dahinter liegt. Ihre Spuren von damals müssen sich finden lassen.

Wir sind in der Wüste westlich vom Gilf Kebir. Wir haben das Loch in der Großen Mauer glücklich passiert und die künftige Autostraße vom Nil nach Kufra entdeckt.

Etwa dreißig Kilometer von der Öffnung des »Gaps« liegen drei wilde Felsenzinnen, bei denen Penderel und Almásy im Vorjahr gelagert haben. Almásy hat sie »Three Castles« genannt, die Drei Burgen.

Wir finden die Autospuren vom vorigen Jahr und folgen ihnen durch eine dicke Dunkelheit bis nach Three Castles. Der Felsen der mittleren »Burg« hängt ein wenig über, so daß am Fuß eine Art von Höhle entsteht. Wir schließen durch eine rasch errichtete Mauer von Kisten den einen Eingang der Höhle gegen den Wind; das schafft uns einen wahren Palast zum Nachtquartier.

Wir essen ein gigantisches Abendessen, dann stellen wir alle unsere Betten nebeneinander in diese Höhle. Bald hören wir Penderel schnarchen wie den seligen Ali Baba und den dicken Casparius wie die vierzig Räuber, jawohl, wie alle vierzig zusammengenommen.

Wenig Wasser

Vielleicht, weil gestern Ostern war, oder vielleicht, weil es hier immer so ist, finden wir den Boden zwischen den »drei Burgen« ganz mit Ostereiern bestreut; ich sammle während eines Morgenspaziergangs rund um die Felsen steinerne Eier von allen Farben, violette, braune, seegrüne, rote; Kádár, dem ich eine Tasche voll mitbringe, weigert sich aber, sie mineralogisch interessant zu finden und redet nur kurz was von Silikaten. Er ist mit etwas anderem sehr beschäftigt: mit der Insektenjagd. Er hat heute einen glücklichen Morgen und erbeutet für seine Spiritusflasche eine Libelle, verschiedene Fliegen, einen Marienkäfer. Schließlich fördere auch ich die Wissenschaft, indem ich eine leere Konservenbüchse über eine »Sandkrabbe« werfe, ein Grillenwesen von unendlicher Flinkheit; und Penderel erlegt eine kleine, giftige Schlange, die ihn beinahe gebissen hätte. Zum ewigen Andenken kommt auch sie in den Spiritus.

Nachdem wir gepackt haben, fahren wir weiter. Den Weg aus dieser Gegend nach Kufra hat (fast auf den Tag genau vor einem Jahr) Almásy als der erste Autofahrer schon einmal zurückgelegt; – und es war kein sehr guter Weg. Wir sind weise und denken: diesmal fahren wir eine bessere Route. So halten wir uns weiter nach Norden – und geraten geradewegs in eine Art Hölle für böse Autos hinein. Es ist ein endloser, vielfach gewundener Hohlweg im Inneren eines nicht sehr hohen Gebirgszugs, eine Art steiniger Röhre, durch die wir kriechen und holpern und keuchen. Diese seltsame Landschaft ist brandrot und schwarz wie die Hölle; dann wieder kommt ein taubengraues Gestein, dessen weiße Reflexe ich hassen lerne. Es zerbröckelt und knirscht unter den Rädern des Autos. Schief und krumm liegen die Wagen auf den Hängen der Höllenröhre; eine Glühhitze strahlt aus den Steinen.

Mitten darin, in dieser Röhre des Höllenofens, stehen auf einmal Skelette von toten Bäumen.

»Musch quajiss!« stöhnt Sabr. – Wir andern bekommen auch bald genug und geben es auf, uns hier durchzuwinden. An einer trostlosen Stelle (der eine ärgere folgen würde) halten wir an. Wir alle sind ganz vernichtet. Selbst der rüstige Kádár sagt ohne jeglichen Enthusiasmus, das Gestein hier sei vulkanisch. Wir klettern den einen Abhang hinauf, dann den anderen, halten Umschau, sehen wenig Erfreuliches. Dieses niedere Wüstengebirge, dessen Existenz bisher niemand geahnt hat, streicht ins Endlose weiter. Wir beschließen, es streichen zu lassen und treten, besiegt und geschlagen, den Rückzug an. Zurück durch die ganze trostlose Gasse! Zurück über die tausend Millionen graublauer Steine, zurück zwischen den schwarzen und flammroten Kuppen.

Wir fahren bis zu der Stunde der tiefsten Dunkelheit, und dann sind wir, nach diesem langen und anstrengenden Tag, im ganzen kaum dreißig Kilometer von der Stelle, von der wir heute morgen aufgebrochen sind. – Wir lagern in einer engen Schlucht zwischen zwei Felsen, die auf Almásys vorjähriger Karte als das »Chiantilager« verzeichnet ist, zum Andenken an ein fröhliches Siegesmahl nach der glücklichen Rückkehr aus Kufra.

Wir sind müde und niedergeschlagen und Zweifel befallen uns, ob unser Wasser bis Kufra ausreichen wird.

19. April.

Am Morgen vor dem Aufbruch aus dem Chiantilager verkündet Penderel eine Art Standrecht: der Wasserverbrauch wird rationiert. Es scheint, wir haben uns einigermaßen verrechnet. Wir haben am Fuß des Gebel Almásy ein Depot von Wasserkisten zurückgelassen, – zuviel, wie es sich jetzt herausstellt. Und wir hätten schon gestern abend in Kufra eintreffen sollen. Noch haben wir Wasser genug, um hinzugelangen, wenn alles gut geht. Aber wenn nicht?

Wir haben bis heute noch niemals wirklichen Durst gehabt. Für einen jeden von uns hing immer eine Feldflasche am Wagen; man hat sie im Laufe des Tages nach Belieben geleert. Das heißt, ich fast nie; ich habe gefunden, daß es am besten ist, nur morgens und abends reichlich zu trinken und unterwegs so wenig wie möglich.

Heute nun wird ein neues Gesetz verkündet. Niemand darf ohne Erlaubnis trinken; nur zu gewissen Stunden wird jedem, die Reihe herum, ein Becher gestattet.

Der Mensch ist ein seltsames Wesen. Ohne den neuen Ukas hätte ich unterwegs überhaupt nicht getrunken. Da ich nun aber weiß, daß ich nicht trinken *darf*, packt mich noch in der Kühle des Morgens der Durst an der Kehle.

Und alles geht schief. Da das Wasser knapp ist, wird es heute ganz besonders fürchterlich heiß. Almásys Kompaß ist nicht in Ordnung. Sabr (wie wir alle ein wenig demoralisiert) fährt heute furchtbar schlecht und bleibt in jedem Sandloch stecken; immer und immer wieder muß sein Wagen von uns allen geschoben werden. Penderel flucht, daß die Felsen wackeln. Der Tag vergeht und Kufra ist weit und das Wasser wenig.

Einmal, nachdem wir mit vielem Keuchen und Schwitzen in der glühenden Mittagssonne Sabrs Auto aus dem Sand geschoben haben, bekommen wir je ein Glas Wasser bewilligt. Es ist siedewarm und rostrot und schmeckt nach Benzin; aber ich genieße Tropfen für Tropfen. Zum erstenmal in der Wüste muß ich erfahren, was Durst ist.

Da der Kompaß auf Almásys Auto verdorben ist, übernimmt Penderel die Führung. Wir sind, reuig auf Almásys vorjährigen Weg nach Kufra zurückgekehrt; er führt über die Ausläufer des Gebirges von gestern und ist schwierig genug. Hügelkette nach Hügelkette muß überwunden werden.

Penderel, sonst so verwegen, verwandelt sich in den vorsichtigsten aller Führer. Daß die alte Spur Almásys auf weiten Strecken getreulich vor uns einherläuft, genügt ihm nicht. Wie, sagt er, wenn wir die Spur dann plötzlich verlieren? Mit einer nervösen Genauigkeit, die sehr viel Zeit kostet, nimmt er an jeder Biegung des Weges Peilungen vor, berechnet ängstlich Distanzen, zeichnet Traversen auf.

»Wir dürfen uns heute nicht irren«, sagt er fortwährend. »Vergessen wir nicht, wir haben nur wenig Wasser!«

Vergessen? Keine Gefahr. Ich habe, infolge der strengen Rationierung, heute schon drei Becher getrunken, die ich sonst wahrscheinlich nicht getrunken hätte; – und ich vergehe vor Durst.

Das Tollste ist: ich sehe fortwährend Wasser. Die Fata Morgana, die auf keiner Strecke der Libyschen Wüste ganz fehlt, ist so gewöhnlich, daß wir längst nicht mehr auf sie geachtet haben; blaue Seen am Horizonte und silbrige Flüsse täuschen uns längst nicht mehr. Heute stört mich auf einmal das Gaukelspiel der Wüstenoptik.

Ich schließe die Augen, ich will das blaue Wasser nicht sehen. Aber ich denke an lauter Wasser. Alle die gewaltigen Ströme der Welt, die ich in meinem Wanderdasein befahren habe, rauschen mir durch mein Gemüt. – Jetzt ist es meine heimische Donau, jetzt wieder der Rhein. Dann sehe ich, fast zum Naßwerden deutlich, den Amazonenstrom. Gerade vor einem Jahr bin ich ihn tausend Meilen von der Mündung hinaufgefahren, zwischen den Urwaldinseln. Ich sehe alle die tausend Meilen, ich sehe alles Wasser der Welt. Blaues Wasser und grünes Wasser und lehmgelbes Wasser und schwarzes Wasser und solches, in dem sich ein tropischer Himmel stahlblau auf silbernem Grunde spiegelt. – Nein, jetzt ist es nicht mehr der Urwaldstrom, sondern der eisige Yukon, der durch meinen Tagtraum fließt. Alle die Gletscher Alaskas zerschmelzen in meinem glühenden Mund, – und ich habe Durst.

Auf einmal stört mich Sabr durch einen Schrei aus meinem Brüten auf. Aufgeregt zeigt er auf eine Stelle am Horizont. »Wir sind schon in Kufra!« schreit er. »Sieh dort die Palmen, das Dorf – – Eine große Moschee!«

Ist Sabr verrückt geworden? Sitzt er, dieses riesige schwarze Kind, dem uralten Trick der Fata Morgana auf? Lächerlich! denke ich. Aber da sehe ich selber den Umriß einer afrikanischen Stadt, die Minarette, die Kuppelgräber der Heiligen, kegelförmige Negerhütten, das Gezack der Palmenkronen. Nur sind die Gebäude nicht weiß, wie sie sollten, und die Palmen nicht grün, sondern alles ist grau.

Mir fällt noch rechtzeitig ein, bevor ich närrisch werde, was mir Almásy von seiner vorjährigen Fahrt erzählt hatte. Ich weiß, was für eine Sorte Stadt das ist. Aber ich halte Sabr ein wenig zum besten, wir beide bedürfen einer Aufrüttelung.

»Nein, Sabr«, sage ich, »das ist nicht Kufra. Das ist Zarzura, o Sabr! Gleich heben wir die Schätze des toten Königs!« – »Hamdulillah!« ruft Sabr, und seine Augen leuchten. Er ist sofort vollkommen überzeugt; natürlich, was könnte das anderes sein, als die verborgene Märchenstadt?

Ehe er überschnappt, beende ich lieber das Spiel: »Nein, lieber Sabr, das ist nicht Zarzura. Zarzura finden wir später. Das ist keine Stadt, das sind die Gärten des gesteinigten Satans!«

Ja, das ist sie, die seltsame Stelle, genau so, wie sie Almásy beschrieben hatte: in einer flachen Mulde ein Gewirr von bizarren Felsen, wie Häuser und Bäume geformt, und aus der Ferne einer großen Oase zum Staunen ähnlich. Aber es wächst kein Grashalm darin, nicht der ärmlichste graugrüne Strauch. Wunderbar paßt dieser Name darauf: Der Garten Satans. Es ist ein steinerner, ein glühender Garten der Hölle. Und nicht ein Tropfen Wasser darin!

Wasser! Wir fahren weiter, an dem grauen steinernen Blendwerk vorbei, – und ich sehe in meinen Gedanken nicht mehr Ströme, sondern Seen. Klare, schöne Alpenseen und die grenzenlosen Binnenmeere Kanadas. (Seltsam, aber mir erscheint niemals das wirkliche Meer, sondern nur trinkbares Wasser.) – Schließlich verdrängt eine Vision alle andern. Ich bin zu Hause in Wien, in meinem Badezimmer. Alle Hähne sind geöffnet, Wasser rauscht und rauscht, das köstliche, kalte Hochquellenwasser von Wien.

Scharf rufe ich mich zur Ordnung. Das geht nicht. Ich werde im Ernst verrückt, wenn ich noch fünf Minuten an Wasser denke!

Jetzt sind wir aus dem üblen Gebirgsland heraus; eine weite Ebene liegt vor uns, und ein einzelner Berg steigt in der Ferne auf. Das ist die Höhe, die Almásy auf seiner Karte den »Berg der Hälfte« genannt hat, Gebel el Nuss; er bezeichnet den halben Weg vom Chiantilager nach Kufra. Im vorigen Jahr ist Almásy von hier zu weit gegen Norden gefahren und hat das Fort von Tadsch nur auf einem Umweg erreicht. So trennen wir uns hier von seiner alten Spur und fahren weiter nach Süden.

Zuerst eine kleine Rast. Ein Zinnbecher, mit Wasser gefüllt, wird die Reihe herum getrunken, der vierte Becher seit dem Morgen. Das Wasser ist immer heißer und schmeckt immer mehr nach Benzin, – oh, köstliches Wasser, köstliches!

Wir messen den Rest unseres Wassers. Noch sechs Liter im ganzen in unseren Tanks! Wenn wir uns verirren sollten – – Nervös wirtschaftet Penderel mit Karte und Kompaß herum.

Wir haben ein Stück vortrefflichen ebenen Wegs vor uns, eine »Serira«, über deren harte Sandfläche die Karren des Misters Ford hundert Kilometer die Stunde fahren können. Dann findet der Sonnenuntergang uns wieder einmal in schwierigem Gelände, zwischen Felsen und tiefem Sand. Es geht deutlich abwärts.

»Der Rand der Kufra-Senkung«, sagt Almásy, sehr zuversichtlich.

Im letzten Dämmerlicht rutschen unsere Autos eine sandige Böschung hinab. Unten, am Fuß einer Düne, wachsen einige grüne Sträucher. Almásy schmunzelt. Der Anfang der Oase! Aber der Oberstleutnant widerspricht sehr hartnäckig. Gewiß, es kann die Oase sein. Aber wissen wir es? Vielleicht nur eine »Hatiyah«, ein vereinzelter Pflanzenfleck ohne sichtbares Wasser. – Penderel, sonst so tollkühn, ist jetzt unter uns der strenge Mahner zur Vorsicht. Solange wir nicht ganz genau festgestellt haben, wo wir hier sind, – und er ist nicht sicher, – müssen wir jeden Tropfen Wasser bedenken!

Almásy lächelt, zuckt die Achseln. »Gut, lagern wir hier und sehen wir morgen weiter. Es wäre ohnedies zu spät, nach Kufra einzufahren, man überfällt ein Fort in der Sahara nicht bei Nacht – «

Nach einigem Debattieren bewilligt Penderel uns jedem ein einziges Gläschen Tee. Wir sind zu müde, um viel zu essen. Ich selbst bringe kaum einen Bissen über meine verdorrten Lippen.

20. April.

Aus Dämmerträumen erwache ich vor dem grauenden Morgen; ich habe kaum wirklich geschlafen. Mich im Schlafsack halb aufsetzend, weiß ich auf einmal, was mich quält: ich habe mich hinter Almásys Auto in den Sand gelegt, es als Windschutz benützend – und hinten an diesem Wagen ist der eiserne Tank mit unserem Wasser; ich könnte den Hahn mit der Hand erreichen. Ich kann mich hinwälzen, ohne daß jemand im Lager wach wird, mir das Wasser direkt in den Mund rinnen lassen, kein Mensch wird es merken – –

Ich ringe mit der Versuchung. Es ist entsetzlich. Den Kameraden das letzte bißchen Wasser stehlen? Ich fürchte mich vor mir selbst. Ich bin so durstig!

Vielleicht rettet mich Kádár. Ich sehe auf einmal, daß er nicht schläft, sondern neben seinem Theodoliten sitzt, mit einem Schreibblock auf seinen Knien. Halblaut rufe ich ihn an. Er antwortet. Wie ich seine Stimme höre, ist dieser Wahnwitz vorbei, diese Versuchung, Wasser zu stehlen.

»Was tun Sie denn, Kádár?«

»Ich berechne die geographische Lage des Ortes hier. Schon die ganze Nacht – – «

»Und?«

»Und? Entweder bin ich verrückt, oder wir sind hier mitten in Kufra!«

Ich lege mich noch einmal nieder; ich schlafe gleich ein und der Durst quält mich nicht mehr im mindesten.

Lautes Reden weckt mich, mehrere Stunden später. Penderel und Almásy streiten über die Frage, ob Mahmud uns Tee kochen darf.

»*Vielleicht* hat sich Kádár verrechnet«, sagt Penderel hartnäckig. »Man verrechnet sich leicht; was dann?«

»Gut«, sagt Almásy. »Keinen Tee, o Mahmud! Wir frühstücken erst im Fort von Kufra. Milchkaffee, denke ich, und Mineralwasser, frisch vom Eis.«

Ich stehe auf und steige mit den beiden auf den Dünenhügel, an dessen Fuß wir geschlafen haben. Von oben sieht man eine weite, flimmernde Fläche, an deren Ende zahllose Palmen im Winde wehen. Und ein grellweißer Streifen darüber, das sind die Mauern der Senussi-Festung El Tadsch, die auf die Kufra-Oase stattlich hinabblickt.

Der Salzsee in der Oase Kufra, die heute zu Italienisch-Libyen gehört [sic]

Das Senussi-Heiligtum in Kufra

Das Grab des Senussi-Mahdis

Kufra

Erst grellgrüne Tamariskenhaine, am Rande der großen Oase. Dann Palmen um ein arabisches Dorf. In Gärten blüht zauberhaft der Granatbaum. Schöne, dunkle Menschengestalten stehen am Weg, ganz stumm und betroffen: was sind das für seltsame Wagen und schmutzige weiße Männer, die da aus der Wüste kommen?

Ein steiler Fahrweg hinauf zu der Höhe des Forts. Grell im Sonnenlicht die weiße Mauer, das Tor; darüber die Flagge Italiens. Riesige schwarze Soldaten legen verwundert die salutierende Hand an den Fez. Ein junger Offizier kommt uns entgegen in den bauschigen weißen Hosen der Kamelreitertruppe. Ein Händedruck, und wir wissen, wir sind in Kufra willkommen.

Man führt uns in eine saubere Gästebaracke. Gleich schleppen eingeborene Ordonnanzen Wasser zum Bad – zu einem Bad! Ein italienischer Korporal kommt, steht stramm, meldet sich als der Barbier. Ein Barbier! Man nimmt unsere schmutzige Wäsche, verspricht, sie in wenigen Stunden zu waschen. Sogar meine Schuhe putzt mir ein schwarzer Gigant.

In dem freundlichen Zimmer, das man mir gegeben hat, stehen, ganz fassungslos, Abrahà und Verhè, zwei eryträische Askari, und sehen den Fremdling an, wie er trinkt, direkt aus der Flasche. Abrahà und Verhè sind riesige Menschenkinder mit bärtigen Römerköpfen, ganz schwarz im ernsten und schönen Gesicht; sie tragen jeder an einer Uhrkette ein kleines Kreuz, zum Beweis, daß sie Söhne der äthiopischen Kirche sind. Sie stehen da in ihren romantischen Uniformen und sehen und sehen mich an. Sie haben noch nie einen Menschen so gierig trinken gesehen.

Später, beim Mittagessen im Messelokal, lernen wir unsere Gastfreunde kennen, die Offiziere der Garnison. Da der Kommandant, Major Rolle (Almásys Freund vom vorigen Jahr), in Italien weilt, vertritt ihn Capitano Fabri; er kommt uns mit einer Herzlichkeit, einer Güte entgegen, die nie zu vergessen sein wird. Nur noch fünf andere Herren bilden das Offizierskorps von Kufra, den Arzt Dr. Ricci schon mitgerechnet.

Wunderbar, wie zwischen uns und diesen braven, schlichten Menschen sofort ein Kontakt entsteht; Freundschaften keimen in fünf Minuten. Schon hat Almásy in Fabri, dem Kommandanten, einen Freund der Wüstenkunde entdeckt, Kádár in Dr. Ricci einen Fanatiker der Naturwissenschaften, Casparius in dem Tenente Gino Fantoni einen begeisterten Filminteressenten. Gleich geht, obgleich durchaus nicht jedermann jedermanns Sprache versteht, ein Schwatzen los wie unter freudig erregten Schuljungen. Ich muß in drei Sprachen auf einmal den Dolmetscher machen, bis sie in meinem armen Kopf sich unlösbar vermischen. Haben wir diesen Italienern, die am Rande der Wüste leben, tausend Dinge aus dieser Wüste sofort zu erzählen, so wissen dann wieder sie mehr als wir von der großen Welt, die, scheint es, noch immer fortlebt. In ihrem Messelokal gibt es Zeitungen, kaum drei Wochen alt!

Auch Nachrichten, die für den weiteren Verlauf unserer Expedition von Wichtigkeit sind, erfahren wir von den Italienern. Heute früh erst haben zwei Autos der Expedition Clayton Kufra verlassen; das war das ferne Motorgeräusch, das wir in unserem Lager zu hören vermeint haben. Lady Clayton und Commander Roundell haben einige Tage in Tadsch verbracht und sind, natürlich ohne von unserem Kommen eine Ahnung zu haben, erst heute weiter gefahren. Wohin? Es gibt uns doch einen Stich, da wir hören, daß das nächste Ziel der schönen und mutigen Lady jenes Wadi im Gilf ist, das ihr verstorbener Gatte im vorigen Jahr entdecken geholfen hat und das Patrick A. Clayton seither im Auto besucht hat; jetzt ist auch Lady Clayton dahin unterwegs, in unser viel ersehntes Zarzura-Wadi!

Es dauert ein Weilchen, bis wir Urlauber aus der Wüstenwildnis an etwas anderes denken können als an die Freude, unter zivilisierten Menschen zu sein und in einer Umgebung, die uns wie das Schlaraffenland vorkommt. Ein Huhn und etwas grüner Salat, auf porzellanenen Schüsseln serviert, ein Schluck guten Weines, der starke Kaffee zum Schluß eines Mahls, – wir fassen den Luxus kaum. Und all das Wasser! Sie kühlen (flüstern wir einander zu) in Kufra das Wasser auf Eis! Und wer will, der kann Mineralwasser haben, Nocera Umbra!

Es dauert ein Weilchen, bis wir wieder die Proportionen der Dinge begreifen. Erst beherrscht uns völlig das naive Vergnügen an unseren guten Betten, an der Badewanne, an frisch gebügelter Wäsche, sauber geflickten Kleidern, an dem Radio, das uns am Abend eine Carmen-Vorstellung aus der Mailänder Scala mitten in die Sahara bringt, und den Csardas, gefiedelt von Zigeunern in Budapest. Es dauert, bis ich nicht mehr, aus dem Schlaf halb erwachend, nach dem Windschirm zu Häupten meines Lagers suche und erstaunt bin, ihn nicht zu finden, – da ich unglaublicherweise in einem Zimmer liege, auf weichen Matratzen.

Es dauert lange, bis ich wieder begreife, daß all das doch gar nicht das Wichtige ist, das ich jetzt erlebe. Sondern: Kufra.

Das neue italienische Kufra, das wir im Frühjahr 1933 kennenlernen, besteht aus zwei Örtlichkeiten, und aus zwei Welten, die noch kaum ineinander übergehen.

Am 20. Januar 1931 hißten nach einer blutigen Schlacht gegen die Senussi die Italiener ihre Trikolore über dem alten Turm der Feste El Tadsch. El Tadsch bedeutet: die Krone. Wie eine schneeweiße Krone sitzen die Mauern des Forts auf dem Wüstenhügel, der die tief gelegenen Gärten und Palmenhaine der Oase Kufra überragt; das Hauptdorf El Dschoff liegt zu Füßen des Burgbergs.

Die neuen Herren von Kufra fanden auf der Höhe von Tadsch das regellose Gemäuer einer umwallten Siedlung vor. Einige wenige Häuser aus Stein: der primitive Palast des Senussi-Scheichs und »El Sor Estat«, das schlichte Gebäude, das die Hauptmoschee und die hohe Schule des Ordens gewesen ist, mit dem Grab seines größten Heiligen, Sidi Mohammed el Mahdi. Rings um diese steinernen Häuser war in der umwallten Festung das gewohnte Gewirr von würfelförmigen Hütten; hier wohnten die vornehmsten Brüder der religiösen Gemeinschaft. – Die Italiener ließen die Steingebäude stehen, einen Teil des Festungswalles, den schönen viereckigen Turm in der Mitte, und rissen die Hütten nieder, sie durch provisorische Militärbaracken ersetzend.

Ein innerer Hof ist flankiert von den Offiziersquartieren, der Gästebaracke, dem Messegebäude. Auf diesem Hof wachsen, jung und noch kümmerlich, einige Rizinussträucher, die später ein Schmuck der Anlage werden sollen; sie sind das einzige Grüne auf der Höhe von Tadsch, die kein Wasser hat.

Ein größerer, äußerer Hof ist der Auto-Parkplatz, der Exerzierplatz und der allgemeine Tummelplatz der eingeborenen Mannschaft. In einer Ecke steht die Grabmoschee, eine unscheinbare, niedere Halle, in der anderen das Haus, das einst die Residenz des Senussi-Scheichs war. In den Baracken an den Seiten des großen Platzes wohnen die italienischen Unteroffiziere und die meist christlichen Askari aus der Eritrea, schwarze Söldner, die ihre Familien zu Hause gelassen haben, während die hellfarbigen mohammedanischen »Meharisten« – die Soldaten des Kamelreiterkorps – fast alle ihre Frauen und Kinder in Kufra haben; sie leben mit ihren Familien in einem Zeltlager am Fuß des Hügels von Tadsch. Es mögen alles in allem zweihundert Soldaten in Kufra sein.

In der Festung selbst ist nicht eine einzige Frau. Seltsam genug steht das romantische Haus des Groß-Senussen, steht das heilige Grab des Senussi-Mahdis auf einem Kasernenhof. Trompetensignale, eine wehende Fahne, marschierende Tritte, schnurrende Automotoren, das ist das italienische Fort El Tadsch.

Darunter liegt Kufra, noch unberührt, noch immer ein wenig geheimnisvoll.

Kufra: wie lange ist's her, daß es die verbotene Oase gewesen ist, das Geheimnis der Libyschen Wüste?

Im Jahre 1878 kam der erste Europäer nach Kufra, Gerhart Rohlfs. Kam her und sah nichts von der Oase; die Einwohner, ganz fanatisiert durch die neue Doktrin des Senussi-Ordens, duldeten nicht, daß der Fremde bei ihnen verweilte. Man schloß ihn in seinem Lager ein; ausgeplündert und beschimpft zog der deutsche Forscher zur Küste zurück, froh, daß man ihn am Leben gelassen hatte. Er brachte eine ungenaue geographische Ortsbestimmung mit, ein paar Ortsnamen, kaum eine rechte Beschreibung der Örtlichkeiten. Fast ein halbes Jahrhundert noch mußte das für Europa genügen. Bis vor wenigen Jahren, ja Monaten, war die Oase der Hauptsitz der mächtigen Sekte, die so lange und mit so viel Hartnäckigkeit das muselmanische Afrika vor den Fremden zu schützen versucht hat. Während des Weltkriegs, als die Senussi gegen die Italiener und deren Alliierte kämpften, galt Kufra als die uneinnehmbare Feste. Es sollen damals einige Europäer, Gefangene, Kufra betreten haben; man weiß wenig davon.

Im Jahre 1921 bestand vorübergehend zwischen den Senussi und der italienischen Kolonialmacht an der Küste Libyens eine Art Friede. In diesem Jahre kamen zwei Fremde durch die Wüste nach Kufra, ein Mann und eine Frau in beduinischer Tracht. Sie hatten Empfehlungsbriefe des Sayeds Idris bei sich, des Scheichs des Senussi-Ordens, sonst wäre es ihnen nicht geglückt, in die verbotene Oase vorzudringen.

Der Mann war ein Araber und von beduinischem Blut; aber der fein geschnittene Kopf unter dem wallenden arabischen Kopftuch hatte zuvor auch den rhombischen schwarzen Hut eines Graduierten von Oxford getragen: es war Ahmed Hassanein Bey, Sportsmann, Wüstenforscher, Geograph und ägyptischer Diplomat. Die Frau nannte sich die Sitt Khadidja, eine vornehme Mohammedanerin. Ihr wirklicher Name war Mrs. Rosita Forbes; sie war eine englische Lady und eine bekannte Reiseschriftstellerin.

Aus einem Buch dieser unternehmenden Dame erfuhr dann die europäische Welt zum erstenmal seit Rohlfs etwas von Kufra.

Noch ein Jahrzehnt blieb Kufra der Sitz der Senussi-Sekte; dann zogen die Italiener hier ein.

Schon ist Kufra nicht mehr ohne Berührung mit der Welt. Von Benghasi kommen nach sechs Reisetagen Autos hierher, und Flugzeuge in sechs Stunden. Schon hat die neue Verwaltung die ersten Grundlagen zivilisierten Lebens geschaffen. Ein gutes Spital wurde errichtet, eine Schule ist im Entstehen. Die Sklaverei ist rechtlich beseitigt und praktisch im Schwinden. Die Steuern sind milder und gerechter verteilt als unter der senussischen Herrschaft. Der Ackerbau hebt sich, der Karawanenhandel, lange durch den Krieg unterbunden, belebt sich aufs neue. Die Kufra-Oase, die nach den furchtbaren Kämpfen von 1931 halb entvölkert zurückblieb, erholt sich unter dem weisen und kräftigen neuen Regime. Bald wird Kufra ein halbzivilisiertes Kolonialland sein wie viele in Afrika.

Vorläufig ist es noch Kufra, die letzte Oase in der Sahara, fast noch unberührt; eine smaragdgrüne Märcheninsel im Wüstensand.

Kufra ist eine Mulde, so tief gesenkt, daß die geheimnisvollen unterirdischen Ströme des Wüstenlandes dem Oasenboden schon nahe sind; so kommt aus den Brunnen ein süßes und kühles Wasser; die Wurzeln der Bäume tauchen in Feuchtigkeit, und zauberhaft grünen die Gärten und Felder. Es ist eine ganze Kette von solchen magischen Mulden, eine Smaragdenkette von grünen Oasen, vorhanden, dazwischen aber drängt sich immer wieder der wandernde Sand. Er ist überall gegenwärtig, kann nicht vergessen werden, nicht in den Hainen, in denen, seltsam knorrig verbogen, die Dattelpalmen von Kufra stehen und die Olivenbäume, nicht am Ufer der blauen salzigen Seen, von denen es mehrere gibt, märchenhaft leuchtende.

Besteige den niedrigsten Hügel, das Dach eines Hauses, klettere auf eine Palme, und du wirst die nackte und machtvolle Wüste sehen, die endlose, fahle. Aber um dich herum ist ein Zwitschern von bunten Vögelchen; Schmetterlinge flattern und Grillen geigen; am Oasenrand weidet die Ariel-Gazelle, zum Entzücken zierlich, und schleicht Abu Hussein, der langohrige Wüstenfuchs.

Von dem Volk von Kufra sind in sinnlosem Schrecken Tausende in die Wüste geflohen, als die fremden Eroberer kamen. Die Dörfer stehen halb leer; es ist nicht wie in Kharga, wo es zwischen den labyrinthischen Mauern von Menschen wimmelt, so zahlreich wie Fliegen. In Kufra gehst du lange durch das Winkelwerk der ummauerten Höfe, ehe dir jemand begegnet. Aber die Menschen sind schöner und freier und stolzer als das Mischvolk der Großen Oase.

Kufra hat seinen Namen (Kufara = die Heiden) dem Volksstamm der Tibu zu danken, die einst hier herrschten. Noch sieht man die Ruinen ihrer einstigen Sultansburgen. Jetzt gehört die Oase seit langem arabischen Stämmen, vor allem den trotzig wilden Zueïa; als eine Minderheit leben die Tibu unter ihren Bezwingern, schlanke und dunkle Menschen, ein unergründliches Urvolk, das weder Negern noch Arabern ähnelt. Die arabischen Ackerbauer wohnen, manchmal recht stattlich, in steinernen Würfelhäusern; dazwischen in Palmblatthütten die nomadischen Tibu.

Dann gibt es sudanesische Neger, als Sklaven hierher verschleppt.

Allen diesen afrikanischen Menschen, denen man in Kufra begegnet, ist eine eigene Anmut gemeinsam; man sieht fast nur schöne Barbarengestalten, reizvolle Trachten und stolze Haltung der Menschen. Das schreckliche Wort »Bakhschîsch« und das Betteln der Kinder sind hier noch ganz unbekannt. Der Fremde wird freundlich begrüßt oder gar nicht beachtet.

Ich sehe Kufra gleichsam durch die gläsernen Augen der Kamera. Tagelang streife ich mit Casparius durch die Palmenhaine, die Gärten, die Straßen von Dschoff; er filmt und photographiert, ich schaue nur.

Unvergeßliche Bilder: wir sitzen etwa im »Fonduk«, dem Karawanenhof. In dem alten Gemäuer ist eine Karawane aus dem fernen Abessinien eingekehrt, Händler, die Straußenfedern und Felle und buntes Gazellenleder bis nach Benghasi bringen, von wo sie dann mit europäischen Waren heimkehren wollen.

Wir sitzen im Hofe auf bunten Teppichen. Die tiefschwarzen Kaufleute holen aus einer der dunklen Höhlen im Hintergrunde barbarisch prächtige Waren und breiten sie vor uns aus: Felle der schwarzen abessinischen Löwen, Fächer aus Straußenfedern und lederne Kissen, seltsam mit Streifen von Schlangenhaut und Leopardenfell besetzt und in zwanzig heftigen Farben strahlend. Dann herrliche blutrote Schuhe, und andere, deren gelbes Leder farbig bestickt ist. Tausend exotische Dinge, die seltsam riechen, nach dem hintersten, wildesten Afrika – –

Über eine niedere Mauer blicken die Kamele der Karawane. In einer Ecke kämpft ein schwarzer Ziegenbock mit einem Negerjungen, der ihn neckt.

Leise schnurrt die Kamera, mit der Casparius Aufnahmen macht

Oder der sympathische Tenente Fantoni (der für das Filmen Verständnis hat) nimmt uns in das Lager der »Meharisten« mit, der arabischen Kamelreitertruppe. Mit der Kamera begleiten wir eine militärische Übung: Alarm im Lager, das Satteln der Reitkamele, das Aufsitzen und dann den Marsch durch die Palmenhaine. Am Ende gibt es ein Scheingefecht in den Dünen am Rande der Wüste.

Welch eine Fülle von Bildern! Der Trompeter, der zum Alarm bläst, die Standarte in seiner Hand. Das Aufschrecken, Durcheinanderrennen der Soldatenweiber, die der Trompetenruf aus den Zelten jagt. Ein Kamel, das mit häßlichem Maul den Alarmruf mitzutrompeten versucht. Ein fettes Baby, das einen Sattel als Schaukelpferd verwendet. Die braunen Männer in ihren weiten Hosen und würdigen Turbanen, die so methodisch und ruhig die Waffen ergreifen, die Tiere satteln. Dann der Ritt durch die endlosen Palmenhaine; das weiße Kamel des Leutnants, ein Renner edelster Rasse, das den schlanken und zierlichen Kopf gegen die Zweige erhebt in der Pose einer Giraffe; ein nackter Jüngling vom Stamme der Tibu, der bei einer Rast neben den Grashütten seines Dorfs den Soldaten getrocknete Datteln bringt; dann das erneute Signal zum Gefecht; phantastische Sprünge vom Boden in den Sattel, Galopp mit geschwungenen Waffen, die Dünen hinauf und hinab, Attacke, vorwärts, zurück, – die braunen Gesichter, vom Turbantuch halb verschleiert, werden ganz wild, obwohl es ja nur ein Spiel ist; der Sand fliegt hoch, die Trompete schmettert; das ist alles wirkliches Afrika.

Oder wir stehen zwischen seltsam verbogenen Palmenstämmen am Ufer eines tiefblauen Sees. Ein Streifen von Salz umsäumt das Wasser und blitzt in der Sonne wie Diamantstaub. Bunte Libellen flitzen über den See; Vögel singen in allen Zweigen. Ein Tibuknabe treibt schwarze Lämmer vorüber; auf einmal springt er lachend ins salzige Wasser. Ich sitze auf einem Baumstamm und esse getrocknete Datteln, die ich von den Zweigen gerissen habe; sie sind unendlich würzig und süß. Es ist still und friedlich; ein lauer Wind streicht über den See. Ich fühle: hier könnte ich bleiben. Warum jemals wieder in das Weltgetümmel zurück?

An dem Tage, an dem wir mit der Kamera das Grab des Senussi-Heiligen zu besuchen beabsichtigen, schließen sich Sabr und Mahmud uns an, in ihren besten Kleidern, nicht in ihrer verwilderten Wüstentracht. Am Grab Mohammed el Mahdis

gebetet zu haben, das wird ihnen als ein religiöses Verdienst angerechnet werden; der ganze Islam ehrt diesen großen Namen.

Der zweite Scheich der Senussigemeinschaft – sein Vater, Sayed Ibn Ali el Senussi, hatte den Orden gestiftet – schläft in jener langen steinernen Halle, die eine Ecke der Festung einnimmt. Innen sind die halbdunklen Räume auf die einfachste Art gekalkt und mit Palmenstämmen gedeckt. Hier war einst die Klosterschule (»Zawia«) des Ordens; hier hat Mohammed el Mahdi selbst gelehrt und gepredigt. Hier liegt er in einer schlichten »Kubba« begraben, einem mächtigen hölzernen Sarg, den ein roter Teppich bedeckt.

Man hat erzählt, die Italiener hätten dieses heilige Grab zerstört. Es ist nicht wahr. Aber sie halten die Grabmoschee verschlossen; die neue Macht im Lande sieht die Verehrung nicht gern, die von Menschen der Wüste noch immer dem Hause Senussi gezollt wird.

Während meine beiden schwarzen Freunde, Mahmud und Sabr, mit ihren Stirnen den Boden berühren und ihre Gebete murmeln, bedenke ich, was ich von dem Manne weiß, der da begraben liegt.

El Sayed Mohammed el Mahdi es Senussi (nicht zu verwechseln mit seinem Zeitgenossen, dem sudanesischen Mahdi Mohammed Achmed) hat wohl die afrikanischen Völker mit Hilfe eines erneuten Islams vor der Unterwerfung unter die Europäer zu schützen gesucht; aber kein Blut klebt an seinem Namen; er hat nur Werke der Güte getan. Die Oasen der Wüste hat seine müde Herrschaft in blühende Gärten verwandelt; an den Brunnen, die er gegraben hat, erzählen die Karawanenreisenden einander noch heute von seinen Wundern. Kufra, das er zu seinem Hauptsitz gemacht hat, verdankt ihm allein seine schönen Gärten und Felder; wohin seine Macht sich erstreckte, dort wurden nicht nur die neuen Gebete der Senussi gesprochen, sondern auch neue Saaten gesät, neue Quellen erbohrt.

In der Wüste beten noch heute die Beduinen für ihn. Sie wollen nicht glauben, daß er für immer von ihnen gegangen ist.

Ich, an dem Grabe dieses großen Mannes stehend, denke in Ehrfurcht, daß solche Menschen wirklich nicht sterben.

Das stärkste Erlebnis in Kufra bringt mir der Tag, an dem Almásy und ich in ein fern am Rand der Oase liegendes Dorf fahren, Tollab geheißen. Wir wollen den Scheich Junis besuchen, den man »Ghasall« nennt, die Gazelle. Er war schon unter der Herrschaft der Senussi ein angesehener Mann; dann hat er rechtzeitig mit den Italienern Frieden gemacht und ist von ihnen in seiner Würde als Vorstand des entlegenen Dorfes bestätigt worden.

Wir fahren etwa dreißig Kilometer von Dschoff, bis wir in den Flecken kommen. In seinem Hause empfängt uns der Scheich. Almásy kennt ihn vom vorigen Jahr her; so werden wir willkommen geheißen. – Scheich Ghasall ist, obwohl ein alternder

Mann, noch sehr schön; sein Gesicht mit dem Spitzbart ist ebenholzdunkel, sonst erinnert er mich (vielleicht auch wegen des kantigen Käppchens auf seinem Kopf) an einen Renaissance-Kardinal auf einem von Tizians Bildern. Es geht so viel heitere Würde von ihm aus. Wir sitzen, geehrte Gäste, in seinem bäurischen Hof unter dem Schattendach und trinken Tee: die drei zeremoniellen Gläser, eines bitter, eines sehr süß und mit grüner Minze gewürzt, das dritte noch süßer und mit Zimt zubereitet. Wir reden über vielerlei Dinge, über die alte Zeit und die neue, über die Senussi, den Angriff der Italiener und über die entsetzlich tragischen Schicksale, die die geflüchteten Leute von Kufra in der Wüste erlitten. Draußen jenseits der Mauer werfeln unverschleierte Frauen die Gerste, die auf hohen Haufen liegt; ein schwarzer Sklavenknabe, der den Tee gebracht hat, geht wieder weg und trällert ein langgezogenes Lied; die Palmenkronen blicken über die Mauer.

Da auf einmal entsteht eine Bewegung. Von der Wüste her kommt ein Kamel; ein Mann im weißen Burnus fällt mehr aus dem Sattel als er springt; er ist todmüde. Er ist ein Bote aus Ribiana, einer kleinen Oase, die von Kufra einhundertfünfzig Kilometer entfernt ist. Er hat diesen langen Weg in kaum drei Tagen zurückgelegt, um die Behörden in Tadsch um Hilfe zu bitten; noch gibt es keine Polizei in Ribiana. Er erzählt, schwer atmend, von einem Verbrechen, das in seinem Heimatdorf begangen worden ist.

Vor einigen Tagen, sagt er, haben drei fremde Tibus mit Kamelen Ribiana besucht; sie kamen über die französische Grenze aus dem Hochland Tibesti, angeblich nur, um Datteln zu kaufen. Sie haben dann in Ribiana bei Nacht die Hütte eines Negers überfallen, den Schwarzen niedergeschlagen und seine zwei jungen Knaben geraubt, ohne Zweifel, um sie daheim als Sklaven zu verkaufen.

Die Leute von Ribiana haben keine Waffen. Sie haben einen schnellen Reiter nach Kufra geschickt, in der Hoffnung, die Italiener würden die frechen Räuber verfolgen.

Almásy und ich bringen die Nachricht schneller nach Tadsch, als es der Kamelreiter könnte. Sofort läßt Capitano Fabri den Oberleutnant Salustio mit zwei Autos nach Ribiana aufbrechen; er hat fünf oder sechs bewaffnete Askari mit und einen Radiosender. Er soll um jeden Preis diese Räuber fangen und die kleinen Sklaven befreien. Alles liegt daran, daß bei dieser ersten Gelegenheit, die sich bietet, das Volk der Oasen sieht, daß der Arm der neuen Gesetze es schützt.

An diesem Abend sind wir sehr still in der Messe des Forts; wir lassen das Radio ruhen und unterhalten uns nur gedämpft. Die fünf Italiener denken an den Kameraden, der da ins Ungewisse hinauszieht. Mir liegen die Kinder im Sinn, diese kleinen Sklaven, die jetzt von den Räubern durch die Wüste geschleift werden, hilflos und nackt. Daß so etwas noch Wirklichkeit ist, Gegenwart, Alltag! – Diesen kleinen Raum in der alten Senussi-Feste, dieses Fleckchen Europa im Herzen der großen

Sahara hat plötzlich ein Hauch aus der Wüste durchzogen. Wir wissen auf einmal wieder, wie sehr wir in Afrika sind; alle Gedanken gehen hinaus in das nächtliche Sandmeer, so nahe dort draußen.

Der Tibu Ibrahim

Wir sitzen, Almásy und ich, auf dem Fußboden einer Halle im Fort El Tadsch. Dieser niedere Raum, dessen weiß gekalkte Wände noch einige Spuren arabischer Malerei aufweisen, war bis zum Tag der italienischen Besetzung (es ist erst zwei Jahre her!) die Bibliothek und das Arbeitszimmer des Groß-Scheichs der Senussi. Hier hat der Heilige des Ordens, Sidi Mohammed el Mahdi, in Koranmanuskripten und theologischen Bücherrollen gelesen; von hier aus hat noch unlängst sein Sohn, Sayed Idris, die Oasen der Sahara regiert. Nun lebt Sayed Idris im Exil in Ägypten, dieser Raum aber dient dem italienischen Festungskommando als Kanzlei.

Zwischen uns beiden hockt auf dem Boden der Halle ein seltsames Menschenwesen.

Weiße Gewänder, der Turban weiß, der »Litham«, der nach Tuaregart das Gesicht halb verschleiert, – in all dem Weiß steckt eine geschmeidige, schlanke Schlange, schwarz wie Ebenholz; das ist Ibrahim, der Tibu. Jetzt hat er den Schleier beiseite geschoben, ich sehe einen zahnlosen Mund, der uralt ist, listige Augen, die jung zu sein scheinen. Er kann vierzig sein, er kann achtzig sein. Hat er den »Mustafa Bey« noch persönlich gekannt, von dem er einmal und beiläufig redet? Mustafa Bey, so nannte man Gerhart Rohlfs, und er war 1878 in Kufra. Vielleicht war Ibrahim unter denen, die sein Lager geplündert haben. Er ist ein Tibu, also im Herzen ein Räuber.

Er redet arabisch zu uns, mit einem starken Akzent, der nach einer urfremden, barbarischen Sprache klingt. Fast alles, was er sagt, tönt uns wie: »Njiki, njiki.« Und wir nennen ihn unter uns Njikinjiki statt Ibrahim; es paßt besser zu ihm. Einmal redet er einige Worte in der Tibusprache, und sofort muß ich an Herodot denken, der vor zweieinhalbtausend Jahren von einem schwarzen Volksstamm im hintersten Libyen berichtet hat, ihre Sprache klinge wie das Kreischen von Fledermäusen.

Die Tibu, wahrscheinlich die »äthiopischen Troglodyten« des Herodot, sind in der Wüste, seitdem es die Wüste gibt. Sie leben als Beduinen und sind keine Araber; sie sind kohlrabenschwarz und gleichen sonst in gar nichts den Negern; sie sind sie selbst, die Tibu. Ein schwarzes Schlangenvolk aus den Klüften der Wüstenberge. Ihre Hauptmasse wohnt jetzt im Hochland Tibesti in Französisch-Äquatorialafrika; aber auch in Kufra stehen ihre aus Palmlaub gewobenen Hütten zwischen den festen arabischen Würfelhäusern. Besucht man das Tibu-Dorf, dann fällt die stolze Schönheit der Frauen auf und die Anmut der nackten Knaben. Die Tibu sind vornehmlich Hirten; sie treiben die schwarzen Lämmer und Ziegen von Tibesti nach Kufra und verkaufen den Arabern deren Milch. Sie sind, wenn es sein muß, auch Kameltreiber;

Der Tibu Ibrahim, genannt Njikinjiki

viele von ihnen werden erfahrene Karawanenführer. Wenn irgend möglich, sind sie auch Sklavenhändler und Räuber. Während wir hier mit diesem Ibrahim sitzen, jagt der Tenente mit seinem Auto der Räuberkarawane der Tibus nach, die durch die Wüste entfliehen mit den zwei kleinen gestohlenen Jungen. – Was weiß dieser alte Scheich der Tibu davon, Ibrahim Njikinjiki? Er ist, wie er dahockt, die Unschuld selber; aber der magere schwarze Arm, den er beim Sprechen schlangenhaft aus dem weißen Gewand züngeln läßt, hat am Gelenk eine breite Spur vom Riemen des Dolches, den die Tibu hier angeschnallt tragen. Was Njikinjikis private Vergangenheit war, das mag Allah wissen, der Erbarmer, der Richter am Tag des Gerichtes. Hier, zwischen uns sehr verdächtigen Fremden, sitzt er in seiner amtlichen Eigenschaft als ein in der Wüste bewanderter Karawanenführer. Er weiß natürlich alles, was wir großartig »entdecken« möchten, und wir fragen ihn aus.

Almásy, die ewige Zigarette im Mund, besorgt das Fragen. Ich verstehe zur Not das Gespräch, kann aber die Sprache nicht sprechen; so höre ich gierig zu, im Grunde sehr aufgeregt. Hier glückt uns heute oder es scheitert die ganze Expedition. Der Tibu Ibrahim sitzt unruhig da, bewegt sich fortwährend; er windet sich wie eine schwarze Viper, die aus den weißen Gewändern herauskriechen möchte. Wer wir eigentlich sind, mit welchem Recht wir fragen, das ist ihm kaum klar. Aber er kennt uns als die geehrten Gäste der neuen italienischen Gebieter von Kufra. Wahrscheinlich sind wir sehr mächtige Scheichs. Soll Ibrahim uns sagen, was er weiß? Alle seine Instinkte sprechen dagegen. Noch ist in Kufra das große Gesetz der Senussen nicht vergessen, das vor allem befahl, die geheimen Pfade der Wüste den Fremden nicht zu verraten. Wir sitzen hier hundert Schritte vom Grabe Sidi Mohammeds, des Mahdis aus dem Hause Senussi. Noch liegt der Schatten dieser großen Persönlichkeit über Kufra, wie über halb Afrika.

Vielleicht würde Ibrahim-Njikinjiki alles in Abrede stellen; daß er die Wüste kennt, daß es überhaupt eine Wüste gibt und ein Gebirge in ihr, den Großen Gilf, und daß gar in diesem Gebirge bewässerte »Wadis« gelegen sind, grüne Alpentäler, die die Tibu (vermuten wir) seit Jahrtausenden zu besuchen pflegen; – würde es nur zu gern leugnen, wenn dieser eine Fremde, der Magere mit der Zigarette, nicht schon allzuviel wüßte. Das eine von den Wadis, den größten und wertvollsten Weideplatz, hat er doch offenkundig schon selber besucht; wozu also lügen?

Njikinjiki entschließt sich: »Dieses Wadi, o Herr, nennen wir Wadi Abd el Melik.«

Wir beide sehen einander an: »Wadi des Königsknechtes« – diesen Namen hat Almásy schon im vorigen Jahr in Kufra nennen gehört. So heißt also wirklich das Tal, das Almásy aus der Luft geschaut und dessen Eingang neulich Clayton gefunden hat, Abd el Melik. »Sklave des Königs« (Allah) ist wohl ein häufig gebrauchter arabischer Name. Wie aber, wenn etwas anderes dahinter steckte? Uns spukt die Armee des Persers Kambyses im Kopf, die in der Wüste verschollen ist. Wadi der Königsknechte?

Almásy reißt sich zusammen, heuchelt Gleichgültigkeit: »Und das zweite Wadi, o Scheich, das nahe daneben liegt? Wie nennt ihr es, die ihr eure Herden dahin treibt?«

Vielleicht sperre ich den Mund zu weit auf, vielleicht lächle ich plötzlich. Almásy blufft wie im Poker. Weder weiß er etwas Bestimmtes von einem zweiten »Wadi«, obwohl er drei vermutet, noch weiß er, ob das zweite Gebirgstal nah bei dem ersten liegt, und ob die Tibu dorthin ihre Herden treiben. Obwohl wir am Westrand des Gilf Kebir gewisse Kamelfährten im Sande gefunden haben, unerklärliche, wenn dort nicht irgendwo eine Weide wäre.

Ich meinerseits bin ein schlechter Pokerspieler und muß mich verraten haben, denn auf einmal wird Ibrahim stumm, klappt die dünnen Lippen zusammen wie eine Auster ihre Schalen zusammenklappt, sitzt da, viel weißes Gewand und darin ein mageres Häufchen schwarzer alter Mann. Er weiß schon wieder nicht, der Gute, daß es in Afrika Wüsten gibt.

Aber in diesem Augenblick, da in der Halle das Gespräch verstummt ist, tönt ein Chor von außen herein, eine Art Zauberformel, von Knabenstimmen gesungen. Wir wissen, ohne die Tür zu öffnen, was draußen los ist. Diese Halle des Groß-Senussen, diese heutige Festungskanzlei, hat außen eine Art Portikus, in dem die dienstfreien Askari zu lungern pflegen, die beturbanten arabischen Reiter der Kamelschwadron und die riesigen schwarzen Eryträer von der Infanterie. Dazwischen, wissen wir, treiben sich die Soldatenkinder herum, hübsche arabische Bengel, die von den Italienern in Khakiuniformen gesteckt worden sind. Jetzt eben hält der Tenente Fantoni mit ihnen im Vorhof Schule, das heißt, sie hocken alle auf dem Boden mit Fibeln in ihren Händen. Es sind faschistische Fibeln, und der Chorgesang, der zu uns kommt, stammt von der ersten und wichtigsten Seite der Fibel.

»Sua Edschellendsa«, singen die Knabenstimmen, die fremden Vokale seltsam betonend, die Konsonanten verdickend. »Sua Edschellendsa Benito Mussolini, gabbu delle gubbernu – – –« Durch die geschlossene Tür hindurch kann ich das Fibelblatt sehen, eine Seite mit dem grimmen Bildnis Seiner Eccellenza, des Duce, des »Capo del governo«. Ich unterscheide die Stimme des kleinen Primus, Mohammed, der der »Schumbaschi« der Knaben ist, mit mächtigen roten Feldwebelstreifen am Khakiärmel der Uniform. Gewiß betet er den anderen vor; er allein kann wirklich lesen. Die anderen sagen's nur nach, sogar Gejta, das fette, drollige zweijährige Stöpselchen, das immer die Uniformhosen verliert.

Diesen Chorgesang kenne ich schon; er eröffnet (so wie die Sure Fat'ha den mohammedanischen Gottesdienst) jeden Tag den Unterricht in dieser Schule; die arabischen Kinder lernen als die ersten italienischen Worte das Lob des Duce sprechen.

Vielleicht, ich weiß es nicht, erinnern diese Stimmen, die die mystische Formel singen, den Tibu Ibrahim daran, daß nicht mehr das Gesetz der Senussen in Kufra herrscht. Vielleicht wirkt der magische Name des Duce, vielleicht denkt der Tibu an den Tag vor zwei Jahren, da auf einmal vom Himmel die Flugzeuge kamen und aus

Tibuweib in Kufra

Trompeter des ital. Kamelreiterkorps

Tibus in Kufra

Tibu mit kriegerischem Haarschopf

Zöglinge der Soldatenkinderschule, Kufra

Unsere erythräischen Ordonnanzen

der Wüste die Autokolonnen, da im Feuer einer furchtbaren Schlacht die Herrschaft des Groß-Senussen vernichtet wurde und auf dem Turm der Festung eine Fahne hochging, drei Farben und ein Bündel von Ruten und Beilen. Das Tor der Wüste, die Mohammed el Mahdi den Fremden so lange verschlossen hielt, ist an diesem Tage gewaltsam erbrochen worden; diese seltsamen ratternden Fahrzeuge fahren in ihr herum, und stählerne Riesenvögel, größer als der »Rokh« der Legende, schweben darüber, – warum also nicht reden, da diese beiden Fremden es wollen?

Auf einmal, wie eine scheinbar erstarrte Schlange ihre Knäuel löst, wird der alte Tibu beweglich, lebendig; er leckt sich erst die schweigsamen Lippen, dann züngelt aus den weißen Burnusfalten ein gestikulierender Arm hervor, dann lächelt die phantastische Ebenholzmaske unter dem weißen Turban, der zahnlose Mund wird locker, Ibrahim redet. Es klingt wie »Njikinjiki«, wie das Kreischen einer Fledermaus, aber Almásy versteht es, und ich zur Hälfte.

»Jawohl«, sagt Ibrahim, »es gibt auch ein zweites Wadi! – Fünf Kamelmarschtage von Kufra, dann muß man über die Berge steigen. Nein, nicht so groß wie das Wadi des Königsknechtes, weiter nördlich davon. – Wadi Talha heißt das zweite Wadi, das Wadi der Akazienbäume.«

Almásys Augen leuchten verräterisch. Der Mann hat das Wadi so gut beschrieben, daß man hoffen darf, es finden zu können.

»Und das dritte Wadi, o Scheich?« fragt Almásy, wie nebenbei. »Von drei Wadis inmitten der Wüste hat vor einem Jahrhundert der Engländer Wilkinson Kunde erhalten. Da es zwei gibt, so gibt es bestimmt ein drittes.«

Aber Njikinjiki findet, er habe für einmal genug geredet und kriecht wieder in seine weißen Gewänder hinein und erstarrt, eine plötzlich erfrorene Schlange.

Ich gehe, meine Gedanken zu ordnen, auf den Hof der Festung hinaus und steige zur Höhe des runden Turmes hinauf, der in der Mitte steht. Die Flagge Italiens weht jetzt über der Warte der alten Senussi-Burg. Von oben sieht man die tiefe Mulde, über der sich das Fort erhebt, das zerstreute Gemäuer von Dschoff, die Palmenhaine, die weiße Kruste von Salz am Ufer des Sees, das Grün der Dattelhaine, der Gärten und Felder. Jenseits der Senkung begegnet das Auge der fahlen Wüste, und dorthin, in diese öde Unendlichkeit, muß ich schauen. Märchenhaft schön ist die Kufra-Oase, und ich liebe sie für immer. Aber ich weiß, daß ich weiter muß, wieder in die Wüste hinein, zum Tal des Königsknechtes und zu jenem anderen, dem Tal der Akazien. Sie können unmöglich so schön sein wie die Märchenoase, die unter mir liegt. Ich weiß es, und dennoch geht mein wanderlustiger Blick schon verlangend zu den blauen Wüstenhügeln am Horizont.

Der kleine Vogel

Beim Aufwachen fehlt mir zuerst mein Bett, dann mein Zimmer, – dann weiß ich, daß ich gar nicht mehr in Kufra bin, sondern unterwegs zum Chianti-Lager; wir liegen im Freien, in einem Sandloch.

Ich schäle mich aus dem Schlafsack und reibe mir die Augen. Es ist mir, als wäre heute etwas Besonderes mit mir los, ich weiß nur nicht, was. Meine Gefährten sind auch schon wach, sie stehen in einer Gruppe hinter einem der Autos beisammen.

Was haben sie denn? Sie sehen sich etwas an. Ich gehe hinüber – und finde, von allen irdischen Dingen, einen gedeckten Geburtstagstisch! Jetzt weiß ich auf einmal, was das für ein Tag ist: ich habe es glatt vergessen gehabt. Jetzt, da meine Freunde mir stürmisch gratulieren, freut es mich doch: nicht, daß ich fünfzig Jahre geworden, sondern daß ich's in diesem Sandloch geworden bin, in diesem Beduinenbett, an einer unbekannten Stelle der Libyschen Wüste. (Man ist also, denke ich, mit fünfzig Jahren vielleicht noch gar nicht so alt!)

Ich lache auf einmal, weil ich an etwaige Jubiläumsartikel denke, die heute früh daheim vielleicht in den Zeitungen stehen, an die gerührten Briefe und Telegramme, die ich nicht beantworten muß!

Die Kameraden haben den Geburtstagstisch schön dekoriert; da Blumen in dieser Gegend etwas rar sind, haben sie aus den steinernen Gärten Satans zackige Blütensterne aus Kalkstein gebrochen; es macht sich sehr festlich. Es scheint, man hat schon in Kufra an die Geburtstagsgeschenke gedacht: den Tisch bedeckt eine knallrote Ledermappe, am Tschadsee von Negern gegerbt. Casparius hat sie von den Karawanenleuten in Kufra gekauft. Die anderen schenken ähnliche Dinge, Kádár und Penderel. Almásy rührt mich, indem er mir seine letzte elektrische Taschenlaterne zum Geburtstag gibt; die meine ist längst verdorben, und ich hasse es sehr, mich im Dunkel entkleiden und ohne Licht in den Schlafsack kriechen zu müssen.

Ich danke allen, und es gibt ein festliches Frühstück. Noch haben wir frische Aprikosen aus Kufra, eine Büchse Konservenlachs wird geöffnet, und Penderel holt mit geheimnisvollen Gebärden noch eine Blechdose aus seinem Rucksack. Er hat, beim Bart des Propheten, wirklichen Kaviar eigens für mich bis hierher geschleppt.

Ich streiche den Kaviar dick auf das mit Öl gebackene Wüstenbrot des guten Mahmud.

Und dann, nachdem ich genügend verhätschelt bin, versetzt man mir an meinem Geburtstagsmorgen einen unerfreulichen Stoß.

Hohlweg beim Chiantilager

Almásy und Sabr blicken ins Wadi Talha

Ein Festmahl in der Wüste

Eingang zur Giraffenhöhle

Felszeichnung in der Giraffenhöhle

Felszeichnungen: Löwen

Ich erfahre, worüber am gestrigen Abend Almásy und Penderel gar so lange gesprochen haben, als ich schon im Schlafsack lag: die beiden möchten noch heute einen Vorstoß gegen den Gilf versuchen, um das Wadi zu suchen, von dem uns Ibrahim sprach. Wenn der Tibu die Wahrheit gesagt hat, dann wird man eine hohe Felswand erklettern müssen, und dann oben auf dem Plateau einen kräftigen Fußmarsch machen. Man wird Lebensmittel mitnehmen müssen, Wasserflaschen, Apparate, Mäntel fürs Übernachten; es wird bei Tag furchtbar heiß auf den Steinbergen sein und sehr kalt in der Nacht. Es wird eine anstrengende Sache werden, – und kurz und gut, ich soll nicht mit! Almásy, Kádár und Penderel, als die Geographen der Expedition, sind bei der Unternehmung nicht zu entbehren, und Casparius soll Aufnahmen machen. Man will nur ein Auto nehmen; mit den anderen beiden und den drei Schwarzen soll ich im Chianti-Lager eine Reservestellung beziehen.

Almásy und Penderel reden mir ernstlich zu: es muß jemand da sein, der den anderen folgt, wenn sie etwa nicht rechtzeitig wieder zurück sind. Es ist eine Vertrauenssache, wir können nicht alle gehen, und jemand muß dableiben, dem die drei Schwarzen im Notfall gehorchen werden. – Ich höre die ungemein ehrenden Worte und verstehe sie vollkommen: man traut mir die nötigen Kräfte nicht zu. Bitter empfinde ich, was für ein Tag das ist: ich bin fünfzig, der Älteste hier, eine Art Jubelgreis – – –

Ich beiße die Zähne zusammen; Disziplin muß sein!

»All right!« sage ich und wende mich ab. Ich könnte weinen wie ein Kind, das die anderen Buben nicht mitspielen lassen.

Eine Stunde darauf bin ich im Chianti-Lager mit Sabr, Mahmud und Abdu allein, und allein mit meinen Gedanken.

Was wir das Chianti-Lager nennen, ist ein tiefer Hohlweg zwischen den Felsenwänden; die eine oder andere Seite der Felsenenge hat fast den ganzen Tag etwas Schatten. Das macht den Wert dieses Lagerplatzes aus; man kann die Vorratkisten, das Wasser und das Benzin vor der Sonne schützen und selber im Schatten liegen.

Erst gegen Abend gehe ich etwas spazieren, rund um die Felsen herum, damit ich mich nicht in der Wüste verlaufe. Da ich zu der Stelle komme, an der heute früh das Auto das Lager verlassen hat (ich stand auf dem Felsenturm und winkte), suche ich die Räderspur und bezeichne sie unzweideutig mit einem großen Pfeil, aus Steinchen zusammengefügt. Wir sind in der Nähe des Lagers schon viel herumgefahren, und ich möchte die richtige Spur nicht verpassen, wenn ich übermorgen, meinen Instruktionen gemäß, den anderen folgen muß.

Nachdem ich spielerisch einen recht schönen Pfeil aus bunten Steinen gebildet habe, wird es mir einsam zumute; der Spaziergang freut mich nicht sehr. Die Felsen, mit denen hier das Gelände bestreut ist, werfen phantastische Schatten; mein eigener Schatten rennt, gespenstisch verlängert, vor mir einher. Ich fühle mich seltsam gedrückt und nicht wohl; ich kehre ins Zelt zurück, ehe die Sonne noch untergegangen ist.

Wir haben noch frische Lebensmittel in Hülle und Fülle; Capitano Fabri hat uns mit Eierkisten und lebenden Hühnern verschwenderisch ausgestattet. Mahmud hat zum Abendessen die besten Dinge gekocht, aber es schmeckt mir nicht sehr. Ich behaupte, schläfrig zu sein, und lege mich gleich nach dem Essen aufs Feldbett.

Ich lese aber noch lange beim Licht meiner kleinen elektrischen Lampe. Auf einmal stört mich ein Rascheln; in meinem Zelt ist Besuch. Ein hellbraunes Rattenwesen mit einem langen Schwanz ist hereingeschlüpft, wahrscheinlich dem Lichtschimmer folgend. Jetzt fuhrwerkt es scheu auf dem Boden herum und kann den Ausgang nicht finden. Ich habe Kádár versprochen, ihm Tiere sammeln zu helfen, und sollte versuchen, die Ratte zu töten. Aber wir sind doch beide so sehr allein in der großen Wüste, diese Ratte und ich! Ich öffne die Zeltklappe, und mein Besuch schießt hinaus.

28. April.

Nach üblen Träumen erwache ich, nicht in der besten Gesundheit. Etwas in meiner Ernährungsmaschine scheint nicht in Ordnung zu sein. Ich schlucke einige Mittel aus meiner Feldapotheke, aber sie helfen nicht viel.

Wir verbringen, die Schwarzen und ich, den Tag in der Enge zwischen den Felsen, im Sande liegend. Wenn die steigende Sonne an einer Stelle den Schatten vertrieben hat, dann wälzen wir uns an eine andere Stelle; das ist unsere ganze Beschäftigung. Meine drei dunklen Mannen schlafen sich einmal ordentlich aus; wenn sie wach sind, dann sind sie verdrossen und schweigsam.

Ich meinerseits sehe den Hühnern zu, die man uns aus Kufra mitgegeben hat. Sie haben die Reise in einer Kiste zurückgelegt; hier im Lager haben wir ihnen die Kiste als Stall in eine schattige Ecke gestellt, mit Futter und Wasser darin. Die Hühner (sechs junge Hennen und ein kleines Hähnchen) laufen im Freien zwischen den Felsen herum. Es fällt ihnen gar nicht ein, in die tödliche Wüste davonzulaufen. Es sind Oasenhühner aus Kufra; sie kennen die Wüste.

Dieses Lebende und Bewegte zwischen den toten Felsen macht mir das trostlose Lager doch heimischer.

Gegen Mittag kommt neuer Besuch: ein kleiner Vogel ist plötzlich im Lager. Er sieht wie die wilden Kanarienvögel aus, die ich auf Madeira und Teneriffa oft genug beobachtet habe; er ist also eher grünlich als gelb, so groß wie ein junger Spatz, aber viel zierlicher, mit langen wippenden Federn am Schwanz. Er flattert ein paarmal über dem Lager herum, von Felsen zu Felsen, setzt sich dann im Hohlweg nieder. Ich denke mir, daß er durstig sein muß, und möchte ihm ein Gefäß mit Wasser hinstellen. Aber schon findet er selber die Hühnerkiste, schlüpft hinein, pickt Körner auf und trinkt lange und wohllüstig aus dem Blechnapf.

Ich blicke in einer Art Verzückung zu dem schönen Vogel hinüber; seine reizende Gegenwart bedeutet mir etwas an diesem unangenehmen Tag. Das ist kein Zugvogel, denke ich, der kann nicht von weitem gekommen sein, wie die Störche, deren Spuren im Sande wir manchmal finden, und wie die Schwalben, die öfters ins Lager flattern. Dies da ist ein zartes Vögelchen, das bestimmt nicht Tausende von Kilometern über die Wüste fliegt; da es hier ist, frisch und lebendig, ist irgendwo sehr in der Nähe ein grüner Baum, auf dem ein Singvogel leben kann. Das da ist ein kleiner Vogel aus meiner Oase der kleinen Vögel!

Während ich das noch denke, geschieht etwas Scheußliches: unsere jungen Hühner, die bisher ganz friedlich, nach Hühnerart, im Sande herumgepickt haben, bemerken den fremden Vogel in ihrer Futterkiste, – und hören ganz plötzlich auf, harmlose Hühner zu sein; Harpyien könnten sich nicht schlechter benehmen. Wie Geier stürzen sie auf das arme Vögelchen los, mit einem schrillen Gekreisch, das mir lange im Ohr liegt.

Der kleine Vogel trennt sich, so scheint es mir, nur mit Bedauern von den vielen Körnern und all dem herrlichen Wasser. Schon ist das erste Huhn bei der Kiste; da schlüpft der Vogel ins Freie und bringt sich in Sicherheit. Ich sehe ihn noch zwischen den Felsen flattern, dann ist er verschwunden. Lange noch hoffe ich mit einer Art Sehnsucht, er werde wieder zum Wasser zurückkommen.

Aber er kommt nicht. Ist er, denke ich, ins Akazien-Wadi zurückgeflogen, wo jetzt meine Freunde sind?

29. April.

Schlechte Nacht im Zelt. Meine Beschwerden von gestern sind ärger geworden. Ich schlafe sehr wenig, und wenn, dann träume ich von riesigen Hühnern, die wie Harpyien kreischen. – Gegen Morgen wird aus dem Traum Wirklichkeit. Der Hahn fängt viel zu zeitig zu krähen an und hört nicht mehr auf.

Ich schlafe erst spät wieder ein. Ich erwache, als die Sonne schon hoch über den Felsen steht, und ich möchte wissen, wie spät es ist. Da meine Uhr noch immer verdorben ist, frage ich Mahmud; er hat seine Weckeruhr.

»Mahmud, quelle heure est-il?« rufe ich hinüber zum Küchenzelt. Ich spreche zu Mahmud immer französisch; er antwortet in einem gemischten Jargon.

»Heure ma fisch, Monsou!« – Es ist gar nicht Uhr heute, der Wecker hat irgend ein Sandkorn verschlungen und ist stehen geblieben.

Ich fluche und springe halb nackt aus dem Zelt. Ein bißchen Schütteln bringt zwar den Wecker gleich wieder zum Ticken, das aber macht das Malheur noch nicht gut. Da die letzte Uhr im Lager versagt hat, werde ich morgen früh nicht wissen, wann es punkt neun ist – das ist die Stunde, zu der ich versprochen habe, mit den beiden Wagen den Spuren der anderen nachzufahren, falls sie noch nicht zurück sind. Ich

Einfahrt ins Wadi Abd el Melik

Im Wadi Abd el Melik

Krank im Zelt

sage mir, daß es doch auf die genaue Minute nicht ankommen dürfte; aber der Gedanke beginnt mich zu quälen: wenn ich schon nicht tüchtig genug war, um mit ihnen gehen zu dürfen, sollte man mich doch wenigstens nicht unzuverlässig finden!

Den ganzen Vormittag beschäftigt mich das Problem. Vergeblich versuche ich, ein Stadtmensch, aus der Höhe der Sonne die genaue Zeit zu erkennen; dann, als sie sehr hoch steht, fällt mir das Selbstverständliche ein: am Mittag werfen vertikal stehende Gegenstände keinen Schatten. So pflanze ich meinen Stock sorgfältig in den Sand, so daß er kerzengerade steht, und warte daneben, bis der letzte Streifen Schatten verschwindet. Dann stelle ich den Wecker auf zwölf.

Fünf Minuten später bringt Mahmud mir lächelnd ein Kästchen: einen der Chronometer, der im Lager geblieben ist; ich hatte gedacht, daß Kádár sie beide mit sich genommen habe mit den anderen Apparaten. Die Präzisionsuhr geht, und zeigt fünf Minuten nach zwölf.

Sie zeigt zwei Uhr, und ich liege sehr erschöpft auf dem Feldbett im Zelt, neben meinem Mittagessen, das ich nicht angerührt habe, – da entsteht draußen eine Bewegung, ich höre einen Motor, und das Auto mit meinen Freunden fährt ins Lager ein.

Sie sind halb tot, bis auf den rüstigen Kádár; sie haben zwei Tage lang kaum gegessen, zwei Nächte lang kaum geschlafen.

Es dauert einige Zeit, ehe ich richtige Antworten kriege; und dann lauten sie etwas enttäuschend. – Sie haben große Strapazen bestanden und Interessantes entdeckt, aber nicht das Akazien-Wadi.

Erst im Laufe des Nachmittags ordnen sich die verwirrten Berichte der Ermüdeten. Sie haben, als sie auf die von Ibrahim angedeutete Stelle im Gilf zugefahren sind, zu ihrer Freude alte Karawanenfährten gefunden, unverkennbare, wenn auch halbverwischte Spuren von vielen Kamelen. Das hat sie zu einer Stelle geführt, noch unter der Mauer des Gilfs, wo Bäume standen, etwa dreißig im ganzen. Es waren Akazien von der Talha genannten Art und andere. Der Ort zeigte deutliche Spuren von Tieren. Kamelmist lag unter den Bäumen, und die Hörner von wilden Schafen lagen herum; eine lebende Schlange und kleine Vögel wurden gesichtet. Das gesuchte Wadi konnte der kleine Vegetationsfleck freilich nicht sein. Tatsächlich führten die Kamelspuren weiter ans Gebirge heran und mündeten dort in einen förmlichen Pfad, der über Dünenhänge und steile Felsen zum Plateaurand emporstieg.

Meine Gefährten schliefen am Fuß des Gebirges und folgten am nächsten Morgen dem vielverheißenden Pfad.

»Es war«, erzählte Almásy, »ein sehr schwieriger Klettersteig, aber zweifellos von Menschen künstlich gebahnt. An einigen Stellen waren Stufen gegraben, an anderen war der Weg untermauert. Daß hier die Tibu mit ihren Herden ins Gebirge zu steigen pflegten, bewiesen Lagerplätze, wo Windmauern errichtet waren, wie sie die

Tibu bauen, um sich während des Schlafens zu schützen. Kamelskelette lagen mehrmals an diesem Weg – – «

Almásy, der mir das erzählt, hält inne, lächelt – – ich weiß, jetzt kommt eine Überraschung.

»Und eine Kuh!« sagt er triumphierend. »Mitten im wilden Geröll am Abhang des Gilf Kebir liegt eine tote Kuh!«

Das rüttelt mich freilich auf. Eine Kuh, volle dreihundert Wüstenkilometer von Kufra entfernt! Sicherlich hat man von einer guten Weide für diese Kuh gewußt; Ibrahim hat nicht gelogen!

Irgendwo dort oben in dem Felsengebirge, dessen blauen Umriß ich vom Eingang des Lagers sehen kann, liegt dieses bewässerte Wadi. Aber meine Gefährten sind auf dem Tibupfad nicht bis dorthin gelangt. Sie haben ihre schweren Rucksäcke über die Felsen geschleppt, hinauf aufs Plateau, und dann viele Kilometer weiter über die glühenden Felsen, und sind weit über die Stelle hinausgelangt, wo nach Almásys Berechnungen das Tal der Talha-Akazien sich öffnen sollte.

Dann kehrten sie um. Sie schliefen zwischen den Felsen und fuhren dann heute früh ins Lager zurück.

Man muß es noch einmal versuchen, sagen wir zueinander. Es gibt dieses Wadi; wir werden es sicher noch finden.

Die Giraffenhöhle

30. April.

So gern wir alle das Wadi der Talha-Akazien suchen möchten, so haben wir doch an unser Auto zu denken, das verlassen am Ostrand des Gilfs steht, mit einem großen Teil unseres Gepäcks beladen. Das Auto muß abgeholt, die unterbrochene kartographische Arbeit im nördlichen Gilf muß fortgesetzt werden. So beschließen wir, unsere Expedition noch einmal zu teilen: Penderel soll mit Kádár und Abdu mit einem Auto durch das »Gap« zurück zum Gebel Almásy gehen; sie werden den dort stehenden Wagen holen und dann versuchen, ob sie nicht rund um die bislang noch unbekannte Nordspitze des Gilfmassivs herum wieder zu uns gelangen können, die wir unterdessen hier an der Westseite bleiben werden,

Es muß so sein; aber nicht leicht nehmen wir von den Kameraden Abschied. Wie leicht könnten sie mit ihrem einzigen Auto im Gap stecken bleiben, wie leicht in Penderels Pracht-Passage durch die Dünen! Wir verabreden schriftlich, an welchem Tage und wo die beiden Teile der Expedition sich wieder vereinigen werden. Erscheint die eine Gruppe nicht rechtzeitig, soll die andere sich sofort aufmachen und ihre Spuren suchen, um im Notfall Hilfe zu bringen.

Ein großer Wind pfeift durch den Hohlweg von Chianti-Camp wie durch eine steinerne Flöte, da wir »auf Wiedersehen« sagen. Almásy mit seinem Wagen fährt ein Stückchen mit Penderel, um ihm einen guten Weg zum Eingang des Gaps zu zeigen. Ich bin noch immer nicht wohl, so bleibe ich mit Casparius und den Schwarzen im Lager.

Der Wind wird heftiger, wird zum Sturm. Ich beginne, um Almásy besorgt zu werden; endlich kehrt er zurück. Er steigt ab und holt aus dem Inneren des Wagens eine der gewohnten Benzinkisten, in der sich etwas Lebendes regt. Aus einer Öffnung der Kiste kommt der Kopf eines großen Vogels; der Schnabel schlägt wütend nach Almásys Fingern, die die Kiste halten.

Es ist ein Falke, den Almásy in der Wüste gefunden hat; der Sturm muß das arme Tier aus den Lüften geschleudert haben, denn es hüpfte mit einem gebrochenen Flügel im Sand vor dem Auto herum. Almásy hat rasch seine Jacke auf den Falken geworfen und ihn überwältigt. Er plant, den gebrochenen Flügel zu schienen und den großen Wüstenvogel wenn möglich lebend nach Kairo zurückzubringen, für den dortigen Zoo.

Diese Operation an dem Flügel vorzunehmen, ist nicht so leicht; der Falke tobt und kreischt in der engen Kiste, und ihn anzugreifen wäre gewagt. Wir überlegen, daß der Vogel Durst haben muß, und da wieder der zierliche Kopf mit dem scharfen

Schnabel aus der Kiste kommt, flößen wir ihm erst Wasser ein; er trinkt gierig, dazwischen nach Almásys helfenden Händen pickend. Dann setzen wir dem Wasser Alkohol zu, – nicht von unserem kostbaren Whisky, sondern von Kádárs Spiritus zum Präparieren. Die Absicht ist, das arme Tier zu betäuben. Das gelingt so sehr, daß ich meine, es werde nie wieder erwachen. Nachdem Almásy den kranken Flügel verbunden hat, liegt der schöne Falke wie ein Häufchen Unglück in der Kiste.

Da der Wind sich am späteren Nachmittag legt, schlägt Almásy einen Ausflug vor. Nur wenige Kilometer von unserem Lager ist eine Höhle, die Patrick Clayton entdeckt hat, eine Höhle, in der einmal Menschen der Steinzeit gewohnt haben müssen, denn in die Wände dieser Höhle sind Tierbilder eingeritzt.

Nicht nur ich wünsche natürlich die Höhle zu sehen und Casparius sie zu photographieren, sondern auch Mahmud und der lange Sabr sind neugierig und bitten, mitgenommen zu werden. – So pressen wir uns alle fünf in einen einzigen Wagen und fahren ein Dutzend Kilometer weit, hinein in die Vorgebirge des Großen Gilfs.

Es ist die großartig wildeste Felsenlandschaft, die ich in der Wüste bisher zu sehen bekam. Aus den Rissen und Falten des hohen Gebirgsmassivs brechen Ströme von Sand und Geröll; mächtige Kaps des Gebirges langen tief in die flache Wüste hinein; dazwischen, wie zwischen gigantischen Armen, sind tiefe Täler verborgen; phantastische Felsenkulissen erheben sich überall, aus morschem Sandstein gebildet. Die steinernen Wände haben gotische Tore und Fenster, durch die das Sonnenlicht scheint. Hohe Pylone stehen wie Wächter am Tor eines riesigen Amphitheaters. Und hier öffnen sich halbdunkle Höhlen in der Felsenmauer.

Dies ist die Stelle, die Almásy sucht. Wir folgen ihm in eine der Höhlen. Sein Finger tastet über die Höhlenwand, fährt über tiefe Striche hinweg, die in den weichen Sandstein geritzt sind. Ich erkenne vier Beine, einen langen Hals, das Bild einer Giraffe.

Wir haben uns leider verspätet; es wird schon recht dunkel. Nur mit Mühe kann ich die vielen Zeichnungen sehen, die die Wand dieser Höhle bedecken. Es scheinen vor allem Giraffen und Rinder hier abgebildet zu sein. – Es ist unmöglich, das jetzt zu photographieren; so beschließen wir, morgen noch einmal hierherzukommen.

Die Sonne geht eben unter, wir kehren zum Wagen zurück, als letzter Almásy, der hier oder dort in die Felsen steigt. Auf einmal ruft er uns freudig zurück. Er hat unweit von Claytons Giraffenhöhle eine zweite gefunden, mit vielen Zeichnungen. Wir können die eingravierten Figuren freilich jetzt eher tasten als wirklich sehen. Aber ich freue mich, da ich eine buschige Mähne erkenne, einen Schweif mit einer Quaste, – das Bild eines Löwen unter all den Giraffen. Viele andere Tierfiguren liegen schon völlig im Dunkel.

Kein Zweifel, diese zweite Höhle, die bisher nicht bekannt war, ist noch interessanter als die erste. Ganz ähnliche Höhlen mit eingeritzten Bildern tropischer Tiere hat Professor Frobenius im Fezzan entdeckt. Hier setzt sich die große Linie fort, die zu den anderen Steinzeithöhlen im Herzen Afrikas führt und schließlich zu den Buschmannhöhlen Südafrikas.

Wir sprechen abends am Lagerfeuer lange von diesem Rätsel der Wüste: wer hat in der fernen Urzeit in dieser Wildnis, in der nicht ein Grashalm wächst, um Giraffen gewußt, ein Tier, das grasige Steppen und tropische Wälder zum Leben braucht?

1. Mai.

Mein erster Besuch am Morgen gilt dem gefangenen Falken. Ich finde ihn in seiner vergitterten Kiste nicht tot, wie ich dachte, sondern ersichtlich erholt und sehr zornig; wie ich mich nähere, kreischt er wild auf und schlägt mit dem gesunden Flügel gegen die Kistenwände. Sein schriller Schrei scheucht unsere Hühner von der Kiste weit fort. Gackernd verbergen sie sich. Der Falke nimmt keine Nahrung an, aber Almásy flößt ihm wieder Wasser ein, und er trinkt mit großer Gier. Er hat einen Kater nach dem gestrigen Rausch!

Nach einem raschen Frühstück fahren wir gleich wieder zu den Höhlen. Wir untersuchen erst die von Clayton gefundene und ziehen, um die Bilder besser photographieren zu können, die geritzten Linien mit einem Stück Kreide sorgfältig nach. Da kommen freilich höchst unzweideutig die Bilder zum Vorschein. Am häufigsten sind Giraffen dargestellt, in allen möglichen Posen; auch Kühe sind da und antilopenähnliche Tiere. Nur die zweite Höhle (bei weitem die wichtigere) enthält auch Bilder von Löwen.

Vor (sagen wir:) neuntausend Jahren, als ein Vorzeit-Raffael mit einem Stück härteren Steins in die Sandsteinwände seines Palazzos diese Bilderchen einschnitt, war die Höhle offenbar anders als heute. Ganze Blöcke sind eingestürzt, und unter dem einen können wir mit der Hand tasten, was wir nicht sehen können: tief eingravierte, offenbar herrlich erhaltene Bilder, die auf der im Sand verborgenen Seite der umgestürzten Felswand vorhanden sind. Wir scharren ein wenig mit den Händen im Sand und haben einen erregten Moment, da Teile eines Skeletts zum Vorschein kommen. Schon glauben wir, das Grab eines Menschen entdeckt zu haben, dann erkennen wir, daß ein Hund hier begraben lag. Wir bergen die Knochen, deren Alter einen Anhaltspunkt für das Alter der Bilder ergeben kann. Die gestürzte Wand aufzurichten, vermögen wir leider nicht. Hier liegt eine Aufgabe für eine künftige archäologische Expedition!

117

Aus der von uns gefundenen Höhle hervortretend, bemerken wir, daß der Felsen, in dem sie liegt, oben eine Art Warte hat. Wir entdecken, das heißt wie gewöhnlich entdeckt Almásy, daß zu diesem Luginsland eine Treppe hinaufgeführt hat; es sind in regelmäßigen Abständen Löcher in den Felsen geschnitten, die als Klettergriffe gedient haben könnten. Indessen habe ich in den Felsenwüsten New Mexicos ganz ähnliche prähistorische Höhlen gesehen; auch von den Höhlen am Rito de los Frijoles gehen ähnliche Reihen von Löchern zur Höhe des Felsens, und man weiß, daß sie zum Einfügen hölzerner Leitern dienten.

»Nur, wie hätte es hier in der Wüste Holz geben sollen?« fragt mich Almásy. Und ich antworte: »Als hier Giraffen das Laub von den Baumkronen fraßen, – damals gab es hier Holz!«

Almásy vollbringt ein akrobatisches Kunststück, indem er, der Spur der Leiterlöcher folgend, auf den Felsen bis zu der obersten Warte klettert. Er macht keine neue Entdeckung, aber von oben genießt er die weite Aussicht, um derentwillen die Höhlenmenschen gewiß ihre Leiter hinaufgelegt hatten, nicht aus Vorliebe für Szenerie, sondern wahrscheinlich, weil irgendwo hinter dem nächsten Felsvorsprung das feindliche Ausland war, eine andere Höhle, von Stammesfeinden bewohnt, die man belauern mußte.

Es entspinnt sich zwischen Almásy und mir ein kleiner Streit. Er neigt dazu, in diesen Höhlen inmitten der Wüste bloße Zufluchtsstätten uralter Nomaden zu sehen, die mit ihren Herden von den tropischen Urwäldern Zentralafrikas her nach Norden gezogen seien. – Auch in diesem Falle, sage ich ihm, müßten sie Wasser gehabt haben und Weiden für diese Kühe, die sie an die Wände gezeichnet haben. Heutzutage wären der nächste denkbare Weideplatz diese verborgenen Wadis im Gilf, die wir finden wollen; sonst ist das nächste Wasser und das nächste Gras erst drüben im fernen Kufra. Aber dieses romantische Felsen-Amphitheater, in dem die Höhlen liegen, sieht doch ganz so aus, als hätte es einst einen See umgeben, mindestens eine Erweiterung des uralten Wildbachs, der einst ohne Frage all dieses Geröll vom Gilf hier heruntergeschwemmt hat. Noch kann man die erhöhten Ufer erkennen. Die Höhlen lagen über dem Ufer; es war ein kiesiger Strand, auf dessen Ebene sich das Leben der Dorfbewohner abgespielt haben muß, wenn sie im Freien waren.

Von dieser Voraussetzung ausgehend, beginnen wir in der Umgebung zu suchen – und mit einem verblüffenden Erfolg. Hier und dort am Ufer dieses versiegten Sees finden wir, was nur als alte Feuerstellen gedeutet werden kann, als Freiluftküchen der Höhlenbewohner. Es liegen, in deutlich geschiedenen Gruppen, steinerne Werkzeuge da in solcher Zahl, daß wir bei weitem nicht alles aufsammeln können: geglättete Reibplatten aus Stein, auf denen zweifellos die Weiber des Stammes Körner zerrieben haben, dann die dazugehörenden Mahlsteine, gerade in eine Menschenhand passend, unten flach, oben gerundet, um sich in die hohle Hand zu fügen. Dann Hammerköpfe aus einem härteren Stein und einige wenige Werkzeuge aus scharf geschliffenem Feuerstein. Wir finden ein schön bearbeitetes Stück, das ein Messer war oder vielleicht eine Lanzenspitze. Daneben liegt ein Stück Sandstein, dessen parallel eingeschnittene Rillen oder Scharniere wir erst nicht deuten können, bis wir entdecken, daß das ein Schleifstein zum Schärfen der Feuersteinwaffen gewesen sein muß.

Daß die Stellen, an denen diese Geräte liegen, die Feuerstätten des Steinzeitdorfs gewesen sind, bestätigt sich: wir graben unter dem Schutt die Reste von Tierknochen aus. Hier sind Braten der Urzeit am Feuer geröstet worden!

Ich stehe auf diesem kiesigen Weg vor der Höhle, der einst das Ufer des uralten Sees gewesen sein muß, und plötzlich sehe ich deutlich belebte Szenen: auf der hohen Warte über dem Fels steht der halbnackte Wächter und blickt zu den fernen Bergen hinüber, in denen der Feind wohnt. Dunkelhäutige Kinder kommen aus der Höhle hervor und klettern im Spiel auf der Leiter herum. Hier neben der Feuerstelle hocken neben dem Reibstein die Weiber. Drüben, wo dichter, tropischer Wald bis ans Wasser reicht, sind die Jäger sichtbar, die mit ihrer Beute in die Siedlung heimkehren; sie tragen Pfeile und Bogen und Feuersteinlanzen und große steinerne Hämmer. – Ja, ein Wald ist dort drüben; die Giraffe streckt ihren langen Hals zu den Kronen der Bäume empor, und der Löwe lauert hinter den Steinen.

Und, denke ich, sehe ich, im Innern der Höhle steht irgend ein junger Mensch, ein bißchen schwächlich, ein Träumer, den sie nicht mit auf die Jagd nehmen wollten, – und ritzt mit seinem Feuersteinmeißel magische Bildnisse in den weichen Stein der Wand und der Decke: die Löwen, die er nicht bezwingen kann, die Gazellen, die er niemals erlegt. Er bändigt sie deshalb alle im Bilde; man sieht ihn mit einiger Scheu seine Zauberriten vollenden, und mit einiger Mißgunst, – er ist ein Künstler.

El Wadi Abd el Melik

1. Mai

Wir kehren von der Giraffenhöhle zum Chianti-Lager zurück und machen uns sogleich wieder auf den Weg. Unser Plan ist zunächst, das bereits entdeckte Wadi des Königsknechtes aufzusuchen; wir hoffen, dort weitere Anhaltspunkte für die Lage des zweiten Wadis zu gewinnen.

Um die Einfahrt ins Wadi Abd el Melik zu finden, müssen wir erst die Autospuren Mr. Claytons entdecken, der vor einigen Monaten dort gewesen ist. Wir wissen, daß er damals von einem Lagerplatz ausgegangen war, wo Major Rolle, der Kommandant von Kufra, vor ihm gelagert hatte, auch er auf der Suche nach den verborgenen Wadis. Wir haben also, so kompliziert ist das Reisen in der Wüste, zunächst einmal die Wagenspuren Rolles zu finden und seinen Lagerplatz; von dort aus werden uns (hoffen wir) Claytons Spuren bis in das Wadi führen, oder, noch besser, die Spuren der Lady Clayton, die erst wenige Tage vor uns hier gewesen ist und gleichfalls in das Oasental fuhr.

Unsere Wagen sind schwer bepackt; da wir fünf Personen sind, muß der Koch Mahmud hoch auf dem Gepäckberg über Almásys Auto thronen. Er sieht phantastisch aus: das schwarze Gesicht, halb verschleiert durch eine Windung des weißen Turbantuchs, und mächtige dunkle Autobrillen über den Augen. Er hockt halb und liegt halb in einem aus Pelzen und Schlafsäcken gebauten Nest. Dort schläft er die ganze Zeit, so gefährlich der Wagen rumpelt. Wahrscheinlich hat er bei Nacht wieder Brot gebacken.

Hoch auf dem anderen Wagen sind die Käfige einer kleinen Menagerie befestigt: die Hühnerkiste, die Falkenkiste und eine Schachtel, in der wir für Kádár eine lebende Eidechse gefangen halten. So oft der Falke kreischt, fangen die Hühner zu schreien an. Der Falke ist wieder kräftig und hat zu fressen begonnen, obwohl wir ihm Besseres nicht zu bieten hatten als gewisse stark gewürzte Sardinen aus der Offiziersmenage in Kufra.

So fährt dieses Auto dahin, eine Arche Noah der Wüste.

2. Mai

Die Nacht verbringen wir in einer Mulde, die einmal ein Krater gewesen sein muß. Hierher führen die Spuren Rolles, die wir glücklich gefunden haben; es sind schöne und breite Spuren von den Doppelrädern der schweren militärischen Lastautos der Italiener.

In diesem düsteren Kraterloch geht es mir nicht sehr gut. Eine kalte Nacht verschlimmert das Leiden, an dem ich seit Kufra laboriere, eine Art Ruhr. Beim Frühstück (das die anderen essen, nicht ich) kann ich den Kameraden meinen Zustand nicht länger verheimlichen. Es entsteht ein gelinder Alarm, und Almásy erbietet sich ohne das mindeste Zögern, die Expedition abzubrechen und mich nach Kufra ins Spital zu transportieren.

Für einen Augenblick lockt mich eine Vision: das moderne und saubere Spital der Italiener in Kufra; unser ernsthafter Freund mit der dunklen Brille, Doktor Ricci, der Militärarzt, bei dem ich gut aufgehoben sein müßte; geeignete Krankenkost, ein weiß bezogenes Bett; – ich schließe die Augen und sehe das alles, dann sage ich nein. Wenn wir heute hier umkehren müssen, wird unser zweites Wadi niemals gefunden!

So fahren wir also weiter, in Rolles Spuren. Auf einer sandigen Ebene gehen sie uns aber plötzlich verloren, und wir können sie lange nicht wiederfinden. Dafür finden wir die Fährte von vielen Kamelen, die vor längerer Zeit hier gegangen sind, dem Gilf entgegen. Wir merken uns die Stelle wohl, denn wahrscheinlich führt dieser Kamelpfad direkt in unser gesuchtes Wadi.

Nach langem Umherforschen stoßen wir wieder auf die Spur Major Rolles; sie führt in ein Felsentor, durch das es näher zum Gilf herangeht. Die ganze Zeit schon haben wir die dunkle Masse des Hochplateaus zu unserer Rechten gehabt und sind ihren Vorbergen ausgewichen. Jetzt müssen wir freilich hinein ins ärgste Geröll. Der Weg Major Rolles führt uns bergab und bergauf, durch enge Pässe und steinige Mulden, durch trockene Wildbachbetten voll Schutt, über steile felsige Halden. Es fährt sich so furchtbar schlecht, daß wir, um unsere Autos nicht zu gefährden, schließlich nicht weiter wollen. Noch früh am Nachmittag wählen wir uns einen geschützten Lagerplatz in einem öden Tal, auf das Felsenkronen und bizarre Steingebilde herniederblicken.

Ich habe, obwohl recht unwohl, bisher sehr brav ausgehalten; jetzt bin ich froh, so zeitig am Tage ein Zelt und ein Bett zu bekommen, während Almásy mit einem entladenen Wagen in der Umgebung rekognosziert.

Almásy kommt bald sehr befriedigt zurück. Er hat seine eigenen Wagenspuren aus dem vorigen Jahre gefunden; als er hier in der Gegend vergeblich die Einfahrt in das aus der Luft gesehene Wadi gesucht hatte, lagerte er nicht weit von unserem heutigen Lager. Nun weiß er, wo er ist, und hofft zuversichtlich, morgen die Spuren der Claytons und dann das Wadi zu finden.

Durch die geöffnete Klappe des Zelts, in dem ich krank bin, sehe ich braune Schmetterlinge, die über den Lagerplatz flattern. – Wieso Schmetterlinge? denke ich müde. Hier sind keine Blumen für Schmetterlinge, nur lauter Steine. Und warum hüpfen denn Heuschrecken in diesem Zelt herum?

Um die beiden Patienten ernähren zu können, den Falken und mich, opfern wir zwei von unseren Hühnern. Ich höre die Ärmsten jammern, als Mahmud ihnen die Gurgeln durchschneidet. Lange liege ich in einem fiebrigen Zustand, mit dem Gedanken beschäftigt: warum scheuen die Hühner den Falken so, warum schreien sie auf, wenn sie ihn nur riechen? – Warum fürchten sie sich nicht vor dem Menschen, der ein so viel ärgerer Hühnerfresser ist, das gierigste hühnervertilgende Raubtier?

3. Mai

Die Hühnersuppe muß mir doch etwas zu Kräften verholfen haben; ich bin am Morgen, obwohl nur mit Einschaltung aller moralischen Energie, imstande, mich Almásy und dem Photographen anzuschließen, die in das Wadi Abd el Melik einfahren wollen. Ich müßte noch sehr viel kränker sein, wenn ich darauf verzichten sollte, das Tal zu sehen, von dem ich so viel geträumt und geredet habe.

Um an Benzin zu sparen und in gewohnter Weise eine Reservetruppe hinter uns zu lassen, bestimmt Almásy, daß Mahmud und Sabr mit einem der beiden Wagen im Lager bleiben. Sie sollen uns nachfahren, wenn wir nicht morgen zu einer bestimmten Stunde wieder zum Vorschein kommen.

Ziemlich apathisch sitze ich neben Almásy vorn auf dem Wagen und vermag die weisen Manöver kaum zu verfolgen, die er ausführt, um den Weg in das Wadi zu finden. Erst kreuzt er lange auf einer Ebene, in der er Mr. Claytons Spuren zu entdecken hofft; er findet sie wirklich, aber verliert sie dann wieder im losen Flugsand. Almásy besieht sich besorgt die Karte, fährt, wie mir scheint, in weiten Kreisen herum – und zeigt mir auf einmal, hellauf triumphierend, zwei breite Streifen, tief in den Sand radiert. Das sind »Airwheel«-Pneumatiks, wie wir selbst sie haben; die Spur ist vollkommen frisch und sicherlich neu, anders als Patrick Claytons verwischte Fährte.

Es sind die Räderspuren der Lady Clayton, die erst vor ganz wenigen Tagen von Kufra in das Wadi gefahren ist. Sie hatte eine Kartenskizze Patrick Claytons bei sich und hat sicher die richtige Einfahrt sehr leicht gefunden.

Nun haben auch wir nichts weiter zu tun, als in rasender Fahrt diesen deutlichen Spuren zu folgen.

Lady Claytons Spuren führen uns durch ein wirkliches Labyrinth von verschlungenen Tälern, die ineinander einmünden, einander kreuzen; es ist eine seltsam verwirrende Landschaft. Auch unser »Gap« ist eine Kette von weiten Tälern und engen Schluchten gewesen; dies hier ist nicht eine Kette, sondern ein Knäuel, ein Rattenkönig. Scheinbar sinnlos erstreckt sich ein Seitental plötzlich nach rechts und plötzlich nach links; das breite Tal ist die Sackgasse, die unvermittelt zu einer Schuttmoräne führt; die enge und winklige Kluft ist der wirkliche Durchgang. Wir bewundern Clayton, der diese verwickelte Einfahrt gefunden hat, diese hundert krimskrausen Kilometer. Und wir freuen uns des Ariadnefadens, der uns so rasch durch den Landschaftswirrwarr hindurchführt.

Diese Mäandergänge erweitern sich endlich; im tiefsten Innern des Berglandes liegt eine tiefe Mulde, wie wir sie auch im Herzen des »Gaps« gefunden haben: eine Senkung, in der sich das Regenwasser zeitweilig sammeln muß, denn hier wachsen niedere Wüstensträucher und etwas gelbgrünes Gras. Wie an jener Stelle im »Gap« finden wir auch hier die Losung von Berberschafen, hier aber auch alten Kamelmist: hier haben einmal Karawanen gerastet und Herden geweidet. Einige Kilometer davon passieren wir eine Felsenpforte, die Almásy erkennt; er hat sie aus der Luft gesehen.

Es ist fast auf den Tag genau ein Jahr vergangen, seit Almásy, hier über die Felsen fliegend, die grünen Bäume des Wadis des Königsknechtes erblickt hat.

Wir passieren das Felsentor und gelangen in ein langes und breites Tal, das allmählich zu steigen beginnt, wie wir weitergelangen. Im Gegensatz zu den anderen Tälern dieses Systems ist El Wadi Abd el Melik ziemlich gerade und übersichtlich; es liegt geschlossen zwischen hohen und düsteren Felsenmauern. Erst höher oben, wo das Wadi zu dem Plateau hinaufstrebt, zweigen Seitentäler vom Haupttal ab.

Erst sehen wir nichts als irgend ein Wüstental; es ist besonders öde und düster und melancholisch. Dann biegen wir um ein Felsenkap, und ein Farbenfleck leuchtet uns grell entgegen, ein hellgrüner Kegel, ein großer Baum! Dann noch einer, noch einer, mehr und mehr. Die Bäume, in kleinen Gruppen vereinigt, zählen nach Hunderten; je höher wir gegen den Talschluß kommen, desto dichter wird die Vegetation. Manche der Bäume sind kahl, von Heuschrecken abgefressen; die meisten tragen ein saftiges Grün; es sind die üblichen Dornbäume der afrikanischen Steppe, zwei Akazienarten, »Selim« und »Talha«. In dem spärlichen Schatten der Bäume wächst Gras und Gestrüpp. Aber während das Grün der Bäume sehr üppig und frisch scheint, sind die kleineren Pflanzen verwelkt und verbrannt. Wahrscheinlich reichen die längeren Wurzeln der Bäume tiefer hinunter, bis zu einer im Boden verborgenen Feuchtigkeit. Wie lange noch? Der erste Blick in das Wadi zeigt, daß es zu verdorren im Begriff ist.

Die viel gesuchte Oase der kleinen Vögel stirbt!

Das Tal mag sich über vierzig Kilometer erstrecken. In der Mitte erweitert es sich zu einem großen Amphitheater. Von hier führen enge Seitentäler zum Plateaurand empor. Im Zentrum des Amphitheaters stehen die höchsten und schönsten Bäume; das Gras war hier sichtlich einst hoch und dicht. Es ist das Herz der Oase; und hier haben offenbar Menschen gewohnt.

Unter einer breitästigen Akazie finden wir die Überreste einer Tibu–Hütte: Astgabeln, in den Boden gerammt, an denen die geflochtenen Wände befestigt waren; wir finden noch Reste des Flechtwerks, zerrissene Körbe und jene steinernen Windschirme, die der Tibu vor seinem Sandbett zu errichten gewohnt ist.

Hat hier unser Freund Njikinjiki gelebt?

Reste eines Tibulagers im Wadi Abd el Melik. Die gegabelten Pfähle stützten die Graswände einer Hütte

Ein blühender Baum in der Wüste

Die tote Kuh

Auf dem Boden unter den Bäumen liegt Mist herum, Kamelmist und Ziegenmist und Allah weiß, was für Mist; es riecht nicht sehr lieblich in diesem Lager der schwarzen Hirten.

In der nächsten Nähe des Lagers finden wir die Hörner von Berberschafen (»Wadan«), wahrscheinlich waren es auf der Jagd erlegte Tiere. Aber wir sehen auch ganz frische Losung dieser Gemsen der Libyschen Berge; sicherlich haben sie noch vor wenigen Tagen hier unter den Bäumen geweidet.

Und auf dem Baum über dem Tibu-Lager sitzen Vögel, so groß wie Stare und Staren sehr ähnlich. – Sie haben weiße Schwänze und kegelförmige lange Schnäbel. Das sind die »Zarzur«, die kleinen Stare, die eine alte arabische Tradition mit der verlorenen Oase in Verbindung gebracht hat, und nach denen Zarzura den Namen hat.

Wir folgen einem der Seitentäler, das nahe am Zentrum des Tales mündet, und steigen bis hoch hinauf. Eine jähe Felsenmauer bildet den Talschluß. Darunter finden wir mächtige Steinblöcke liegen, und zwischen ihnen die Quelle, die diesem Wadi sein Leben gegeben hat.

Das hochgelegene Wadi Abd el Melik ist natürlich nicht eine von den »Depressionsoasen«, die wie Kharga und Kufra mit ihrem Talboden bis in die Nähe der geheimnisvollen Grundwasser unter der dürren Wüste hinabreichen; es ist eine »Regenoase«, genau so wie die bewässerten Täler in den Wüstengebirgen von Arkenu und Uwenat. In manchen Jahren (nicht in jedem Jahr) werden die tropischen Regenwolken aus dem Sudan vom Wind weit über die nördliche Wüste getrieben; dann bleiben sie an den Bergen hier hängen, und dann fluten Regengüsse hernieder. Nach einem solchen tropischen Wolkenbruch füllt Wasser die Felsenspalten, sickert Wasser unter dem Wadi in unterirdischen Bächen. Jahrelang nach dem Regen bleiben die Quellen gefüllt und die Pflanzen grün. Tiere finden dann reichliche Weide; die Oase wird auch für Menschen bewohnbar.

Dann bleibt der Regen jahrelang aus, und die Quellen versiegen. Das Wasserloch, das wir gefunden haben, ist noch feucht. Eine Dynamitpatrone würde wahrscheinlich noch einmal Wasser zu Tage fördern. Aber der Tibu, der schwarze Hirte, der in guten Jahren hier seine Kamele weiden läßt (und selbst seine Kühe, erinnert Almásy) verläßt seine Alm im Wüstengebirge, sobald das Wasser aufhört, reichlich zu fließen.

Das erklärt, warum selbst die Nachricht von diesen Oasen im Gilf Kebir ganzen Generationen verloren gegangen ist, – und warum diese Kunde dann immer von neuem aufleben konnte, durch die Jahrhunderte.

In diesem Augenblick wissen die Tibu noch von dem Hochtal, in das sie noch unlängst ihre Herden getrieben haben, genau wie der Alpenbauer sein Vieh auf die Almen schickt. Noch sind ein paar Tropfen Wasser im Brunnen, noch grünen die Bäume und tragen ihre winzigen Blüten; noch saugen Bienen den Akazienhonig, noch leben in den Felsenhängen die wilden Schafe.

Aber wenn Jahre hindurch, wahrscheinlich Jahrzehnte hindurch, der belebende Regen ausbleibt?

Dann stirbt die Oase; von dem Volk der Wüste wissen nur noch die ältesten Leute, wo sie gelegen war. Sie wird eine Sage, ein Märchen.

»– – und im Palast schlafen der König und seine Königin den Schlaf der Verzauberten. Gehe nicht in die Nähe, sondern nimm nur den Schatz!«

Sinnreiche Sage, wahres Märchen! Die Oase der kleinen Vögel schlummert manchmal im Märchenschlaf. Jetzt eben ist sie müde, schläft wieder ein –

Wir fahren noch weiter in den Hauptast des Tales hinein, bis unwegsame Wände es schließen. Wir können mit dem Auto nicht weiter, aber auf Felsenstufen hoch über uns stehen noch viele Bäume. Almásy, der dort eine zweite Quelle vermutet, steigt zu Fuß hinauf, und der Photograph geht mit ihm. Die beiden nehmen die Schrotflinte mit sich, die wir auf dem Auto haben, für den Fall, daß Wildschafe oben wären. Ich, zu krank, um in den Felsen zu klettern, bleibe allein beim Auto zurück.

Ich setze mich unter einen Baum in den dürftigen Schatten. Der Boden ist mit Tierkot besät, listige Fliegen umschwärmen mich. Es ist nicht sehr schön hier in diesem verzauberten Wadi, und meine Gedanken entbehren der Heiterkeit

Das also! empfinde ich.

Das also. Ein Riß in diesem Wüstengebirge und ein paar Dornenbäume, die soeben verschmachten! Ist das das berühmte Wadi, das lang erträumte?

Auf dem Baum über mir sitzt ein Zarzur-Vogel und piepst mich an. – Recht hast du, Zarzur, lache den Narren nur aus!

Ich setze mich gegen den frechen Zarzur zur Wehr, fange, ohne zu reden, einen Disput mit ihm an.

Doch nicht ein solcher Narr! denke ich krampfhaft. Zarzur, halte den Schnabel, du bist nur ein bloßes Symbol! Nicht nach dir habe ich mich so lange gesehnt, oder nach diesen dornigen Bäumen. Nicht deinetwegen bin ich so krank und elend geworden. Und wenn ich hier sterben müßte – –

(Ich bin schwach und mutlos und ganz allein, und ich fürchte das Sterben.)

– – wenn ich hier sterben müßte, in diesem stinkenden Felsenloch, so hätte ich doch mein Leben an eine gute Sache gewagt. (»Lüg' dir nur etwas vor!«, piepst der Zarzur.) – Dieses Tal und die Nachbartäler, die wir noch suchen, sie enthalten eines der Rätsel der afrikanischen Erde, denke ich hartnäckig; ja, lieber Zarzur! Hier ist die halbe Geschichte Afrikas vorbeigezogen, oder sie könnte es getan haben. Große Heereszüge, von denen wir Nachricht haben, wären nicht möglich gewesen, wenn es nicht hier im Herzen der Libyschen Wüste diese Täler gegeben hätte, in denen manchmal trinkbares Wasser ist – –

Das Lager im Gilf, von dem aus das Wadi Talha erreicht wurde, und in dem der Autor krank lag

Fährte eines Storchs im Sand

Der kleine Vogel Zarzura, tot

Du weißt es, Zarzur, flehe ich den Starmatz an; deine Ahnen waren immer dabei! In dem Boden, auf dem ich hier sitze, sind noch geheime Dinge verborgen; wenn ich nur aufstehen könnte und suchen! Ich fühle es, dieses Tal, diese Berge werden noch einmal ein großes Geheimnis verraten! Dieser Zauberschlüssel, von dem das Zarzura-Märchen erzählt, liegt vielleicht hier, in der Reichweite meiner Hand! – –

»Über dem Tor wirst du einen Vogel sehen, in Stein gehauen. Strecke deine Hand aus und nimm aus seinem Schnabel den Schlüssel. Öffne das Tor und betritt die Stadt; du wirst viel Reichtum finden – «

Ich sitze und denke romantischen Unsinn zu dem kleinen Zarzur-Vogel hinauf, bis Almásy zurückkehrt. Er hat eine zweite versiegte Quelle entdeckt und ein zweites verlassenes Tibu-Lager mit einer noch aufrecht stehenden Hütte; aber er ist ziemlich verdrossen, weil er kein lebendes Bergschaf gefunden hat. Es ist seit langem sein Wunsch, eines dieser Tiere zu schießen, – und wäre es mit einer Vogelflinte!

Jetzt, wie er zu mir zurückkommt, mit der geladenen Flinte über der Schulter, sieht er den Zarzur-Vogel – und legt an, ehe ich schreie, und schießt mir den Vogel tot!

Armer Zarzur! Almásy, ein wenig verlegen, murmelt: Museum, unbekannte Species, ausstopfen lassen … Er hat den Vogel im Fluge getroffen, als er vom Baume aufflog. Jetzt liegt das arme Wesen hilflos über seiner braunen Hand; die weißen Schwanzfedern rühren sich noch ein bißchen.

So enden der kleine Vogel Zarzur und mein Traum von Zarzura, der Oase der kleinen Vögel!

Almásy findet eine Oase

Wir sind noch gestern abend in das Lager zu Mahmud und Sabr zurückgekehrt, in der Absicht, früh am Morgen wieder aufzubrechen. Aber am Morgen sind wir noch müde; wir vertändeln den Vormittag.

Almásy läuft in Badehosen herum und balgt mit viel Umständlichkeit den armen schwarzweißen Zarzur aus, den er im Wadi Abd el Melik geschossen hat. Nachdem das Federkleid sachgemäß abgestreift worden ist, bekommt der Falke die blutige Vogelleiche und verschlingt sie gierig. Melancholisch sehe ich zu, auf einem Sandhaufen ausgestreckt. Ich bin noch immer sehr krank.

Fortwährend höre ich in diesem Lager das Schwirren von fliegenden Heuschrecken, und Schmetterlinge kommen neugierig zu mir geflattert. Nicht einer setzt sich auf meine Hand. Das ist eine Beobachtung, die ich seit langem mache: nie läßt sich ein Schmetterling auf einem Menschen nieder, der nicht in seinem Inneren ganz ruhig und glücklich ist.

Ruhig? Glücklich? In mir tobt ein Kampf zwischen einer Versuchung und einem Willen. Ich möchte (und will nicht) Almásy rufen, der mit dem Vogelbalg spielt, und ihm sagen: »Ich bin sehr krank, ich fürchte zu sterben, bringen Sie mich nach Kufra!«

Ich weiß, er täte es, und ich weiß auch, daß das das Ende unserer Unternehmung bedeuten würde. Irgendwo dort drüben, hinter den dunklen Felsenwänden des Gilfs liegt die Oase der Talha-Akazien; wir müssen sie finden, sonst war die ganze Anstrengung sinnlos. Einmal hat Almásy den Einstieg in dieses Wadi verfehlt; jetzt, nach dem Besuch im Wadi des Königsknechtes, glaubt er den Fehler in seiner Berechnung gefunden zu haben. Eine Kletterpartie an einer anderen Stelle zu unternehmen, das ist sein Plan für morgen. Sie mag diesmal gelingen oder auch nicht; aber wenn sie nicht morgen versucht wird, dann niemals. Bemerke ich denn nicht, wie auch die anderen nach sechs Wochen dieser Reise wüstenmüde zu werden beginnen? Ich frage mich, welchen Anteil an meiner Sehnsucht nach dem Spital in Kufra die bloße Müdigkeit hat, die Sehnsucht nach einer Badewanne und nach einem Bett. Ich gebe mir die Antwort, und da Almásy, mit dem Balg des armen kleinen Vogels in seiner Hand, herüberkommt und fragt, tue ich einen großen innerlichen Ruck, zwinge mich zu lächeln und sage: »Unsinn, mir ist ganz gut, wir fahren weiter und suchen die Oase!«

Am Nachmittag brechen wir endlich auf. Fünf Kilometer oder sechs von der Stelle, an der wir gelagert haben, stoßen wir auf ein kleines Wunder: inmitten der leeren und toten Wüste steht auf einmal ein einzelner Baum, und er ist mit grünlichen Blüten bedeckt, die denen einer Linde zu ähneln scheinen. Es ist nicht ein Dornbaum, nicht eine Akazie, wie die Bäume gestern im Wadi, sondern ein Baum, wie ich noch nie einen gesehen habe, merkwürdig hellgrün belaubt, schön und fremd. Almásy, der alle Dinge der Wüste kennt, sagt, das sei ein Arkenu-Baum.

Wie wir näher gehen, um für Kádárs Herbarium einen blühenden Zweig abzureißen, sehen wir, daß zahllose geflügelte kleine Wesen den Baum umschwärmen: Insekten aller Arten drängen sich um die Blüten. Nun wissen wir auch, wieso es in unserem letzten Lager so viele Schmetterlinge gegeben hat. Wer aber erklärt das rätselhafte Dasein dieses einen blühenden Baumes inmitten der Wüste? Welche verborgenen Bäche mögen seinen tiefen Wurzeln zu trinken geben, wieso lebt er und gibt den Schmetterlingen ihr Leben?

Mühsam winden wir uns zwischen den steinernen Hügeln durch, die dem Gilf vorgelagert sind; dahinter steigt düster und trotzig die Große Mauer empor.

Immer wieder zeigt mir Almásy lange dünne Linien, die über den Boden laufen. Das sind Spuren von Kamelen, die vor langer Zeit hier vorbeigetrieben worden sind, zweifellos (triumphiert Almásy) von der Weide kommend, aus dem verborgenen Wadi. Wir versuchen, diesen Fährten zu folgen, und sie führen uns in ein von den Bergen herabkommendes trauriges Tal hinein, durch das vor tausend und tausend Jahren ein fruchtbarer Wildbach getobt haben muß. Gewaltige Steintrümmer erfüllen das Bachbett, und es ist fast unmöglich, mit dem Auto zwischen ihnen durchzufahren. Immer wieder findet indessen Almásy einen sandigen Streifen, auf dem man ein Stückchen weiter gelangt, und wir kommen im Bett dieses schrecklichen Bergstroms hoch hinauf, bis uns die steilen Felsenwände schon ganz nahe sind; ein steinernes Amphitheater tut sich auf. Wüst liegen Schutt und Geröll und gewaltige Blöcke herum. Dieser Steintrichter scheint mir die trostloseste Stelle der ganzen Wüste.

Aber von hier aus vermögen wir die Wagen nicht mehr weiterzubringen. So lagern wir an diesem Ort der Verzweiflung. Almásy will morgen früh den Aufstieg auf das Plateau versuchen. Das Wadi muß nahe sein, oder gar nicht.

Ich sehe um mich. Hier werde ich sterben, spricht die Stimme der Angst in mir.

5. Mai

Der Morgen graut nach einer Nacht ohne Schlaf. Krämpfe und Brechreiz und alle Symptome der Roten Ruhr haben mich während der Nacht bis zum Wahnsinn gequält. Dabei habe ich die Anfälle vor den Kameraden geheimzuhalten; auf den Zehenspitzen schleiche ich durch das schlafende Lager ins Freie. Dann, da ich glaube, endlich schlafen zu können, erwacht unser Hahn und martert meine armen Nerven mit seinem stets wiederholten Schrei.

Noch vor Sonnenaufgang alarmiert der Koch das Lager; der Aufstieg soll in der Morgenkühle unternommen werden. – Ich, der ja doch nicht mitkommen kann, rühre mich nicht; ich tue, als schliefe ich fest. Ich habe mir vorgenommen, Almásy noch diese Chance zu lassen. Er soll ohne Rücksicht auf meinen Zustand noch einmal versuchen, das Wadi zu finden. Findet er nichts, dann darf ich mit einem besseren Gewissen kapitulieren.

Einmal ist es recht schwer für mich: ich sehe, durch die halb offene Zeltklappe blinzelnd, wie Almásy ganz leise zu meinem Zelt kommt, um nach mir zu sehen. Ich möchte aufbrüllen: Laßt mich nicht allein! Aber ich tue es nicht. Ich sehe, wie Almásy, Casparius und Sabr, beladen mit Rucksäcken und Wasserflaschen, im Gänsemarsch aus dem Lager gehen, vorsichtig, um mich ja nicht zu wecken. Ich weiß in diesem Augenblick nicht, ob ich sie jemals wiedersehe.

Nach kaum einer Stunde kommt Casparius allein zurück. Almásy hat ihn zu mir geschickt, damit er mich pflege. Er hat den beiden anderen von unten zugesehen, wie sie über die steile Felswand zu klettern begannen, und ist dann umgekehrt.

Ich bin wütend, weil nun Almásy ohne einen einzigen weißen Begleiter dieses gefährliche Wagnis unternimmt, – und ich lasse, fürchte ich, diesen Ärger an Casparius aus, lehne seine Versuche ab, mich zu betreuen, reagiere auf Mitleid nicht, bin unartig wie ein trotziges Kind.

Es wird unerträglich heiß in diesem steinernen Höllenkreis im Bett des versiegten Wildbachs. – Ich liege nackt im geöffneten Zelt und antworte nicht auf teilnehmende Fragen. Von Zeit zu Zeit trinke ich aus einer Flasche voll Teewasser, das mir Mahmud hingestellt hat und das ich mit Alcool de Menthe versetzte, einem Mittel zum Einreiben; aber es ist der einzige Alkohol, den ich habe, und ich bilde mir ein, daß die Roßkur mir hilft. – Mit meiner letzten Besinnung klammere ich mich an dieses herrliche Buch, das ich noch immer nicht ausgelesen habe: die Märchen aus Tausendundeiner Nacht. Die göttliche Buntheit dieser Geschichten trägt mich, ein fliegender Zauberteppich, aus der elenden Gegenwart. Die Wüste, von der dieses Buch mir fortwährend redet, wird mir unwirklich, wird eine glitzernde Märchenwüste, die tönt und leuchtet.

Allah, der Erbarmer, schickt mir gerade heute dieses Kapitel, das ich beim Umblättern finde, die »Anekdote vom Mann aus der Stadt und dem Beduinenweib«. In der vierhundertdreißigsten Märchennacht hat Scheherezade diese Fabel ihrem Sultan erzählt; aber es ist, als hätte die Geschichtenreiche sie für mich erdacht, mir zur Stärkung, zum Trost:

Es wird berichtet, daß ein Mann aus der großen Stadt auf der Pilgerfahrt durch die Wüste reiste. Eines Morgens schlief er zu fest, und als er erwachte, war die Karawane der Pilger weitergezogen, und ihre Spur war verweht. So irrte er zu Fuß durch die wilde Wüste; er ging weiter und weiter, bis er in einem Tale ein Zelt erblickte. Davor saß ein altes beduinisches Weib, und ein Hund schlief neben ihr. Der Verschmachtende trat freudig näher und grüßte die Alte; dann bat er sie, ihm zu essen zu geben. – Sie sagte: »So gehe in jene Felsenschlucht und fange dir einige Schlangen, ich will sie dir rösten.« – »O Mutter«, sagte er, »ich wage nicht, Schlangen zu fangen, und ich habe noch niemals Schlangen gegessen.« Da ging das Weib mit ihm und fing Schlangen für ihn, und sie briet sie für ihn. Dem Pilger schauderte, aber er war schwach vor Hunger, so aß er die Schlangen. Und da ein furchtbarer Durst ihn quälte, bat er die Beduinenfrau um einen Trunk. Und sie sprach zu ihm: »Gehe zu jenem Wasserloch und trinke.« Aber er fand das Wasser trübe und fürchterlich bitter; dennoch mußte er trinken, er war so durstig. Dann kehrte er zu dem Weib zurück, und er sagte zu ihr: »Ich staune über dich, o Mutter, daß du an solch einem Orte wohnen magst, solche Speisen essen und solches Wasser trinken!« – »Und wie denn«, fragte die Alte, »ist es in deinem eigenen Land?« – »Wahrlich«, antwortete er, »in meinem Land sind weite Paläste und prächtige Wohnungen, und die süßesten Früchte reifen voll Saft, und das Wasser ist kalt und köstlich; gut sind unsere Speisen, die Schafe sind fett, und von allem Herrlichen ist Überfluß. Schöner ist nur das Paradies, das Allah, gepriesen sei sein heiliger Name, seinen Gerechten verheißen hat!« – »Von alldem«, sagte das beduinische Weib, »habe ich wohl schon gehört; nun aber sage mir: habt ihr nicht auch einen Sultan, der über euch herrscht, und kommt es nicht vor, daß er ungerecht ist und euch unterdrückt und euch plündert?« Da sagte der Pilger, manchmal sei solches wohl möglich! Oft seufzen die schönsten Länder Allahs unter unerträglicher Tyrannei. Da blickte die alte Beduinin ihn an und sprach: »Wenn dies so ist, o Pilger aus den großen Städten und den reichen Ländern, dann ist euer herrliches Leben und diese feine Nahrung mit Unterdrückung gewürzt und mit Tyrannei, wie mit tödlichem Gift. Und das Gegengift ist hier meine Wüste und ihre Rauheit und Freiheit. Hast du niemals gehört, mein Sohn, daß neben dem heiligen Islam Allahs bestes Geschenk für den Menschen die Freiheit ist?«

Gegen Mittag wird die Hitze in unserem Höllenkreis unerträglich; selbst Mahmud fängt zu klagen an. Ich sauge fortwährend an der Flasche mit dem kalten Tee. Darauf wird mir noch heißer, und noch immer will sich die langsame Sonne nicht neigen, und die Felsen wollen nicht Schatten geben. Unter dem Zeltdach brütet die Hitze entsetzlich.

Meine Gedanken gehen zu Almásy und Sabr. Ich sehe im Geist, wie sie über das heiße Gestein ihre schweren Rucksäcke schleppen, sehe sie (ich bin schwach und sentimental) in irgend einer Felsenspalte verunglückt liegen. Da höre ich Casparius den Namen Almásys rufen.

Er kommt mit Sabr soeben ins Lager zurück.

Selbst der schwarze Riesenkerl Sabr ist völlig erschöpft. Almásy hinkt und ist ganz bleich; es dauert einige Zeit, ehe er zusammenhängend redet. Dann sagt er, daß er das Wadi gefunden hat.

Die beiden sind heute früh unter großen Beschwerden über die steile Felswand hinaufgelangt. Oben auf dem Plateau war das erste Ding, das sie sahen, ein von Menschen errichtetes Steinmal. Ein gebahnter Pfad, wahrscheinlich derselbe, den Almásy, Kádár und Penderel bei dem ersten, mißlungenen Vorstoß gefunden hatten, führte nach einiger Zeit an den oberen Rand eines Hochtals. Von oben herunterblickend, sah Almásy ein breites Wadi, vielleicht zwanzig Kilometer lang und ganz voll von Bäumen, – von Talha-Akazien! Wie im Wadi Abd el Melik waren Spuren eines Hirtenlagers sichtbar. Es war kein Zweifel, das zweite von den drei Wadis des alten Wilkinson war das Akazien-Wadi Ibrahims!

Almásy, schon sehr ermüdet (und, fürchte ich, zu sehr um mich besorgt, um lange auszubleiben) hat das Wadi nicht weiter erforscht; genug, daß es wirklich da ist! Sein Aussehen und seine Lage stimmen ganz zu Njikinjikis Bericht. Alles stimmt, alles! Triumphierend hält mir Almásy in seiner hohlen Hand ein kleines, grünes Ding entgegen, das er auf dem Wege gefunden hat. Es ist eine Beerenfrucht – eine Olive? Nein, nicht eine Olive, erklärt Almásy, aber etwas, was einer Olive sehr ähnlich ist: die Frucht des Heglig-Strauches. Seitdem einmal ein Forscher im Kropf einer in der Wüste gefundenen Taube eine Olive zu finden vermeinte, gab es das Problem der »Olivenoase«; man meinte, Ölbäume müßten in einem unbekannten Tal der Wüste wachsen. Wer aber unterscheidet eine Olive von einer halbverdauten Heglig-Beere? Wenn in den Wadis im Gilf der Hegligstrauch wächst, dann ist auch dieses kleine Rätsel enträtselt.

Es bleibt Wilkinsons dritte Oase zu suchen. Aber das jetzt zu tun, geht über unsere Kraft!

Das wird ein guter Nachmittag, ein fröhlicher Abend. Selbst mir hat die Freude geholfen; ich fühle mich stärker werden und lache schon wieder über meine Ängste von heute nacht. Almásy, in unerhörter Verschwendung, bewilligt sich ein Bad in der Kautschukwanne. Später, als es schon dunkel wird, sehe ich, wie die beiden Schwarzen glückselig nebeneinanderhocken bei einem festlichen Tee mit enorm viel Zucker. Mahmud raucht seine lange Nargileh-Pfeife, und Sabr, den mächtigen schwarzen Oberleib entblößt und rieselnd von Schweiß, singt, jawohl, singt wie ein Barde ein Lied zum Preis seines Herrn, den er liebt, des »Cont'«:

»Hamdulillah, el hamdulillah! Unter den Kabiren der Wüste ist der kundigste Führer unser Herr, el Cont'! – Nicht gut ist die Wüste, musch quajiss –; kein Wasser ist in der Wüste, aber el Cont' findet grüne Weiden und Oasen, in denen der Schatten ist und alle Herrlichkeit. Wege findet er, wo Wege nicht sind. Selbst unser großer Gebieter, der König Fuad, führt sein Auto nicht so gut wie el Cont'! Er wird, inschallah, auch noch die Schätze Zarzuras finden, und mit ihm Sabr Mohammed, von den Jaalin zu Dongola, ein Abkömmling aus dem Hause des Abbas, der der Ohm des Propheten gewesen ist, – auf ihm sei der Segen und das Gebet!«

Sabr blickt ins Wadi Talha

Almásy hält Ausguck

Blühender Arkenu-Baum

Ein Denkmal für Kemal el Din

Wir sind seit gestern abend an unserem alten Lagerplatz bei den »Drei Burgen«; hier sollen Penderel und Kádár wieder zu uns stoßen.

Wir sitzen, das heißt ich liege, in der Felsenhöhle, deren überhängendes Dach Schatten gibt. Wir sind gut gelaunt, und selbst mir scheint irgend etwas neue Gesundheit gegeben zu haben, die Freude über Almásys Erfolg oder der Einreibespiritus im Tee; ich beginne mich zu erholen. Unsere Hühner laufen vergnügt zwischen den Felsen herum, denn wir haben nicht mehr das Herz, diese Reisekameraden zu schlachten, nicht einmal den lästigen Hahn, der die ganze Nacht kräht. Der ganzen Menagerie geht es gut, bis auf den Falken. Der ist uns gestern auf der Fahrt entkommen, ziemlich genau an der Stelle, wo Almásy ihn vor einer Woche so hilflos im Sande gefunden hat. Eine Latte, mit der die Falkenkiste verschlagen war, hat sich unterwegs geöffnet, und als wir die Kiste vom Wagen nahmen, war sie leer. Da der gebrochene Flügel des Falken nicht geheilt ist, wird er für seine Freiheit wohl den größten Preis zu zahlen haben, den Tod in der Wüste.

Wir erwarten Penderel, Kádár und Abdu erst morgen oder übermorgen zurück, aber am Nachmittag fahren sie mit ihren beiden Wagen ins Lager herein. Welches Erzählen geht an, welches Durcheinanderreden! Penderel hat noch von Kufra her eine Flasche Chianti, und wir feiern die Wiedervereinigung.

Es erweist sich, daß wir, die Gruppe Almásy, mehr zu erzählen haben als die wiedergekehrten Freunde. Die Entdeckung der Höhle mit den Giraffen- und Löwenbildern, der Besuch im Wadi des Königsknechtes, die erfolgreich beendete Suche nach dem Wadi Talha, das sind Aktivposten unserer Expedition, die wir in die gemeinsame Rechnung eintragen dürfen. – Penderel hat diesmal weniger Jagdglück gehabt. Er ist zwar mit seinem Auto ganz ohne Zwischenfall durch den »Gap« und die schwierige Dünenpassage bis an den Gebel Almásy gelangt und hat dort das von uns zurückgelassene Auto unversehrt wiedergefunden, – aber es lag oben darauf, auf der Wagenplache, etwas Weißes, mit einem grauen Rand.

Als Penderel und Kádár näher hinzutraten, fanden sie, daß der graue Rand eine tote Schlange war. Sie ringelte sich um das Weiße, und das war ein Brief von Patrick A. Clayton.

Während wir in Kufra waren, hatte die Claytonsche Expedition am nördlichen Gilf unsere Spuren gefunden, war ihnen über Penderels Prachtpassage gefolgt und hatte unseren Wagen stehen gesehen. Um festzustellen, ob wir ihn vielleicht wegen eines Defektes verlassen hatten, kroch Clayton darunter und fand dort die Schlange, die unter dem Auto im Schatten lag. Er erschlug die Schlange und ließ sie uns da, mit dem Brief und seinen herzlichsten Grüßen.

Daß Clayton die Mappierung des unbekannten Gebiets jenseits des Gebel Almásy sofort in Angriff genommen hatte, ergab sich aus den zahlreichen Autospuren, die unsere Freunde überall fanden. Sie liefen zur Nordspitze des Gilfs, die Penderel hatte umfahren wollen. So verzichtete er nun darauf und fuhr mit beiden Wagen und allem unserem Material zu uns zurück.

Unter dem Gepäck, das er vom Gebel Almásy mitbringt, befindet sich dieses seltsame Stück, das Marmordenkmal. Diesen Gedenkstein für den verstorbenen Prinzen Kemal el Din in die Wüste zu stellen, ist die nächste Aufgabe unserer Expedition. Almásy, der an dem Andenken des Wüstenprinzen mit einer rührenden Treue hängt, hat beschlossen, den Stein an der südlichen Spitze des Gilfs aufzurichten, an jenem mächtigen Kap des Wüstengebirges, das der Prinz auf seiner berühmten Reise nach Uwenat als erster geschaut hat.

Dorthin brechen wir von den »Drei Burgen« auf, sobald wir einander alles erzählt und die Flasche Chianti geleert haben.

Ich fahre wie gewöhnlich auf Sabrs Wagen, und ich finde meinen schwarzen Freund noch immer sehr freudig erregt nach der großen Tat seines Lebens, dem Marsch mit Almásy in das Akazienwadi. Während der Fahrt, die durch ziemlich böses Gelände führt, beginnt der Gute seine Siegesgesänge von neuem, die Hymne zu Ehren des »Cont'«, die »Inschallahs!« und »Hamdulillahs!« Er rezitiert mir den Stammbaum seiner erlauchten Familie, der über den Großvater, einen Emir des sudanesischen Mahdis, direkt bis zu Abbas führt, Mohammeds Onkel. Das ist alles sehr interessant, gefährdet aber das Fortkommen unseres Wagens, da Sabr bei jedem Inschallah! und Hamdulillah! notwendigerweise die Hände vom Steuerrad nehmen muß; er kann das nicht anders.

So versuche ich, listenreich, den Gesprächstoff zu wechseln. »Sage mir«, werfe ich zwischen zwei Strophen des Bardengesanges ein, »sage mir, o Sabr, was bedeuten die Schnitte in deinem Gesicht?«

Er hat auf jeder seiner schwarzen Wangen drei parallele Narben, und eine an der Schläfe. Lange schon möchte ich wissen, welche Bewandtnis es mit diesen Einschnitten hat. Aber kaum habe ich die Frage gestellt, als ich bemerke, daß sie unzart gewesen ist und nicht am Platze. Mit dem Ablenken jedenfalls habe ich Pech gehabt, denn sofort läßt Sabr die Hände vom Steuerrad, nicht um sie betend zu Allahs Himmel zu heben, sondern um verzweifelt damit seine verunzierten Wangen zu bedecken. Der Wagen, auf einer Sandwelle schaukelnd, tut einen gefährlichen Sprung. Sabr weint beinahe:

»O Herr, musch quajiss, nicht gut! O Herr, musch ruch, kein Verstand!«

Ich denke, er meine meine Frage; aber nein, er meint seine Eltern, die aus dem berühmten Stamm der Jaalin stammen mögen und aus dem erlauchten Abassidengeschlecht, die aber, musch ruch, meinen braven Sabr Mohammed offenbar fürs Leben unglücklich gemacht haben, durch das Festhalten an einer alten, barbarischen

Sitte. Nicht auf Narben, in eine blutende Wunde habe ich da meine plumpen Finger gelegt! Sabr, ein Jaalin aus dem Sudan, ein Abasside, ist nebenbei auch ein moderner Taxichauffeur in Kairo, und er schämt sich dieser barbarischen Marke in seinem Gesicht, die daheim in Dongola alle Männer seines berühmten Stammes tragen, die aber auf dem Boulevard Fouad Premier nicht mehr ganz modern ist!

Ich habe Mühe, den Guten wieder zu trösten.

Wir kommen nach wenigen Stunden an eine Stelle, von der man die südliche Spitze des Gilfplateaus deutlich erkennen kann, wie ein Relief auf einer plastischen Karte. Hier stellen wir unsere Autos als Windschutz auf und stellen unsere Betten dahinter.

8. Mai

Am Morgen fahren wir gleich mit zwei Autos zum Südkap des Gilfs hinüber; wie wir näher kommen, finden wir, daß ihm einige kleinere Berge vorgelagert sind. Almásy hat es sich in den Kopf gesetzt, das Denkmal genau am südlichsten Punkt des Gebirgsmassivs zu errichten, und führt uns in das Geröll eines Wadis hinein, das ihn zu diesem südlichsten Punkt zu führen scheint. Der Weg ist so schlecht, so unmöglich, daß ich heimlich denke: stellen wir das Denkmal hierher, dann findet sich bis an das Ende der Zeiten nie wieder ein Narr, der es hier ansehen käme! – Zum Glück ergibt der Augenschein und das Studium der Karte Kemal el Dins, daß noch weiter südlich ein anderer, letzter, großer Felsbrocken liegt. Erleichtert fahren wir hin und finden zu unserer Freude, daß er malerisch aussieht, ein schöner Hintergrund für die sandige Ebene, die frei davor liegt. Der künftige Reisende, der etwa das Denkmal zu sehen wünscht (aus keinem anderen Grund kommt ein Mensch je wieder an dieser Stelle vorbei), wird wenigstens ohne die ärgste Lebensgefahr hierherkommen können.

Wir nehmen den Gedenkstein aus dem Holzverschlag, in dem er reiste. Es ist ein großes Stück grauen ägyptischen Marmors, originell in geschwungenem Umriß geformt, und darauf stehen schwarze arabische Zeichen, kunstvoll kalligraphiert, die bedeuten:

SEINER SULTANISCHEN HOHEIT
DEM PRINZEN KEMAL EL DIN HUSSEIN
DEM ERFORSCHER DER LIBYSCHEN WÜSTE
VON DENEN
DIE SEIN LEBENSWERK SCHÄTZEN

Während Almásy und die drei Schwarzen mit Spaten und Hacke einen Felsen bearbeiten, der den natürlichen Sockel der einfachen Steintafel bilden wird, sitze ich beiseite und denke an den Menschen, dessen Namen das Denkmal trägt. So seltsam dieses Monument an der einsamsten Stelle der Wildnis sein mag, so gut paßt es zu der Art des Prinzen, zu seinem der Wüste gewidmeten Leben, zu seiner Scheu vor Publizität.

Kemal el Din Hussein war der Sohn jenes Hussein Kamil, der im Dezember 1914 an Stelle des Khediven Abbas Hilmi unter dem Titel eines Sultans und unter britischem Protektorat der Beherrscher Ägyptens geworden war. Prinz Kemal el Din, im Wiener Theresianum erzogen, galt als der Thronerbe des neuen Sultansreichs. Aber als im Oktober 1917 Hussein Kamil starb, verzichtete sein Sohn auf den Thron von Ägypten zugunsten seines Oheims Fuad I. Dieser wurde später zum König proklamiert; sein Neffe Kemal behielt bis zu seinem Ende den Titel »Sultanische Hoheit«. Die Krone, die er nicht tragen wollte, hätte ihn daran gehindert, seine Lebensarbeit zu tun, seiner großen Leidenschaft zu genügen. Er war seit seiner Jugend der Wüste verfallen.

In diesem späten Enkel Mohammed Alis hatte sich das Eroberblut des Ahnen in der alten Energie bewahrt, doch umgewandelt. Er wurde der friedliche Eroberer des ungeheuren Wüstenreiches, das auf den Landkarten den größeren Teil von Ägypten darstellt, und das doch lange den Ägyptern ganz unbekannt war, ferner und fremder als die fernsten, fremdesten Länder der Welt.

An dem gewaltigen Werk der wissenschaftlichen Erschließung der Wüste haben zwei große Söhne Ägyptens aktiv mitgewirkt: Achmed M. Hassanein und Kemal el Din. Hassanein, der jüngere von den beiden, ist der Vertreter der älteren Tradition. Seine große Reise nach Kufra und jene, die mit der Entdeckung von Uwenat enden sollte, hat dieser Mann auf die klassische Art unternommen, in beduinischer Tracht und mit Kamelkarawanen. Prinz Kemal el Din ist der Pionier des Autos in der Libyschen Wüste. Seine Expeditionen, mit gewaltigen Mitteln vorbereitet und ausgerüstet, reisten mit den unbehilflichen Raupenschleppern, Tanks der Wüste, die einige Zeit als die einzigen Automobile galten, mit denen das Sandmeer durchquert werden könne.

Prinz Kemal besaß ganze Geschwader von solchen Autos. Seine Expeditionen waren Heereszüge; ein Stab von gelehrten Geographen fuhr mit, ein Heer von Chauffeuren und Dienern. Für jeden Bedarf war gesorgt, beinahe für Luxus. Aber Prinz Kemal el Din, nicht zufrieden damit, das Ganze zu organisieren und die enorme Rechnung zu zahlen, war wirklich der Führer. Er saß am Volant des vordersten Autos; alle Gefahren und alle Beschwerden machte er mit. Anders leben sonst die Fürsten des Orients.

An der Erforschung der Libyschen Wüste im letzten Jahrzehnt hat niemand größeren Anteil gehabt als der Wüstenprinz. Kreuz und quer durch die Wüste laufen noch heute die Räderspuren seiner zahlreichen Expeditionen. Seine größte und fruchtbarste Tat ist seine Fahrt um den südlichen Gilf herum bis nach Uwenat. – Die Existenz des großen Wüstengebirges, dieser Libyschen Schweiz, war schon vorher vage bekannt. Mehrere Forscher hatten das Bergland von ferne gesehen oder seine äußersten Ränder berührt. Das wirkliche Wesen dieses großen Gebirges hat erst Prinz Kemal erkannt, die ersten Konturen hat er auf seine Karten gezeichnet. Er entdeckte auf dieser Fahrt dann noch tief im Süden die große Oase Merga. Es war nach Hassaneins Ritt nach Uwenat die wichtigste Forschertat in der Libyschen Wüste, die dieses Jahrhundert gesehen hat.

An die Existenz der Wadis im Gilf hat Prinz Kemal immer geglaubt. Almásy hätte in seinen Diensten eine große Expedition dahin führen sollen. Dann starb der Prinz. – Unsere Expedition war seinem Namen eine Huldigung schuldig.

Prinz Kemal el Din hat kaum Schriftliches hinterlassen. Er gedachte, später einmal in einem großen Werk die Resultate seiner Arbeiten in der Wüste niederzulegen, starb aber, ehe er nur damit begann. Bei Lebzeiten beherrschte ihn eine seltsame Scheu vor dem Publizieren. Einige wenige dünne und sehr gelehrte Broschüren erschienen fast im Verborgenen und wurden von ihm wie Orden verliehen. Selbst einige der von ihm und seinen Mitarbeitern mühsam geschaffenen Karten scheinen verloren gegangen zu sein.

Dieses Denkmal, das wir wie ein Geheimnis in die tiefste Stille der Wüste verstecken, paßt zu dem scheuen Menschen Kemal el Din.

Jetzt steht es auf seinem Felsensockel, sorgsam gestützt und untermauert; das wirft kein Wüstensturm so bald um. Ernst und einfach steht der graue Marmorstein vor dem südlichen Hügel des Gilfs, der den Hintergrund bildet.

Keinerlei Zeremonie, keinerlei Pathos, keinerlei Reden begleiten die Vollendung des Denkmals für Kemal el Din. Zärtlich fügt Mahmud, der Diener, der den Prinzen geliebt hat, die letzten Steine an ihren Platz. Mit Almásy tritt er als erster vor das fertige Werk.

Dann lassen wir in der großen Einsamkeit das Zeichen des Gedenkens an einen Einsamen.

Generalversammlung in Peter und Paul

Dies ist eine ganz andere Welt, in der ich heute früh meine Augen öffne. Nur ein paar Dutzend Kilometer sind wir von der südlichen Spitze des Gilfs entfernt, aber wir haben gestern abend, vom Denkmal Kemal el Dins nach Westen fahrend, das Reich der zerfetzten Kalksteinberge hinter uns gelassen. Hier ragen Kuppeln und Dome auf, aus Granit in die Wüste hineingebaut, Berge wie Kathedralen. Diesen beiden hier, an deren Fuße wir lagern, hat Patrick Clayton, ihr erster Entdecker, den Namen gegeben: Peter und Paul.

Im vorigen Jahr sind Almásy und Penderel in Peter und Paul gewesen und haben in gewissen schattigen Grotten der granitenen Berge ein Depot hinterlassen im Hinblick auf eine künftige Expedition. Kisten voll Benzin und Kisten voll Wasser liegen hier und warten auf uns.

– Wasser vom vorigen Jahr? Ich lächle, als ich davon höre. Daß Wasser noch trinkbar sein soll, das man vor mehr als zwölf Monaten hierhergelegt hat, in den Blechwürfeln der Benzinfirma Shell, das scheint mir doch unwahrscheinlich. Aber dann bringt mir Mahmud einen Becher zum Kosten: dieses Wasser, vor einem Jahr aus der Felsenquelle von Uwenat geschöpft, ist süß und klar und kühl, und ich trinke begierig davon.

Inzwischen hat Penderel in einer anderen Grotte das Benzinlager revidiert und kommt sehr befriedigt zurück. Wohlerhalten liegt ein wirklicher Schatz in den Tiefen des Berges. Unsere Expedition, die bisher mit jedem Tropfen Betriebstoff zu geizen hatte, ist plötzlich sehr reich. Tausende von Kilometern können wir noch fahren.

Im Sande hockend, im Schatten der granitenen Dome von Peter und Paul, hält der Gongoi-Klub eine Art Generalversammlung ab. Da wir die Regenoasen im Gilf gefunden haben, ist der wichtigste Zweck unserer Forschungsreise erfüllt. Wir könnten sofort nach Kairo zurück, nur wünscht Almásy uns, und vor allem, mir noch einige Stätten der Wüste zu zeigen, die er schon kennt: das Felsengebirge von Uwenat, den Brunnen der Landvermesser, die Karawanenstraße der Vierzig Tage. – Penderel wieder, der verspätete Wiking, verachtet die bloße Wüstentouristik; solange in der Wüste noch unbekannte Wege vorhanden sind, verschmäht er es, die bekannten zu fahren.

Sein eigener Plan ist, über Uwenat nach Süden zu gehen, wo in der Oasengruppe von Merga noch einige Probleme der Wüste zu lösen sind, und dann auf noch niemals befahrenen Wegen den Nil in der Gegend von Dongola zu erreichen.

»Und Gongoi?« frage ich, nur im Scherz. »Wenn in Merga Gongoi versteckt ist?«

Gongoi, der schwarze Räuber aus dem Stamm der Guraan, der irgendwo in der Wüste sein Unwesen treibt, spielt eine Rolle in unseren Lagergesprächen. Zu Anfang des Winters hatte man den schwarzen Beduinen an den Quellen von Uwenat vermutet; da aber Uwenat, aus gewissen Gründen, jetzt fortwährend von bewaffneten Expeditionen besucht wird, muß er wohl anderswo seinen Stützpunkt haben, an einer Stelle, wo Wasser und Weide für seine Kamele vorhanden sind. In Französisch-Afrika, meint Almásy. In einer der leeren Oasen westlich von Dongola, rate ich.

Der Gongoi-Klub belächelt die Erwähnung seines sagenhaften Namenspaten, und die Debatte geht weiter.

Eine der Schwierigkeiten der Situation liegt darin, daß die Zeit, für die unsere eingeborenen Diener gemietet wurden, bald abläuft. Mindestens Mahmud und Sabr wünschen nun bald nach Kairo zu ihren Familien heimzukehren; ein neues Abenteuer reizt sie nicht sehr.

Nach einer langen Beratung gelangt die Generalversammlung des Gongoi-Klubs zu einem Kompromiß: zwei von unseren Wagen mit allen weißen Männern der Expedition außer Penderel und mit Sabr sollen programmgemäß noch heute weiter nach Uwenat fahren; Penderel mit Mahmud und Abdu nimmt auf zwei Wagen alles Gepäck mit, das irgend entbehrt werden kann, die Sammlungen Kádárs, die großen Töpfe von Abu Ballas, und fährt nach dem Kompaß schnurgerade nach Kharga zurück; es wird ein Weg von siebenhundert Kilometern und mehr, von dessen Geographie noch kein Mensch eine Ahnung hat. Das ist eine Sache nach Penderels Herzen: er wird, so rasch es nur irgendwie geht, auf diesem unerforschten Weg durch die Wüste nach Kharga eilen, dort zwei neue Araber anwerben, dann sofort umkehren hierher nach Peter und Paul; hier wird er dann seine Wagen mit Benzinkisten füllen für die weitere Reise nach Süden. Wir warten indessen in Uwenat, hundertzwanzig Kilometer von hier. Penderel soll uns dort treffen; dann wird das Gepäck noch einmal verteilt, und wir lösen die Expedition noch einmal in zwei Einheiten auf: zwei der Wagen, die Gruppe Almásy, fahren nach Norden, über Kharga nach Kairo, und Penderel geht über die Merga-Oase an den sudanesischen Nil.

Es ist eine Gewalttour, die er da vorhat; aber er spricht mit strahlenden Augen davon. Dieses viele Benzin ist dem Wing Commander zu Kopf gestiegen, als wäre es Alkohol. Den letzten Tropfen des kostbaren Stoffs und die letzten Wochen eines sauer verdienten Urlaubs so zu verwenden; durch die ganze Libysche Wüste zu rasen, kreuz und quer, tausend Meilen neuer Routen erforschen: welch eine Möglichkeit, welch ein Fest!

Während die Generalversammlung des Gongoi-Klubs noch debattiert, ereignet sich ein seltsamer Zwischenfall. Wir hören erst leise, dann lauter des Geräusch von Motoren. Erst glauben wir, eine Autokolonne komme durch die Wüste gefahren, dann merken wir, daß es Flugzeuge sind, die sich vom Süden her unserem Lager nähern. Und schon sind, ein majestätischer Anblick, vier Aeroplane hoch über uns: riesige Vickers-Maschinen mit dem Kennzeichen der Royal Air Force auf ihren Tragflächen. Sie fliegen in geschlossener Formation, langsam und eindrucksvoll; ihre ungeheuren Schatten fliegen ihnen voran.

Penderel steht fassungslos. Er hat an Merkmalen, die ihm bekannt sein müssen, seine eigenen Aeroplane erkannt, die britische Flugschwadron, deren Kommandant er ist.

Einen Augenblick denken wir, die Flugzeuge wollen auf der sandigen Ebene vor den Bergen landen. In dieser Meinung verlieren wir vielleicht den günstigen Augenblick zum Signalisieren. Als wir es endlich tun, ist es offenbar schon zu spät. Wir winken verzweifelt, wir geben ein Feuerzeichen, indem wir Benzin entzünden, wir spiegeln Lichtstrahlen in die Höhe. Umsonst. Die vier Vickers entfernen sich; ihre Bemannung hat ihren Oberstleutnant nicht gesehen, der da inmitten der Wüste steht, in einem zerrissenen Khakihemd, – und fürchterlich flucht.

Dieser Zwischenfall beendet unsere Diskussion. Nichts könnte jetzt Penderel mehr davon abhalten, sofort nach Kharga zu fahren, wo das nächste Telephon sich befindet. Er weiß nichts von den Gründen dieses Wüstenflugs, den seine Schwadron während seines Urlaubs da unternommen hat. »Wo waren sie?« fragt er, ein wenig beunruhigt. »Wir haben, seitdem wir Kufra verlassen haben, von der Welt und ihren Händeln gar nichts gehört. Alles ist möglich und alles ist denkbar in unseren Zeiten. Mit wem liegt Großbritannien im Krieg?« – Vor fünf Minuten war unser Penderel nur der Wiking der Wüste, der Forscher und Sportsmann. Jetzt regt sich der Soldat in ihm. – So schnell waren während unserer Expedition noch niemals Autos für eine Reise bepackt! Der Wing Commander läßt sich kaum Zeit, uns die Hände zu drücken. Abdu und Mahmud steigen zu ihm ein. Die Wagen fahren nach Norden davon.

»Und wo sind diese Flugzeuge wirklich hergekommen?« frage ich Almásy, während ich auf seinem Wagen auf einer guten, flachen »Serira«-Ebene rapid in die andere Richtung reise.

»Natürlich von dort«, sagt Almásy lakonisch und weist in die Ferne. Es ist ein wunderbar klarer Tag, man blickt durch die Wüstenluft wie durch Kristall, die Berge am Horizont sind veilchenblau. Der herrliche Umriß eines hohen Gebirges beherrscht die Landschaft. Es sieht ganz anders aus als der Gilf. Kein Tafelberg, sondern eine ungeheure Säge, deren Zähne den Himmel zerreißen.

»Natürlich von dort«, sagt Almásy. »Dort ist Uwenat. Der Felsen inmitten der Wüste, um den drei mächtige Staaten streiten.«

Uwenat von der Wüste aus

Das Südende des Großen Gilfs

Das Denkmal für Kemal el Din

Der Steinkreis von Uwenat

9. Mai

Jählings ragt das Granitgebirge aus der Ebene auf, ganz ohne die Ausläufer und Vorberge, die für den Gilf Kebir so charakteristisch sind. Wir fahren an einer hohen Granitwand entlang, die aus gigantischen Blöcken lose zusammengefügt scheint. Selten nur öffnet sich ein Eingang ins Innere dieser düsteren Masse. Phantastische Spitzen und Zacken ragen darüber zum Himmel.

Je weiter wir längs des Gebirges fahren, desto zahlreicher werden die Spuren von Autos, die in großer Zahl den gleichen Weg zurückgelegt haben müssen. Auch die breiten Furchen, die ein landendes Flugzeug in den Sand zieht, bemerken wir. Aber erst ganz aus der Nähe sehen wir die Bresche, die sich plötzlich in dem Gebirgswall auftut. Eine Schildwache ruft uns an, wie wir in diese Bucht hineinfahren wollen. Im Hintergrund eines kleinen Talkessels sehen wir braune Zelte.

Daß wir bei der Quelle Ain Dua in Uwenat eine italienische Militärmission vorfinden würden, hatte man uns schon in Kufra erzählt. Wir sind nur erstaunt, sie so zahlreich zu finden; es ist beinahe eine kleine Armee. Sechzig bis siebzig Personen kampieren in dem Amphitheater am Fuße der Felsen, Offiziere und bewaffnete Askari. Eine Anzahl Autos parken zwischen den großen Steinblöcken, eine hohe Antenne verrät den Radio-Sender. Und das alles gilt der topographischen Wissenschaft.

Das Gebirge Uwenat, muß man wissen, ist von dem Ägypter Achmed M. Hassanein Bey im Jahre 1923 entdeckt worden. Zwei Jahre darauf wurden die Grenze zwischen Ägypten und der italienischen Cyrenaika durch den Vertrag von Sollum neu bestimmt. Es fand sich, daß diese Grenze, der 25. Längengrad, gerade quer durch das Bergland von Uwenat ging.

Das »Gebirge der Quellen«, denn das bedeutet der Name Uwenat, ist die höchste Erhebung der Libyschen Wüste, 1900 Meter hoch. Hassanein Bey fand, daß in diesem Steingeröll einige bewohnte Täler lagen, die ausgezeichnetes Wasser enthielten. Eine kleine Bevölkerung, bestehend aus Tibu und ihren noch wilderen Stammesverwandten, den Schwarzen Guraan, weidete in den »Karkurs«, den grün bewachsenen Hochtälern, ihre Herden.

Diese natürliche Festung Uwenat mit ihren Quellen und Weidegründen lag im südlichsten Winkel des italienischen Libyens, hart an der Grenze Ägyptens und der des Sudans und in der Flanke der französischen Äquatorial-Kolonie. Hier führt der Weg zum Tschadsee vorüber; in einer Zeit, die noch immer strategisch zu denken gewohnt ist, gab das diesen hundert Kilometern Granitgeröll eine bedeutende Wichtigkeit.

Es ergab sich, daß ein Teil des Gebirges, mit der besten Quelle, Ain Dua, unterhalb des 22. Breitengrades liegt, der die Grenze zwischen Ägypten und der Anglo-ägyptischen Sudankolonie bildet. Wenn die Quelle Dua nicht in Ägypten, sondern im Sudan gelegen war, dann konnte sie nach der Meinung des Colonial Office in London nicht durch den Sollum-Vertrag an Italien abgetreten worden sein. Es entstand nicht gerade ein Krieg um die Granitblöcke von Uwenat, sondern eine offene diplomatische Frage. Und die Regierungen interessierten sich sehr für die Topographie dieses Wüstenberges.

Schon wieder eine Expedition?

Das ist der Gedanke, den ich dem Capitano Marchesi ansehen kann, dem Chef der italienischen Militärmission, die seit Monaten hier in diesem trostlosen Steinkreis lagert. Der Capitano begrüßt uns sehr höflich; aber ich bin nicht so sicher, daß er weiß, was er mit uns anfangen soll.

Es kommen in der letzten Zeit wirklich ein bißchen viele Expeditionen nach Uwenat, der Geographie beflissen. Zu Anfang des Winters war Major Bagnold da, der ausgezeichnete englische Wüstenforscher. Er hatte mit unendlicher Mühe die oberste Spitze des Uwenat-Berges bestiegen und dort trigonometrisch gearbeitet. – Kaum war er weg, kam Marchesi mit einem halben Dutzend Alpini- und Bersaglieri-Leutnants, einem Professor der Universität Florenz, sechzig Askari, vielen Gewehren und mehreren Theodoliten. Auch sie stiegen auf den Uwenat-Berg und begannen, eine Karte zu zeichnen. – Auf einmal, wie angezogen von dem Anblick der auf der Bergspitze stehenden Bersaglieri, war dieses britische Fluggeschwader da, das erst heute wieder nach Hause geflogen ist. Die Militärflieger, fünfundzwanzig Mann, lagerten vor Ain Dua, im herzlichsten Einvernehmen mit den Italienern natürlich. Sie waren nur so da, ein Acte de Présence. Und jetzt kommen wir und erzählen, uns komme bald Penderel nach, der Kommandant eben jener Flieger – – –

Soll ich einen Eid darauf leisten, daß wir wirklich ganz harmlose Wüstenautler sind, ohne jedes Interesse an der großen Frage, wem diese Steinklötze da und die kleine Quelle im Hintergrund gehören sollen?

Unterdessen schlagen wir unsere grünen Zelte den braunen der Italiener gegenüber auf und folgen dann einer höflichen Einladung zum Abendessen im Freien, beim Schein eines zischenden Azetylenlichtes.

10. Mai

In der Nacht war es dumpfig und heiß; zum erstenmal auf dieser Wüstenreise habe ich ohne Decke geschlafen.

Sobald die Sonne ein wenig höher steht, wird die Hitze furchtbar; diese Granitblöcke strahlen eine Ofenwärme auf uns. Wie lange werden wir in diesem Steinloch zu liegen haben? denke ich. Eine Woche wenigstens, ehe Penderel hier sein kann! Es ist keine heitere Aussicht. Schon haben wir feststellen müssen, daß das Wasser der Quelle keineswegs reichlich fließt. Sie gibt für die vielen Menschen, die hier in dieser Enge versammelt sind, keine 150 Liter am Tag. Was man mehr braucht, muß mit der größten Mühe von der Zueïa-Quelle herbeigeschafft werden, die hoch im Gebirge liegt. Verflogen die Träume von Baden, von Wäschewaschen! Auch finden wir die Italiener in einem Augenblick, in dem ihre Vorräte knapp sind; die höflichste Gastfreundschaft kann nicht darüber hinwegtäuschen.

Wir haben zwar Konserven genug, aber unser Koch ist bei Penderel. Das zwingt uns, mit den italienischen Offizieren gemeinsam zu menagieren. Angesichts dieser Sachlage möchte Almásy gleich heute für die Messe eine Gazelle schießen. Die Italiener haben schon lange kein frisches Fleisch mehr gehabt, und wir auch nicht.

Almásy, der im Vorjahr in Uwenat war, kennt dreißig Kilometer von hier in der offenen Wüste eine »Hatiya«, eine Depression, in der Pflanzen wachsen. Das ist El Wadi Ghasall, das Gazellental. Dort fahren wir gleich am Vormittag hin. Der Zoologe aus Florenz, der bei der italienischen Mission ist, Professor Graf Lodovico di Caporiacco, schließt sich uns an. Wir nehmen einen unserer Fords und einen leichten italienischen Fiatwagen.

Wir fahren hinaus ins Freie. Finster und völlig kahl liegt das schwarze Granitgebirge uns gegenüber. Draußen am Wüstenrand stehen vereinzelte Bäume. Wenn ein großer Regen gefallen ist, mag hier alles grün sein. Man erkennt noch die Spuren von flachen Seen, die sich dann bilden.

Wir erreichen die Senkung, in der diese Vegetation wächst, und sogleich scheuchen unsere Autos Gazellen auf; eine kleine Herde galoppiert voll Entsetzen davon. Es sind die entzückend zierlichen Tiere der Ariel-Gattung mit lyraförmigen Hörnern. Uns allen, außer dem eingefleischten Jäger Almásy, ist der Gedanke schrecklich, daß eines der zarten Wunderwesen gehetzt und gemordet werden soll.

Almásy, mit Penderels Militärgewehr in der Hand, sitzt vorn auf dem Ford; ich fahre mit dem Professore. Almásy weiß einen stattlichen Bock von der Herde zu trennen und setzt ihm durch die offene Wüste nach. Siebzig Stundenkilometer fährt das Auto, und die Gazelle rast noch schneller davor einher; es gilt, das arme Tier so müde zu machen, daß man für eine Sekunde halten und zum Schuß kommen kann.

Der Professore, ein jüngerer Mann mit einem blonden Wüstenbart am Kinn, sieht mich an und ich ihn. Uns beiden macht diese Tierhatz recht wenig Spaß. So lassen wir den Korporal, der unseren Wagen lenkt, bei einer Baumgruppe halten. Eine Dornakazie, die ganz in Blüten steht, zieht den Professore an: sie ist von zahllosen Bienen umschwärmt, von Schmetterlingen und Insekten jeglicher Art. Ganz erregt zieht der Zoologe ein Instrument aus der Tasche, das wie eine Gießkanne aussieht, aus dem man aber Blausäuretröpfchen gegen die Insekten sprühen läßt, um sie zu töten. Obwohl uns das Hetzen der Gazelle so peinlich gewesen ist, beurteilen wir diesen Giftangriff auf die Bienen erheblich weniger sentimental!

Der Professore ist ganz entzückt und hingerissen; er erbeutet fortwährend neue und seltene Arten. Ich, der ich nichts davon verstehe, ziehe mich in den Schatten eines anderen Baumes zurück; dort aber stört mich ein Schreckbild, ein Kamelskelett, das auf dem Boden liegt, die Zähne fletschend. Das erinnert mich daran, daß Uwenat noch vor kurzem von Wüstenmenschen bewohnt worden ist, die Kamele hatten statt Autos: Hassanein Bey, der im Jahre 1923 dieses Hochland für die zivilisierte Welt entdeckt hat, fand in den Tälern und an den Quellen ein Völkchen von einhundert-fünfzig schwarzen Hirten unter einem Scheich namens Herri. Auch Prinz Kemal el Din fand einige Jahre später noch Herri hier, den schwarzen »König« von Uwenat, und seinen Stamm. – Wo sind sie jetzt? In die Wüste geflohen vor diesen Autos, vor diesen Expeditionen, vor diesen Kommissionen, vor dieser zivilisierten Welt, die so gierig nach Uwenat langt!

Almásy kommt nach einer Weile zurück. Auf seinem Auto liegt blutig und starr die Gazelle, die er geschossen hat. Wir fahren nach Ain Dua zurück; auf dem Weg schrecken wir noch viele Gazellen auf, aber wir jagen nicht mehr.

Der Koch der Italiener brät uns sogleich zum Mittagessen Gazellensteaks, und sie schmecken vorzüglich.

Wir essen in einer engen Höhle, die als Offiziersmesse dient. Man kann kaum auf-recht stehen und wir sitzen aneinandergepreßt, aber die Felsendecke gibt kostbaren Schatten, und es ist viel kühler hier als in den Zelten. Der ganze Felsenkreis um Ain Dua ist mit solchen kleinen Höhlen durchsetzt.

Es ist ein seltsamer Speisesaal, und es ist schwer, sich darin konventionell zu benehmen. Schon bricht bei unseren neuen italienischen Freunden die herzlich-hei-tere Art ihres Volkes durch die Reserve von gestern abend. Wir plaudern nach dem Essen, auf dem Boden der Höhle recht bequem liegend, noch ein Stündchen, erzählen und lassen erzählen. Dann verkriecht sich jeder, um während der heißesten Stunden in irgend einem beschatteten Winkel Siesta zu halten.

In meinem Zelt ist die Hitze nicht zu ertragen. So nehme ich mein Feldbett ins Freie, um es in den Schatten eines Felsblocks zu stellen. Die schattige Stelle finde ich wohl, aber dort kauern braune, halbnackte Gestalten, arabische Askari, ebenfalls der Siesta hingegeben. Einige liegen lang ausgestreckt und schlafen sich eins; andere haben die Felder eines Spielbrettes in den Sand gezeichnet und spielen, mit Steinchen ziehend, das uralte Brettspiel des Orients: »Patschisi«.

Ich trete neugierig näher, um ein bißchen zu kibitzen; aber da sehe ich inmitten dieser hellbraunen libyschen Araber einen, der ganz ebenholzschwarz ist in seinen weißen Gewändern. Ich unterdrücke einen Ausruf, der würdelos wäre, und zwinge mich, gravitätisch zu grüßen: »Saida, o Scheich!«

Ich habe Ibrahim erkannt, Njikinjiki, unseren Freund aus Kufra!

Er grüßt wieder, sehr gemessen; ich weiß nicht, ob die Begegnung ihm Freude macht. Er erzählt auf meine erstaunte Frage, daß ihn das Kommando aus Kufra nach Uwenat herübergeschickt hat, damit er der hiesigen Kommission bei ihren Wüstenfahrten als Führer diene.

Ich rufe Almásy hinzu, und wieder hocken wir, wie damals in Kufra, zu dritt auf der Erde. Der alte Tibu ist die Zurückhaltung selber; er kennt und fürchtet unsere begierigen Fragen. Wir beginnen das Spiel von neuem, das Lauern, das Bluffen. Erst allmählich fangen wir an, von den Wadis im Gilfgebirge zu reden.

Die Wadis? Was für Wadis? Ibrahim, diese alte Schlange, hat noch nie von Wadis reden gehört! Er leugnet alles, was er in Kufra gesagt hat.

Almásy, die ewige Zigarette im Mund, ist sanft und geduldig. Er nennt dieses erstarrte Häufchen weißes Gewand, das da vor uns kauert (fast nur weißes Gewand, denn Burnus und Turban und Schleier verbergen den Menschen fast gänzlich): »O Scheich« und »o Vater«, schmeichelt ihm, redet ihm zu. Dann erzählt er vom Wadi des Königssklaven, gibt klare Beweise, daß wir darinnen waren, und auch im Wadi der Talha-Akazien. All das löst den Starrkrampf noch lange nicht, in den unsere schwarze Menschenschlange Njikinjiki versunken scheint. Vermutlich hat er unterdessen nachgedacht und bereut, von den Wadis geredet zu haben. Warum sollte er uns übrigens auch sagen, was er weiß?

Die Zauberformel, das »Sesam, öffne dich!«, dessen es bedarf in diese Verschlossenheit einzudringen, findet Almásy schließlich durch Zufall. Ganz nebenbei erwähnt er die tote Kuh, die er auf dem Weg zu den Wadis gefunden hat. Komisch, das bewirkt das Wunder! Es kommen aus dem weißen Gewand schmale, nackte Arme zum Vorschein, sich schlangenhaft windend; dann schiebt sich durch den weißen Gesichtsschleier ein tiefschwarzes Antlitz; ein Greisenmund lächelt und gibt seltsame Laute von sich, jene Njiki-Laute, die dem alten Herodot so wie Fledermauspiepsen erschienen.

»Njiki-njiki«, sagt Ibrahim mehrmals, und dann, verständlich: »Die Kuh, die Kuh des Abdallah!« Er greint vor Lachen; irgendwie erscheint es ihm furchtbar drollig, daß wir diese Kuh in der Wüste gefunden haben. Auf einmal wird er gesprächig: jawohl, die Kuh hat auf dem Weg durch die Wüste »schlechte Füße« bekommen, man hat sie zurücklassen müssen. Schön hat Abdallah getobt!

»Njiki-njiki, njiki-njiki!« macht der alte Mann und feixt und freut sich. Immer heftiger gestikulierend winden sich die schlangenähnlichen Arme. Sehr geschickt benützt Almásy den guten Moment und schießt eine Frage dazwischen nach dem dritten Wadi, das da sein muß. Und sofort erzählt uns der Tibu, was er weiß: jawohl, das Rote Tal (Wadi Hamra) liegt südlich vom Wadi Talha; es ist das kleinste von den drei Tälern, enthält keine Quelle und bietet nach einem Regen nur drei Tage lang Weide für vierzig Kamele – –

Aus drei Wadis bestand die Oase, von der vor einem Jahrhundert Wilkinson Kunde gegeben hat. Almásy fragt:

»Nennt man diese drei Wadis zusammen nicht Zarzura?«

Der alte Tibu lächelt ein wenig verächtlich: »Die Araber nennen es so: Zarzura.«

Am Abend, als wir zum Essen kommen, sagt mir der Professore mit einem eigenen Grinsen: »Heute haben wir etwas Gutes zum Nachtmahl.« – Ich denke, den Rest der Gazelle. Aber nein, sie haben den Hahn geschlachtet, diesen unseligen Hahn, den wir seit Kufra mit uns geschleppt haben, und der uns seither nicht hat schlafen lassen. Professore Caporiacco hat das Gekräh dieses Hahnes nur in einer einzigen Nacht gehört und Rache geschworen. Er ißt mit Hochgenuß dieses Hühnerrisotto. Ich halte mich an die anderen Speisen; mir kommt es wie Kannibalismus vor, diesen Hahn zu verzehren. Und doch habe ich ihn auch gehaßt!

Wir speisen wieder im Freien, und nach dem Essen sitzen wir auf der Erde zwischen den Felsen, und Tenente Giova, ein lustiger Venezianer, holt sein Grammophon und spielt uns Militärmärsche vor. Nachdem wir die Märsche vieler italienischer Regimenter gehört haben, sagt der Tenente: »Und jetzt, Signor, ein Marsch, den Sie sicher nicht kennen. – Es ist der Defiliermarsch unserer Kavallerie, erst ganz neu eingeführt – – – «

Aus dem Kasten kommen einleitende Paukenschläge, und dann braust über dieses Lager am Wüstenbrunnen der Marsch vom Prinzen Eugen: »Wollt' dem Kaiser wiederkriegen.«

Seltsam vermischt sich damit ein rhythmisches Händeklatschen und der monotone Gesang arabischer Stimmen. Die Askari sitzen am Lagerfeuer, trinken Tee und singen ihre Lieder.

11. Mai.

Am Vormittag brechen Almásy, Kádár und Casparius zu einem Ausflug in die inneren Täler des Gebirgsmassivs auf; ich ziehe es vor, als ein Rekonvaleszent, im Lager zu bleiben. Mein Tagebuch ist in der letzten Zeit stark vernachlässigt worden.

Ich habe mir eine Höhle, die hinter unseren Zelten liegt, als Schreibstube eingerichtet. Sie ist während des größeren Teils des Tages beschattet, nur gegen Mittag sickert das heiße Licht durch den Eingang. Ich schaffe einen Klapptisch und eine Kiste zum Sitzen dahin und könnte nun schreiben, wenn nicht die Askari wären, die kommen, um mich um Medikamente zu bitten.

Vielleicht hat Sabr den Ruhm des europäischen »Hakims« im Lager verbreitet. Vielleicht war es Hassan, ein junger Soldat, mit dem ich gestern gesprochen habe. Hassan ist mir wegen seiner hellen Farbe aufgefallen, und ich habe ihn gefragt, woher er sei. Richtig, er ist nicht wie die meisten seiner Kameraden ein Maghrebi, ein westlicher Araber, sondern er stammt aus Yemen; er ist ein »Scherif«, ein Nachkomme Mohammeds, und sein Geschlecht sind die berühmten Yahia. Wanderlust, Sehnsucht nach der großen Welt hat den jungen Mann aus Arabien über das Rote Meer getrieben; am anderen Ufer, in der italienischen Eritrea, hat er sich dann bei den Kolonialtruppen anwerben lassen.

Meine höchst einfache Frage, von welchem der beiden Söhne Fatimahs das Haus der Yahia seine Abstammung herleite, hat irgendwie in Hassan esch Scherif die Meinung erzeugt, ich müsse ein Muselman sein, nicht nur, wie Sabr sagte, ein berühmter Arzt. Genug, es kommt sehr vertrauensvoll einer der Askari nach dem anderen in meine Höhle und verlangt Arznei gegen phantastische Leiden. Am meisten ist es ihnen um jene aseptischen Kügelchen zu tun, die man in Wasser auflöst, um zu gurgeln. Hamed, der Koch unserer Messe, ein hübscher junger Soldat, kommt zu mir, stellt sich militärisch stramm und meldet im besten Italienisch: »Signor Dottore, seit heute früh habe ich, die Syphilis in meinem Hals – «

Um die Mittagsstunde messe ich die Temperatur in meinem Zelt und mag meinen Augen nicht trauen, da ich vierundsechzig Grad Celsius ablese. – Es hat fünfzig in der schattigen Höhle, in der ich mit den Italienern speise, nämlich mit Giova und dem Professore allein. Einige ihrer Kameraden sind heute früh nach Arkenu abgegangen, einem Uwenat benachbarten, ähnlichen Granitgebirge, wo ebenfalls kartographiert werden soll, und Capitano Marchesi, der Kommandant, ist für einige Tage nach Kufra gefahren.

Es ist so fürchterlich heiß, daß wir drei Verwaisten uns nichts Gescheiteres zu erzählen wissen als von recht kühlen Sommerfrischen drüben in Europa. Giova schwärmt als Venezianer vom Meeresstrand, und der Professore, der aus Friaul stammt, vom Hochgebirge. Während uns allen der Schweiß von den Brauen tropft, streiten die beiden fürchterlich über das uralte Thema. O kühle Brisen, o Gletscherschnee!

Am Abend würde die lebhafte Diskussion weitergehen, vielleicht durch die ganze Nacht; da fällt mir zur rechten Zeit jener Leutnant Salustio ein, der den Sklavenräubern von Ribiana in die Wüste nachgefolgt ist, und ich frage, wie das Abenteuer geendet habe. Ich erwarte zu hören, daß die Räuber entkommen seien. Aber Giova erzählt eine ganz andere Geschichte, die mit dem letzten Autotransport von Kufra herübergekommen ist: Salustio ist mit den drei Räubern und mit den Negerknaben, die er befreit hat, ins Fort von Tadsch zurückgekehrt; er hatte mit seinem Auto die Sklavenjäger durch die Wüste fast bis an die französische Grenze verfolgt und sie schließlich überwältigt und gefangengenommen. Man hat die drei Tibu in Kufra verhört und dann aufgehängt. – Als ihr Anführer das Urteil hörte, sagte er, es sei ihm gleich, in seine Heimat Tibesti könne er doch nicht zurück. Er hatte die beiden Knaben geraubt, weil er für einen Totschlag Blutgeld zu zahlen hatte; da die Unternehmung mißlungen war, hätte ihn die Blutrache sicher ereilt.

Am Nachmittag kommen meine Reisegefährten zurück; sie haben die »Karkurs« oder Quelltäler besucht, die im Inneren des Uwenat-Gebirges liegen, und haben sie unseren Wadis im Gilf recht ähnlich gefunden. Almásy ist ärgerlich, weil sein Wunsch, einen »Wadan« zu schießen, nicht in Erfüllung gegangen ist. Spuren der Wildschafe gab es wohl überall; aber es kam ihm keines zum Schuß. Dafür hat er ein nächtliches Abenteuer mit einer gehörnten Viper gehabt.

Es muß in den Felsentälern sehr heiß gewesen sein, und die Freunde reden ohne Enthusiasmus von ihrem Ausflug. Hier im Steinkreis um die Dua-Quelle, in dieser nach vielen Menschen duftenden Dumpfheit, ist das Leben auch nicht sehr heiter. Wir möchten, daß endlich Penderel käme; die offene Wüste mit ihrem ewigen Wind und den kalten Nächten erscheint uns wie ein Paradies, und wir haben Sehnsucht nach ihr.

Die Höhlen der äthiopischen Troglodyten

14. Mai

Vierzig Grad auf Kádárs Schleuderthermometer schon bei Sonnenaufgang! Der Wüstensommer hat uns hier in dieser steinernen Falle gefangen, und Penderel kommt und kommt nicht zurück!

Wir sind schlaff und träge in dieser Hitze. Wir wissen, daß wir energisch sein sollten, Ausflüge machen, das noch wenig bekannte Bergmassiv erforschen. Als vor zehn Jahren Achmed Hassanein Bey dieses Uwenat entdeckte, fand er hier einige schwarze Wüstenmenschen vor, die in den Tälern des Granitgebirges hausten. Ihr Häuptling Herri erzählte ihm, daß früher in Uwenat die Dschin gewohnt hätten, Geister und Riesen. Zum Beweis: sie haben Bilder von allen Tieren, die es auf der Welt gibt, in die Steine geritzt. Wirklich hat Hassanein Bey bei der Quelle Ain Zueïa einige in die Felsen gravierte Steinzeitbilder gefunden, Giraffen und Löwen, wie wir sie von unserer »Giraffenhöhle« im Gilf her kennen; und als nachher Prinz Kemal el Din nach Uwenat kam, entdeckte er in einem der Karkurs verwischte Spuren von anderen Tierbildern, die nicht in die Felsen geritzt, sondern mit Farbe gemalt waren. Wir wissen wohl, daß wir diese Bilder aufsuchen und ansehen sollten, finden aber bei diesem erschlaffenden Wetter nicht die Kraft. Nur der unverwüstliche Almásy schnüffelt fortwährend in den Felsen herum, ob er nicht irgend etwas Neues finden könnte. Er ist wie ein Windhund auf einer Fährte, während wir anderen nur noch an das Thermometer zu denken vermögen.

Schlaff und müde bringen wir den ganzen Tag damit zu, dem bißchen Schatten nachzurücken, das in dem Felsenrund um unser Lager kommt und geht. Ich habe die Schattenkunde von Uwenat in ein gelehrtes System gebracht; ich weiß, wann die einzelnen Felsblöcke Schatten zu werfen beginnen; es ist eine Sonnenuhr, die ich lesen kann. Und ich teile die Schatten der einzelnen Felsen je nach der Tageszeit in »Kommschatten« und »Gehschatten« ein. Ein Kommschatten kommt zu einer bestimmten Stunde und wächst erfreulich. Wenn man sich in ihm ausstreckt, wird er immer breiter und tiefer und kühler. Aber der Gehschatten ist eine niederträchtige Einrichtung. Noch liegt er dunkel und einladend da, eine Zuflucht. Aber kennt man ihn nicht und stellt sein Feldbett in seinen Schutz, – da schmilzt der Gehschatten wie Wachs in der vorrückenden Sonne, und auf einmal brennt, wo man vertrauensvoll schläft, das glühende Licht einem Löcher in die versengte Haut.

Ein bißchen Trost und Zuflucht geben die Höhlen, in die man kriechen kann. Eigentlich sind es nur Lücken zwischen den granitenen Blöcken, aus denen der Uwenat-Berg besteht; er gleicht einem Haufen von steinernen Riesenkartoffeln, die vielleicht der Teufel bei einem Flug über die Wüste aus seinem Rucksack verloren hat. Über zwei dieser Teufelskartoffeln ist eine dritte gekullert, und so ist eine Art

Grotte entstanden; das Tageslicht sickert durch viele Löcher und Ritzen herein. Es gibt so viele Höhlen im Uwenatberg wie Poren in einem Schwamm. Indessen haben wir, als wir kamen, die bequem am Fuße des Berges gelegenen Felslöcher schon von den Italienern und ihren Askari besetzt gefunden, bis auf das eine, das ich meine Schreibstube nenne.

Dort sitzen wir heute trübselig genug und warten aufs Mittagessen, – da erscheint am Eingang der Grotte der Sergeant, der den Funkdienst versieht, und gibt uns ein Telegramm: der Kommandant von Kufra teilt uns mit, das Gouvernement in Benghasi habe via Kairo eine Meldung aus Kharga erhalten: Wing Commander Penderel sei unterwegs nach Uwenat.

Die Depesche ist um halb Afrika herumgegangen: von Kharga nach Alexandrien, von Alexandrien nach Benghasi, von Benghasi nach Kufra und von Kufra nach Uwenat.

Welch ein Glück! Wir werden diesen Brutofen endlich verlassen können!

Nach dem Mittagessen nehme ich das Feldbett, die Feldflasche und das Buch – diesmal zur Abwechslung die zweite Hälfte meiner Bibliothek, die »Geschichten« des Herodot – in den besten verfügbaren Kommschatten. Ich liege auf dem Feldbett, siede im eigenen Schweiß, lese ein wenig und warte, bis das Leben herumgeht. Gegen fünf Uhr nachmittags ist es noch lange nicht kühl, aber die Kommschatten füllen allmählich den Felsenkessel. Ich sehe Almásy und Sabr vorübergehen, und Almásy ruft mir zu, er steige ein Stückchen den Berg hinauf, ob ich mitkommen wolle. Muß er bei sechzig Grad Hitze Kletterpartien unternehmen? – Um nichts in der Welt will ich mitkommen. Was steigt Almásy fortwährend zwischen diesen glühheißen Basaltkartoffeln herum? Was mich betrifft, ich muß nicht, beschließe ich; ich hebe schläfrig den Herodot auf, der zu Boden gefallen ist, tue einen Schluck aus der Wasserflasche – (pfui, heiße Brühe!), – lege mich faul auf die andere Seite und lasse das Leben noch weiter herumgehen.

Nach einer Weile höre ich auf dem Berg über mir die Stimme Almásys, der schreit und schreit. Ich springe vom Feldbett auf und sehe den langen Ungarn, etwa fünfzig Meter über mir im Granitgeröll.

Er hat sich einen Fuß verstaucht, denke ich unwillig; das hat er davon! Zögernd stehe ich da. Jetzt hilft alles nichts; jetzt muß ich doch diesen höllischen Berg erklettern! Ich beginne zwischen den Felsenblöcken emporzuklimmen, die glatt und heiß sind wie glühendes Glas. Almásy schreit oben die ganze Zeit wie ein Besessener. Röchelnd und mit blutenden Händen und Knien komme ich oben am Eingang einer Höhle an, die aussieht wie alle anderen Höhlen: ein großer Stein liegt über zwei anderen Steinen, die ihn wie Pfeiler tragen. Ich wundere mich: muß ich bei tausend Grad Hitze wie ein hundstoller Ziegenbock über die Felsen springen, bloß um noch eines von den verdammten Löchern zu sehen?

154

Von Almásy entdeckte Höhlenbilder in Uwenat

Almásy kopiert die Bilder

Gespräch mit Njikinjiki in Uwenat

Dann trete ich unter das Felsendach. Almásy steht vor mir; er ist ganz bleich; er weist mit der Hand. Wir beide werden plötzlich komplett verrückt, wir fangen an zu brüllen, zu tanzen an.

Was geschehen ist? Seit Tagen läßt Almásy der Gedanke an diese »Dschin« nicht los, die »alle Tiere der Welt« an die Felsen von Uwenat gemalt haben sollen; was man bisher an Felsenbildern hier gefunden hat, ist spärlich, kaum der Rede wert. Almásy fühlt, daß, Hitze oder nicht Hitze, jemand in alle diese Höhlen von Uwenat hinein-blicken sollte. Er hat Sabr mitgenommen, um einen Gefährten beim Klettern zu ha-ben, und hat dem Schwarzen als Grund gesagt, er wolle eine schöne, kühle Höhle finden, in der Penderel, wenn er zurückkomme, schlafen werde.

Die beiden klettern von Grotte zu Grotte und blicken in jede hinein. Schließlich setzt Almásy sich röchelnd auf einen Stein und wischt sich den Schweiß. Verfluchte Hitze! Sabr ist wieder in so eine Höhle hineingestiegen, kommt heraus, grinst freund-lich und sagt etwas von einer roten Kuh. Almásy, mit seiner Zigarre beschäftigt, hört es und achtet nicht darauf.

»Gehen wir hinunter, Sabr! Es ist zu heiß!«

Und plötzlich, wie von einem Blitz getroffen: »Was sagst du da von einer roten Kuh?«

»Eine rote Kuh an der Höhlenwand«, sagt Sabr sehr gleichmütig. »Die Askari haben an die Wand der Höhle eine rote Kuh gemalt.«

»O Vater des Unverstandes«, sagt Almásy mechanisch. »Was für eine rote Kuh?« Und auf einmal: »Schnell, wo?«

Er springt auf, klettert atemlos zwischen den Felsen zu dem engen Eingang der Höhle empor, die Sabr meint. Er hat plötzlich begriffen, daß das gefunden ist, was er seit Tagen so hartnäckig überall sucht.

Bilder aller Dinge dieser Welt haben uralte Geister an die Wände dieser Höhlen gemalt.

Was ich sehe, als ich in diese Granithöhle trete, das ist nicht eine rote Kuh, son-dern vierzig Kühe von jeder Art in jeder Stellung, – erst sehe ich nichts als Kühe, dann erst bemerke ich, daß auch andere Tierfiguren an die Decke der Höhle gemalt sind – jawohl in Farben gemalt, nicht eingekratzt; das ist frisch und leuchtet wie die Fresken des Vatikans – –

Mir schwindelt. Noch begreife ich wenig; aber doch schon, daß wir hier eine bedeutende Stätte prähistorischer Kunst gefunden haben, eine der Bilderhöhlen der Steinzeit, die für die frühe Geschichte des Menschen so wichtig sind. Ein libysches Gegenstück zu den spanischen Höhlen von Valltorta, von Altamira – –

»Herrgott«, stammle ich, »Herrgott, Almásy!«

Prähistorische Felsmalereien in den Höhlen von Uwenat

Das Felsgeröll von Uwenat, in dem Almásy
die Höhlenmalereien entdeckt hat

Unser lautes Geschrei alarmierte das Lager; fünf Minuten später ist auch der Professore Caporiacco zur Höhle emporgestiegen und macht große Augen, da er die Bescherung sieht; bald darauf klettert alles, was Beine hat, am Felsenabhang herum. Seit Monaten wohnen so viele Menschen im Steinkreis der Dua-Quelle: Major Bagnold war hier und ist über die Felsblöcke bis zum Gipfel geklettert; die englischen Flieger haben in den unteren Höhlen gewohnt; sechzig Askari treiben sich Tag und Nacht hier herum, und von den märchenhaft schönen prähistorischen Bildern in der Höhle hat niemand eine Ahnung gehabt. – Der Höhle? In den ersten zwei Stunden nach der Entdeckung der ersten bemalten Grotte finden wir weitere zwölf, eine immer großartiger als die vorige.

Ein ganz flüchtiger Überblick zeigt uns, daß mehr als achthundert einzelne Bilder vorhanden sind. Die meisten stellen Rinder dar, einige Antilopen. Ein Tier von der Pferdegattung ist da, gestreift wie ein Zebra, aber sonst dem afrikanischen Wildesel ähnlich, – und Menschen sind abgebildet, schöne, nackte Menschen von einer barbarischen Anmut der Haltung!

Erst als es dunkel ist, verlassen wir die Höhlen. Beim Abendessen ist jedermann freudig erregt. Im Radiozelt sitzt der Sergeante und funkt die erste Nachricht von der großen Entdeckung in die Welt. Professore Caporiacco, der die Botschaft seiner Universität schickt, bestätigt in einem ritterlichen ersten Impuls, daß der Fund Almásy geglückt ist und nicht der italienischen Mission. Noch können wir nach so wenigen Stunden die volle Bedeutung der Entdeckung nicht ganz überblicken. Aber schon heute, an diesem ersten, beglückenden Abend, wissen wir, die Gefährten Almásys, daß wir nicht umsonst diese Woche in dem glühenden Steinkreis von Uwenat zugebracht haben, sondern daß unserer Expedition ein Erfolg in den Schoß fällt, der alle Mühen reichlich belohnt.

15. Mai

Sehr zeitig am Morgen, noch ehe die Hitze das Klettern erschwert, steige ich zu der größten und wichtigsten Höhle hinauf, die Almásy gestern abend gefunden hat, und wo ich bisher noch nicht war. – Ich finde in der Höhle Almásy, der auf einem Steinblock sitzt und farbige Kreideskizzen nach den Bildern anfertigt, und Casparius, der eifrigst photographiert.

Der Anblick dieser Höhle ist überwältigend. Die Bilder, die hier an die Decke gemalt sind, scheinen mir besser erhalten als die in den anderen Höhlen; sie sind inhaltlich die interessantesten und verraten die Hand eines wirklichen Künstlers.

Meine Gedanken fliegen zu ihm, diesem seit Jahrtausenden toten Künstlermenschen, der diese Bilder gemalt hat. Er war kein bloßer Barbar, der müßig die Winde beschmiert hat. Die Bilder verraten erhebliche Technik. Der Felsen war vermutlich mit Rindstalg bestrichen worden, daran kleben dann die aus Ocker gemischten Farben.

Wir zählen vier Töne: weiß, dunkelbraun, rot und gelb. – Beim Malen hat der Höhlen-Raffael wahrscheinlich auf eben dem Felsblock gesessen, auf dem jetzt Almásy reitet. Jedes der Bilder ist von dort aus mit der Hand zu berühren. Die Höhle sah damals wahrscheinlich nicht anders aus als jetzt. Damals – wann? Vor dreitausend Jahren? Vor siebentausend? Vor neuntausend? Und wie hat er ausgesehen, der Künstler von damals?

Aber das weiß ich ja, denke ich. Er hat sich doch hier in der Höhle offenbar selbst porträtiert!

Die Tierfiguren, die der unbekannte Künstler der Steinzeit an die Decke seines Zimmers, dieser Höhle, gemalt hat, stellen nur zahme Tiere dar oder pflanzenfressendes Jagdwild, das an den Rändern der Oase gelebt haben mag. Weder die Löwen noch die Giraffen, die anderswo in die Wände afrikanischer Steinzeithöhlen geritzt sind, kommen hier vor. Der oder die Künstler der Höhlen von Uwenat (es waren vielleicht mehrere Maler von sehr verschiedenem Können) haben nicht die Fauna tropischer Wälder abzubilden versucht, sondern nur Tiere, wie sie unter den klimatischen Verhältnissen von heute, in Jahren reichlichen Regenfalls, noch immer in den Tälern des Bergmassivs und in der benachbarten Ebene leben könnten. Der Höhlenmaler von Uwenat hat nichts als den Alltag seines Lebens an diese Decke gezeichnet: die Rinder, die er zu weiden, die Antilopen, die er zu schießen pflegte.

Es sind vier verschiedene Rinderrassen deutlich zu unterscheiden. Die eine kennt man aus den Ausgrabungen in Ägypten: jene zierliche Gattung »Bos Africanus«, die schon im Aussterben gewesen sein mag, als Cheops seine Pyramide erbaute. Neben diesem Urrind zeigen die Bilder von Uwenat andere Formen, die noch heute in Afrika vorkommen. Eine einzige Kuh, deren Hörner nach vorne stehen, könnte zu einer Gattung gehören, die Herodot in seiner Beschreibung des Garamantenlandes erwähnt: jene Kuh, die beim Weiden rückwärts schreiten müsse, weil sie sonst mit den Hörnern in den Boden spießen wurde.

Die Rindergruppen hat der Künstler von Uwenat mit unendlicher Lebenswahrheit gemalt. Es gibt Kälber, an den Eutern der Mütter saugend, und einen prachtvollen schnaubenden Stier.

Die Tierfiguren sind bis zu zwanzig Zentimeter hoch; die Menschengestalten, die daneben stehen, hat er etwas kleiner gezeichnet. Es sind vielleicht ein Dutzend Menschen dargestellt; schlanke Männer mit Bogen und Pfeilen. Zunächst finden wir nicht jene Jagdszenen wie etwa die in der Steinzeithöhle von Valltorta, wo man die Menschenfiguren in so lebhafter Bewegung schießen sieht. Die Höhlenmenschen von Uwenat sind auf den Bildern tief dunkelbraun, aber das Gesicht und der mächtige Haarschopf sind mit Ocker gelb gemacht, vielleicht war es die Kriegsbemalung. Die Menschen sind nackt bis auf einen weißen Schurz; sie tragen Federn im Haar und weißen Schmuck, vermutlich aus Knochen gefertigt. Um Hals und Arme und Fußgelenke laufen die zierlichen Ringe. Ihre Waffen sind kurze Bogen mit Haken an einem

Ende, und sie tragen, über dem Rücken umgehängt, Köcher mit gefiederten Pfeilen darin.

Von den Bildern in dieser schönsten Höhle ist eines besonders bemerkenswert. Alle anderen Gemälde der Steinzeit, die man bisher gekannt hat, stellen, wie ich mich zu erinnern glaube, bloße Einzelfiguren und allenfalls Gruppen dar, die keinerlei Hintergrund haben. Hier aber ist eine Komposition, ein wirkliches Genrebild. Es zeigt nichts anderes als die Höhle hier mit ihren uralten Bewohnern darin. Die Höhle ist angedeutet durch einen Kreis, an dessen Rand viele kleinere Kreise sitzen wie Perlen an einer Schnur. Das sind, man sieht es sofort, die granitenen Blöcke, die Steinkartoffeln des Berges von Uwenat, die nächste Umgebung der Höhle. In dieser gemalten Höhle nun sitzen, sehr nackt und sehr friedlich, Monsieur und Madame, gewiß doch die Herrschaften, deren Salon dies hier gewesen ist: ein Mann, schlank und grazil wie die anderen, und ein kolossalisches Weib, so fett wie die »Venus von Willendorf«, die ein anderer Steinzeitkünstler, ein Österreicher von damals, in einer berühmten Urstatuette verewigt hat, als das Schönheitswunder seines Jahrhunderts.

Diese beiden Liebenden aus einer fernen Zeit sehen eng umschlungen auf uns herab, die wir in ihrer Höhle zu Gaste sind. Zwischen ihnen und uns klafft der Schlund der Jahrtausende. Und doch, ist das alles denn wirklich so fern von uns, findet sich keine Brücke? Diese Höhle liegt ja in Afrika, in einem Erdteil in dem immer noch nackte Menschen, behängt und besteckt mit beinernen Ringen, mit Bogen und Pfeilen zu jagen pflegen. In dem ganzen Gestus dieser Menschenfiguren, in ihrem Bau, ihrer Bewegung liegt etwas Bekanntes.

Ich habe den Band Herodot hier heraufgebracht, und während Almásy das Paar in der Höhle kopiert, lese ich ihm langsam jene Stelle aus dem Buch »Melpomene« vor, die von eben dieser Gegend Afrikas handelt:

»Zehn Tagereisen von Audschila ist wieder ein Salzberg und eine Quelle. Fruchttragende Palmen wachsen hier reichlich … Diese Gegend bewohnt die Nation der Garamanten, ein sehr mächtiges Volk … Im Lande der Garamanten werden Rinder gefunden, die beim Grasen rückwärts schreiten. Sie tun das, weil sich ihre Hörner nach außen krümmen, vor ihrem Kopf, so daß sie beim Grasen nicht vorgehen könnten, ohne die Hörner in den Grund zu rennen. Nur darin unterscheiden sie sich von anderen Rindern, und ferner durch die Dicke und Härte ihrer Haut. Die Garamanten haben Wagen, mit vier Pferden bespannt, mit denen sie die äthiopischen Troglodyten jagen, die von allen bekannten Nationen die schnellsten Renner sind. Die Troglodyten essen Schlangen und Eidechsen und ähnliche Kriechtiere. Ihre Sprache ist ungleich derjenigen anderer Menschen; sie klingt wie das Kreischen der Fledermäuse.«

Ich halte inne. Almásy und ich haben diese Stelle im Herodot oft diskutiert; wir müssen nicht weiter darüber reden. Alles, was der Mann von Halikarnaß, der beste

Mann und Weib in der Höhle

Jäger mit Kuh und Kälbchen

Von Herodot beschriebenes Rind

Höhlenmalereien in Uwenat, nach Kopien Almásys

Reisereporter sämtlicher Zeiten, von der Libyschen Wüste erzählt hat, bestätigt sich Stück um Stück. Die Oase Audschila heißt noch am heutigen Tage Audschila; in dem Land mit Salzseen, Quellen und Dattelhainen, das zehn Tagereisen südlich davon beginnt, kann man die Oasengruppe von Kufra erkennen. Und das »äthiopische« Volk, das dahinter lebte, im Krieg mit den Garamanten? Wüstenzigeuner, Schlangenfresser, unerhört flinke Läufer? Zug für Zug paßt die Beschreibung auf die heutigen Tibu, auch wenn nicht ihre piepsende Sprache noch eigens erwähnt worden wäre!

Und Troglodyten, Höhlenbewohner? Hier haben wir die Höhlen, in denen ein schwarzes Volk von Hirten gewohnt hat, schwarz wie die Tibu, schlank wie die Tibu, den Tibu in allem ähnlich!

Die Annahme, daß die äthiopischen Troglodyten des Herodot mit den Tibu von heute identisch seien, wird mir fast zur Gewißheit, als ich später, am Nachmittag, eine neue Höhle betrete, in der ebenfalls einige Bilder zu finden sind, Denkmale des uralten Volkes, das hier lebte, – aber außerdem unverkennbare Spuren der modernen Tibu. Ein Sandbett, ganz nach Tibu-Art gegraben und gegen den Luftzug geschützt, ist in der Mitte der Höhle; ein gemauerter Herd ist in einem Winkel. Hier haben noch vor ganz wenigen Jahren jene Tibu gehaust, die Hassanein in Uwenat vorfand, die äthiopischen Troglodyten von heute.

Zwischen den Höhlen kletternd, finden wir, Kádár und ich, auch einiges Steingerät der Höhlenbewohner. Die steinernen Platten und die gerundeten Mahlsteine, die wir sammeln, können so gut aus der Steinzeit stammen wie aus einem Lager der heutigen Tibu. Ihre Frauen zerkleinern auf diese neolithische Art noch immer die bitteren Körner der Koloquinten, einer kürbisartigen Steppenfrucht, aus denen sie einen Teig zu bereiten wissen. Daneben sind wieder Lanzenspitzen und scharfe Messer, nicht aus Feuerstein wie bei der Giraffenhöhle, sondern aus Obsidian; das vulkanische Glas läßt sich wie ein Rassiermesser schärfen. Das steinerne Messer ist zahllose Jahrhunderte alt, aber den Reibstein könnte auch Njikinjiki gestern verwendet haben.

In diesen bemalten Höhlen von Uwenat scheinen die Zeiten stillgestanden zu sein; die ältesten Ahnen sind hier gewesen und die Enkel von heute.

Es entsteht darüber ein Disput zwischen Almásy und mir. Ich, auf meinen Herodot pochend, betone den engen Zusammenhang zwischen den Menschen der Urzeit, die diese Höhlen so wunderbar ausgemalt haben, und den Tibu, die noch unlängst hier lebten. Die alten Höhlenbewohner von Uwenat, sage ich, die Zeitgenossen des Bos Africanus, können hier fern im Westen noch immer gesiedelt haben, als Pharao seine Pyramide erbaute. Und später noch, bis in die Zeiten des Herodot! – Almásy dagegen können seine Höhlengemälde nicht alt genug sein; er redet von neuntausend Jahren. Schließlich sehen wir einer den anderen an und beginnen zu lächeln. Was wissen wir beide von diesen Dingen?

Wir haben, fühlen wir, nur den Rand des Problems berührt. Wahrscheinlich wird man in dem Gebirgsmassiv von Uwenat, wenn es gründlicher durchsucht wird, noch viel mehr, vielleicht aufschlußreichere, Spuren der uralten Zivilisation finden können, die zweifellos einmal hier ihren Sitz gehabt hat. Das ist eine Aufgabe für Archäologen: wir haben das Glück gehabt, diese Aufgabe zu entdecken; lösen mögen sie diejenigen, die nach uns kommen. Diese alten Sagen, diese Märchen, die uns in die Wüste gelockt haben, sind, das sehen wir schon heute, nicht sinnloses Geschwätz.

Jawohl, es hat einst in der Libyschen Wüste günstigere Lebensbedingungen gegeben, mehr Wasser, mehr Weiden, und die Sagen haben eine schattenhafte Erinnerung an uralte Völker von primitiven Jägern und Hirten bewahrt, die einst in der Wüste gewohnt haben, als sie noch nicht Wüste war, sondern ein grünes Stück Afrika, durchrauscht von großen Strömen. Hier in Uwenat haben wir das letzte spärliche Wasser gefunden, das von den Quellen der Urzeit noch übriggeblieben ist; die Brunnen in unserer »Oase der kleinen Vögel« fanden wir soeben versiegt, obwohl die Bäume der sterbenden Oase noch grünten; den See, an dessen Ufer die »Giraffenhöhle« einst lag, haben wir trocken und versickert gefunden; dennoch ist es gewiß, daß in allen diesen weiten Gebieten einst Menschen gewohnt, die Tiere des afrikanischen Waldes und der Steppe gejagt und ihre Herden geweidet haben. Als am Nil das alte Reich der Ägypter blühte, war Libyen noch ein lebendiges Land; als Herodot seine »Geschichten« schrieb, war das schwarze Volk der Troglodyten noch stark und mächtig in einer noch nicht ganz verdursteten Wüste.

Almásy und ich sehen einander an. Unsere Expedition hat schon ihren Sinn gehabt; wir haben bewiesen, was zu beweisen wir ausgezogen waren. Und jetzt nach Hause!

Der Brunnen der Landvermesser

15. Mai

Am späten Nachmittag fährt Penderel in den Talkessel ein; Abdu ist bei ihm und zwei neue arabische Diener, die Penderel in Kharga angeworben hat. Fast gleichzeitig kommt von der anderen Seite Hauptmann Marchesi aus Kufra zurück. Penderel erzählt sogleich, daß er noch immer die Absicht habe, von hier aus nach Merga zu fahren und von dort nach Dongola zu gelangen, während wir anderen nach dem, was geschehen ist, desto eiliger direkt nach Kairo zurückkehren möchten.

Capitano Marchesi macht, wie er von Penderels Plänen hört, ein Gesicht, das mir auffällt, sagt aber erst nichts und geht in sein Zelt. Wir anderen stehen bei Penderel, dem wir so viel zu erzählen haben. Er freut sich augenscheinlich über den neuen Erfolg unserer Expedition, obwohl er ein bißchen flucht, weil er nicht dabei sein konnte, und er erzählt seine eigenen Abenteuer. Er hat den Weg zwischen Peter und Paul und der Kharga-Oase sehr schwierig gefunden und für die künftige Karte interessante Notizen gemacht. Ein neues Stück der Libyschen Wüste, das bisher noch niemand befahren hatte, ist nun bekannt.

Während er davon redet und von seinem baldigen Aufbruch nach Merga, kommt eine Ordonnanz und bittet mich, den Kommandanten Marchesi in seinem Zelt zu besuchen.

Ich gehe hin, und zu meinem Erstaunen beginnt mir Marchesi von Gongoi zu reden. Er hat in Kufra etwas erfahren, was Penderel wissen muß, bevor er nach Merga fährt, in eine Lebensgefahr hinein.

Gongoi (auch Gogo genannt) ist ein Guraan, das ist eine Völkerschaft, die den Tibu zwar nahe verwandt ist, doch wilder als sie, noch kaum zum Islam bekehrt und reichlich barbarisch. Gongoi steht an der Spitze einer Bande von Wüstenräubern; seine letzte Heldentat im letzten Winter war ein Raid gegen das Gebiet von Dongola in der anglo-ägyptischen Sudankolonie. Die Bande hatte Kamele geraubt und einen Menschen erschossen. Nach dem Überfall hatten britische Flieger (Penderel selbst war dabei gewesen) vergeblich in der Wüste das Lager der Räuber gesucht und waren auch über Merga geflogen, ohne eine Spur von Gongoi finden zu können.

Und jetzt bringt Marchesi die Nachricht, daß Gongoi dennoch in Merga sein Hauptquartier hat. – Man wußte seit einiger Zeit, daß nach der Besetzung von Kufra einige von den in die Wüste geflüchteten Oasenbewohnern zu der Bande gestoßen waren. Nun erzählt mir Marchesi, daß zwei von diesen Leuten, ein Zueïa-Araber und ein Tuareg, mit einer Frau nach Kufra zurückgekehrt sind, des Räuberlebens in Merga müde, und sich den italienischen Behörden ergeben haben. Nach der Aussage dieser Überläufer hat Gongoi den Winter in Merga verbracht; die Oase ist, obwohl sie gutes Wasser und reichliche Weideplätze enthält, sonst nicht bewohnt und wird nur im Herbst, wenn die Datteln reifen, von Beduinenstämmen besucht. So hat der Schlupfwinkel von Gongois Bande bisher unentdeckt bleiben können; als die britischen Flugzeuge kamen, versteckte sich Gongoi in einem benachbarten Wadi. – Die Überläufer erzählen, daß Gongoi noch zwölf wohlbewaffnete Männer bei sich hat nebst sechzehn Frauen, zwei Kindern und siebzig Kamelen.

Marchesi bittet mich sehr ernst, den Wing Commander zu warnen. Wenn er nach Merga hineinfährt, geht er vielleicht in eine offene Falle. Mit Gongoi ist nicht zu spaßen!

Mit schwerem Herzen gehe ich zurück zu Penderel. Ich kenne ihn doch!

Und richtig: da er hört, was für ein Abenteuer in Merga wartet, leuchten die Augen des verspäteten Wikings auf. Natürlich wird er nach Merga fahren, erst recht!

Es ist vergeblich, ihm abzuraten. Er will fahren, und so, wie er es geplant hat: allein mit Abdu und den beiden neuen arabischen Dienern, die er aus Kharga mitbringt. Daß unsere Expedition außer einer Vogelflinte nur ein einziges Schießgewehr besitzt, schert ihn nicht viel. Er sagt, es sei seine Pflicht als britischer Offizier, das Räubernest zu erkunden, mehr wolle er nicht. »Mit meinen Autos«, sagt er, »komme ich Gongois Bande gar nicht in Schußdistanz. Er kann mir mit seinen Kamelen nicht folgen. Ich fahre in Merga ein, liefere dort natürlich nicht eine Schlacht, sondern eile, wenn ich die Räuber gefunden habe, so rasch wie möglich nach Dongola, wo Flugzeuge stationiert sind, und melde, was ich beobachtet habe.

Dabei bleibt es. Er weigert sich, einen von uns anderen mitzunehmen. Wir sind Ausländer; er allein unter uns ist ein Soldat Englands und hat einen Krieg gegen Mister Gongoi zu führen.

16. Mai

Wir stehen vor Sonnenaufgang auf; gegen zehn sind die Wagen bepackt. Wir danken den italienischen Herren für ihre Gastfreundschaft und Zuvorkommenheit. Auch sie haben, wie ihre Kameraden in Kufra, unserer Expedition nur Gutes erwiesen und haben Anspruch auf unsere Dankbarkeit. Ich habe übrigens das Gefühl, daß unsere italienischen Freunde uns ganz gern los werden. Sie sind in Uwenat in einer politischen Mission und brauchen dazu keine Fremden, die ihre Nasen in ihre Angelegenheiten stecken und die Höhlenbilder entdecken, die der Professore viel besser hätte finden können; und schließlich und endlich ist unter diesen Gästen auch ein aktiver Wing Commander der britischen Luftflotte. Noch ist es zwischen England und Italien strittig, in wessen Gebiet die Brunnen von Uwenat liegen.

Zum letztenmal fahren alle vier Autos unserer Expedition vereint ein Stück in die Ebene und halten dann, um eine letzte Filmaufnahme zu machen, mit dem ragenden Uwenat-Berg als Hintergrund.

Wie wir zum letzten Male hinübersehen, fällt uns der Himmel auf, der plötzlich ganz grau verhängt ist. Schweres Gewölk zieht über Uwenat auf. Es sieht so aus, als wäre einer der tropischen Regengüsse im Anzug, die um diese Jahreszeit in Uwenat zu erwarten sind. Das bedeutet einige schwere Tage für unsere italienischen Freunde. Sie werden in den Höhlen nur schlecht geborgen sein und der Talgrund des Felsenkessels verwandelt sich nach einem Wolkenbruch wahrscheinlich in einen See.

Und vielleicht, sagen wir zueinander, treibt dann der Wüstenwind die Regenwolken nach Norden, bis sie an den Kuppen des Gilf Kebir von neuem hängen bleiben und schließlich auf die drei Wadis herniedergehen. Dann erwacht die Oase der kleinen Vögel aus ihrem Schlaf. Wie gerne möchten wir sie einmal besuchen, wenn ihre Quellen fließen und ihre Weiden von neuem grün sind!

Aber das kann jetzt nicht sein. Sobald wir in die freie Wüste gelangt sind, halten wir unsere Autos an; der Augenblick des Abschieds ist da. Mit einem letzten Scherzwort und lachend sagt Penderel uns adieu und fährt nach Süden, seinem tollen Abenteuer entgegen. Wir sehen ihm lange nach, nicht ohne ein heimliches Bangen. Dann nehmen wir unseren Kurs nach Osten.

Wir lagern irgendwo in der offenen Wüste, sobald es dunkel geworden ist. Nach der Backofenhitze von Uwenat erscheint uns die Frische des Abends herrlich. Mit einem wollüstigen Frösteln ziehe ich meinen Mantel an und will Kádár nicht glauben, als er die Temperatur mißt und mir das Thermometer zeigt: ich friere bei dreißig Grad Celsius, und das Trinkwasser, das ich soeben wunderbar kühl gefunden habe, hat neunundzwanzig Grad Celsius!

17. Mai

Wir brechen sehr zeitig auf und fahren ohne Mittagsrast ein gewaltiges Stück gegen Nordost, bis am frühen Nachmittag aus der flachen Wüste plötzlich ein Bauwerk von Menschenhand auftaucht: das Brunnenhaus des Messaha-Brunnens.

Bir Messaha, »der Brunnen der Landvermesser«, ist ganz neu. Vor wenigen Jahren zeigte ein amerikanischer Ingenieur in ägyptischen Diensten namens Beadnell dem König Fuad I. eine hydrographische Karte der Libyschen Wüste. Auf der Karte waren alle bekannten Brunnen der Wüste verzeichnet, fast alle in tiefen Depressionen gelegen, und Mr. Beadnell erklärte dem König, wie ein Grundwasserspiegel unter der Wüste liege: wo der Wüstenboden sich senkt, kann man Brunnen bohren und das Wasser erreichen.

»Also hier zum Beispiel?« fragte der König und wies mit der Hand auf eine Stelle, an der nach der Karte der Wüstenboden fünfundsiebzig Meter über dem Grundwasserspiegel liegt.

»Ja«, sagte der Ingenieur mit einem Lächeln, »wenn man hier einen Schacht bohrt, fünfundsiebzig Meter hinab, dann trifft man bestimmt auf Wasser.«

»Also versuchen Sie es!« befahl der König.

Noch ist an einem orientalischen Königshof nach der alten Märchenformel das Hören gleich dem Gehorchen. Genau an der Stelle, die der lässige Finger des Königs bezeichnet hatte, entstand ein Arbeiterlager. Kolonnen von Autos kamen von Kharga her und beförderten Menschen und Material in die Wüste. Im Winter 1927 war der Brunnenschacht gebohrt, fünfundsiebzig Meter tief, und eine gewaltige Brunnenwinde schaffte den ersten Eimer Wasser aus der Tiefe.

Das ist der »Brunnen der Landvermesser«, ein imposantes Werk neuer Technik. Es ist zu bedauern, daß damals der Zeigefinger des Königs nicht eine andere Stelle der Wüstenkarte berührt hatte. Dieser Brunnen, den Beadnell unter ungeheuren Kosten gebohrt hat, liefert zwar ganz vortreffliches Wasser, aber er liegt an keiner der Karawanenstraßen der Wüste und wird sehr selten benützt, da die Araber seine Lage nicht kennen. Es ist vorgekommen, daß wenige Meilen von diesem Brunnen Menschen verdurstet sind.

Derjenige Mensch, der den Messaha-Brunnen bestimmt am besten kennt, ist Almásy. Während seiner Expedition im Frühjahr 1932 hatte es sich so gefügt, daß an dem Brunnen der Landvermesser jemand warten mußte, um dem den Autos nachkommenden Flugzeug den Landungsplatz anzuzeigen. So blieb Almásy, vollkommen allein, vier Tage an diesem Brunnen sitzen. Eine Wüstenspringmaus kam ihn besuchen, sonst sah er vier Tage lang kein lebendes Wesen, wenn man Skorpione nicht rechnet.

Er erzählt von diesen schrecklichen Einsiedlertagen, während er mir den Messaha-Brunnen zeigt: in der flachen Wüste, in einer Landschaft ohne jedes Profil, steht ein hölzernes Brunnenhäuschen, das schon halb verfallen ist. Wenn man die Läden des einzigen Fensters zumacht, wird es innen finster und kühl. Hier hat Almásy die heißen Tage verbracht, obwohl es im Innern der Hütte von Skorpionen wimmelt. Sonst enthält das Häuschen ein einziges Ding, die riesige Winde, mit der man das dicke Stahlseil aufkurbeln kann, das durch das Fenster zum Brunnen hinüberläuft. Fünfundsiebzig Meter Stahlseil aus dem Brunnen zu winden, ehe der erste Tropfen Wasser zum Vorschein kommt! – Almásy erzählt uns von seinem Schreck: als er hier allein zurückblieb, hatte er wohl Lebensmittel für eine Woche, aber ans Trinken hatte niemand gedacht, da hier doch der Brunnen war. – Und dann konnte er viele Stunden lang, allein wie er war, den Eimer nicht aus dem Brunnen heben! Er brauchte eine halbe Stunde und seine ganze Kraft, um die Kurbel nur einmal herumzudrehen. Es gelang schließlich unter furchtbaren Mühen, das erste Wasser zu schöpfen. Aber er hatte schon gefürchtet, neben diesem Brunnen vor Durst sterben zu müssen.

Der Brunnen selbst ist ein rüstiges Stückchen Technik, robust und reizlos. Der tiefe Schacht ist innen mit Holz verschalt und außen zum Schutz gegen den Flugsand mit einem schweren Deckel verschlossen. Darüber erhebt sich eine Art Galgen, der die Seilrolle trägt. Ein riesiger eiserner Trog steht dahinter, die Tränke für die Kamele, die hier niemals vorüberkommen.

Sonst weit und breit nichts. Ja, doch: das Grab einer Frau.

Unsere Schwarzen haben unter vielem Stöhnen und Schwitzen einige Eimer des Wassers aus dem Brunnen gehoben. Das Wasser ist süß und sehr kühl, wir trinken lange. Dann führt uns Almásy zu diesem einsamen Grab. Ist sie ihm wohl in seinen Einsiedlernächten erschienen, die Tote, die hier begraben liegt? Sie war jung und schön, eine Fürstin unter den Ihren. Und sie ist an diesem Brunnen verdurstet.

Ich stehe an ihrem schmalen Grab. Es ist kunstvoll mit Steinen umhegt, so wie man in der Wüste nur die Gräber der Vornehmen sichert. Diese Frau war die Tochter eines großen arabischen Scheichs, Sallah el Ateuish. Er war einer der Getreuen des Senussi-Hauses gewesen und hatte lange gegen die Italiener gekämpft. Im Januar 1931, als die italienischen Truppen Kufra besetzten, entfloh er mit vielen Leuten seines Stammes, der Mogharba, in die Wüste. Viele Wochen irrten die armen Menschen umher; dann legten sie sich nieder, um den Tod zu erwarten; sie wußten nicht, daß der rettende Brunnen sehr nahe war.

Patrick A. Clayton, der Landvermesser, fand in der Wüste die Spuren dieser Verirrten und rettete sie noch im letzten Augenblick.

Aber die junge Tochter des Scheichs starb, als sie von Claytons Auto aus den Brunnen erblickte.

Am Grab dieses unglückseligen Menschenkindes ist diese große Tragödie der Wüste mir nahe gegangen, die Flucht der Emigranten von Kufra in die schreckliche Einöde, die ohne Erbarmen ist. Ich habe in Kharga und Kufra über dieses Drama so viel erfahren, daß ich ein Bild der erschütternden Vorgänge zeichnen kann, von dem die europäische Welt so gut wie gar nichts gehört hat.

Die Wüste ist schön, aber die Wüste ist grausam und haßt uns Menschen.

Die Flucht in die Wüste

Am Morgen des 18. Januar 1931 erschien über Dschoff, dem Hauptort der Oasengruppe von Kufra, ein Geschwader von Aeroplanen. Die gegen Kufra heran-marschierende italienische Heereskolonne hatte es zur Aufklärung vorgeschickt.

Die Flieger kehrten zu ihrer Basis zurück und meldeten dort, »die Bevölkerung der Oase scheine ihrer normalen Beschäftigung nachzugehen«.

Am nächsten Tag wurde bei der kleinen Oase El Hauuari die entscheidende Schlacht geschlagen. Nach schweren Kämpfen zerstreuten die italienischen Truppen die Mehallas der Senussi-Rebellen. Seither weht über dem Fort von Kufra die Fahne Italiens.

Bis zu diesem 19. Januar 1931 war Kufra, die heilige Oase der Senussiya, von fremdem Einfluß ganz unberührt gewesen. In der Theorie gehörte die Oasengruppe wohl seit zwei Jahrzehnten zu der italienischen Kolonie Cirenaica; aber die Italiener hatten noch niemals wirklich ihre Macht hierher zu erstrecken, ja, Kufra auch nur zu betreten vermocht. In Kufra lebten zentralafrikanische Menschen, Zueïa-Araber, Tibu und einige Tuareg nebst ihren sudanesischen Sklaven. Niemand wußte von den Dingen Europas. Vielleicht hatte man von Aeroplanen und Autos vage reden gehört, als von Norden her arabische Emigranten nach Kufra kamen; seit dem Beginn der faschistischen Ära hatten die Italiener die Besetzung ihrer Kolonie energisch in An-griff genommen und hatten die von den Senussi geführten »Rebellen« immer weiter nach Süden gedrängt. Es war ein blutiger Kolonialkrieg, und man gab einander wenig Pardon.

Als die Italiener endlich Kufra besetzten, hatten viele der hierher geflüchteten Senussistreiter einen persönlichen Grund, sich dem Feind nicht zu ergeben. Mehr als ein Scheich mochte wissen, daß er selbst italienische Kriegsgefangene grausam genug hatte umbringen lassen. Der Krieg ist in Afrika mehr noch als anderswo ein grauen-haftes Geschäft.

Nachdem sie sich tapfer verteidigt hatten, wichen die einflußreichsten der arabi-schen Führer der überlegenen feindlichen Macht, verließen Kufra und flohen in die Wüste hinein. Ihnen folgten die Oasenbewohner zu Tausenden, nicht nur die Krieger, sondern auch Frauen und kleine Kinder.

Wie viele Menschen damals aus Kufra geflüchtet sind, ist schwer zu sagen. Die Italiener schätzen: etwa zweitausend. Die Araber, die ich in Kufra befragte, sagen: die Hälfte der Einwohnerschaft. Das wären fünftausend Personen. Wirklich stehen die Dörfer, die ich kenne, halb leer. Ich habe in den Dattelhainen die nicht geernte-ten Datteln auf der Erde faulen gesehen; viele Häuser sind verfallen, viele Felder sind nicht bestellt. Erst langsam erholt sich unter dem italienischen Regime das Land von der Katastrophe. Einige der damals Geflüchteten kehren allmählich nach Hause zurück.

Jene tragische Wanderung durch die Wüste dürften zwei- bis dreitausend Personen mitgemacht haben. Einige hundert von ihnen sind im Verlauf des Frühjahrs 1931 lebend in den Oasen Ägyptens angelangt, andere in Französisch-Tibesti und im Sudan. Einige wenige leben noch jetzt in der Wüste als Räuber. Wieviele sind auf der Flucht elendiglich umgekommen?

In seinem bemerkenswerten Buch »Cirenaica Pacificata« hat General Rodolfo Graziani, der spätere Marschall und Vizekönig von Äthiopien, einiges über die Verfolgung der in die Wüste entwichenen Karawanen gesagt. »Von den Fliegern geleitet«, schreibt er, »die den ganzen Tag auf die Flüchtlinge Bomben warfen und sie aus geringer Höhe mit Maschinengewehren beschossen, gewannen die zur Verfolgung ausgesandten Abteilungen sehr bald die Fühlung mit den ersten Nachzüglern, zum großen Teil Frauen und Kindern.

Die Frucht der Verfolgung bestand aus 37 Gewehren, die man etwa fünfzig Männern abnahm, von denen zwölf sofort füsiliert und zwei, der Senussi-Akuan (etwa: Ordensritter) Mohammed ben Omar el Fadil und sein Sekretär, in Dschoff gehängt wurden, ferner aus 200 Frauen und Kindern und zahlreichem Vieh.

Überall die Spuren einer unordentlichen, regellosen Flucht.

Den Brunnen von Maaten Bischara (auf dem Weg gegen Tibesti) und die umliegende Gegend fand Capitano Bonichi mit Leichen bestreut, besonders von Frauen und Kindern, die vor Erschöpfung gestorben waren.«

Bei weitem der größte Teil der geflüchteten Leute von Kufra wurde nicht, wie jene zweihundert Frauen und Kinder, von den Verfolgern erreicht und zurückgeholt. Vielleicht wäre es möglich gewesen, mit Automobilen den flüchtenden Gruppen nachzueilen und sie zur Übergabe zu bewegen; die Flugzeuge, die über den Karawanen erschienen, erzeugten nur neue Panik. Sie wurden von unten beschossen, so warfen sie Bomben ab; das ist so im Krieg! Ich habe in Kufra italienische Offiziere kennengelernt, die damals bei diesen Truppen gewesen sind, und kann die wohlwollenden Männer nicht für die grausamen Schlächter von Hilflosen halten, als die sie von der arabischen Presse Ägyptens hingestellt worden sind. Sie waren einfach Soldaten in einem Krieg. So rücksichtslos sie gegen jene vorgingen, in denen sie kämpfende Rebellen sahen, so sehr mußte ihnen selber daran gelegen sein, die friedliche Einwohnerschaft in die Oase zurückzubringen. Genug, es gelang nicht.

Die Emigranten flohen in größeren Gruppen unter der Führung eines eingeborenen Scheichs. Die meisten Gruppen werden wohl anfangs Lasttiere mitgehabt haben, die Wasser und Mundvorrat trugen und ohne Zweifel auch den nutzlosen Kram, den ein Flüchtling mit sich schleppt. Wo die Tiere fehlten, trugen die Menschen selbst ihr Gepäck; es steht zu befürchten, vor allem die schwachen Frauen. Die Männer waren meistens bewaffnet. Einige der Führer kannten die Wüste wirklich und wußten wenigstens, in welcher Richtung sie gehen mußten. Andere Gruppen zogen durch diese schreckliche Wüste – das größte wasserlose Gebiet der Erde – ohne Karte, ohne Kompaß, auch ohne Kenntnis des Reiseziels. Die rettenden Oasen waren hunderte, ja tausende Kilometer entfernt. Wie sollten die Frauen und Kinder sie je erreichen?

In den Monaten Februar, März und April des Unglücksjahres 1931 hätte ein Auge, vom Mond auf die Libysche Wüste herabblickend, in den ungeheuren Einöden hier oder dort sich etwas regen gesehen, kleine Haufen von Menschen und Tieren, die sich langsam und immer langsamer vorwärts bewegten, in vielerlei Richtungen. Die große Masse dürfte zunächst nach den Quellen von Uwenat hingestrebt haben, wo wenigstens Wasser zu finden war und Weide für die Kamele, obgleich keine Nahrung für Menschen. Von Uwenat gingen einige Karawanen südwärts auf Merga zu; die meisten zogen gegen Nordosten, um die Oasen Ägyptens zu erreichen.

Von alledem ahnte die zivilisierte Welt sehr lange nichts. Erst am 16. Februar kam Patrick A. Clayton in seiner Eigenschaft als Inspektor des Desert Survey mit einer großen Kartierungsarbeit beschäftigt, nach Uwenat und fand dort an der Dua-Quelle zehn Araber, Männer, Frauen und Kinder, die halb tot auf dem Boden lagen; sie hatten seit Tagen nichts mehr zu essen gehabt.

Von dem Scheich Mohammed el Mufta, dem Führer dieser Leute, erfuhr dann Clayton zum erstenmal von den Kämpfen in Kufra und von der Flucht der Einwohner in die Wüste. Mohammed el Mufta war von Kufra bis Uwenat mit einer großen Karawane gereist, die Kamele und Pferde besessen hatte. Die Karawane war von Uwenat weiter gegen Dachla gezogen; die Leute Muftas, die keine Tragtiere besaßen, blieben allein beim Wasser zurück.

Clayton brachte die Ärmsten in seinen drei Autos nach Wadi Halfa, wo sich die sudanesischen Behörden ihrer annahmen. Das Schicksal der großen Karawane beunruhigte Clayton nicht sehr; er nahm an, sie hätten Kamele genug, um sicher nach Dachla gelangen zu können.

Einen Monat später, am 18. März, setzte Mr. Clayton in einem anderen Teil der Wüste, nicht weit vom Messaha-Brunnen, seine trigonometrischen Messungen fort. Da stieß er von neuem auf die Spur von Flüchtlingen. Er folgte ihnen ein Stück und fand funfundzwanzig verschmachtende Menschen. Sie hockten in den letzten furchtbaren Qualen des Durstes im Sande und warteten auf den Tod.

Ihr Führer war Sallah el Ateuish, ein Scheich des Stammes Mogharba. Er hatte im Krieg gegen die Italiener eine große Rolle gespielt, und es stand ein Preis auf seinem Haupt. Nach dem Fall von Kufra hatten er und sein Kampfgenosse Abd el Ghalil etwa fünfhundert Flüchtlinge, Leute aus den Stämmen der Mogharba und Zueïa, um sich gesammelt und waren mit ihnen in die Wüste gezogen. Der starke Haufe kam glücklich bis Uwenat, wo sie bei den Quellen einige Tage verbrachten; dann versuchten sie, nach Süden die Merga-Oase zu erreichen, verirrten sich aber und kehrten wieder nach Uwenat zurück. Dort zerfiel diese größte der Flüchtlingskarawanen in kleinere Gruppen. Diejenigen, die Sallah el Ateuish führte, gingen gegen Nord-osten. Sie fanden inmitten der Wüste die Spuren von Automobilen und folgten ihnen ein Stück; es dürfte die alte Fährte des Prinzen Kemal el Din gewesen sein. Plötzlich verloren sich wieder die Spuren, und dann irrte Sallah el Ateuisch ziellos in der Wüste umher.

Als Clayton diese Glücklich-Unglücklichen fand, waren sie ganz nahe am Brun-nen der Landvermesser; sie hatten von seiner Existenz nichts geahnt. Clayton brach-te sie in wenigen Minuten zum Wasser. Aber die junge Tochter des Scheichs starb, sowie sie den rettenden Brunnen erblickte. Die anderen schaffte Clayton lebend nach Kharga.

Sobald Clayton von Sallah el Ateuish den ganzen Umfang des Unheils erfahren hatte und wußte, daß noch zahlreiche andere Flüchtlingshaufen in der Wüste lagen, bemühte er sich um ihre Rettung. In den folgenden Wochen verdankten noch viele der Emigranten von Kufra der Energie und der Aufopferung dieses Mannes ihr Le-ben. Aber der wirkliche Held dieser Rettungsaktion ist nicht er, sondern ein euro-päisch gebildeter Ägypter, einer jener »Efendis«, über die manche Europäer so ger-ne die Nase rümpfen.

Einmal, während unseres Aufenthaltes in Kharga, kehrte Almásy aus dem Ort verspätet zum Abendessen zurück. Er hatte einen arabischen Gentleman kennenge-lernt und war noch völlig erschüttert von einem Gespräch mit ihm. Er hieß Abd el Rachman Zoher und war der Mamur, das ist Polizeichef der Oase Dachla, deren Verwaltung dem Gouvernement in Kharga untersteht. Aus dem Munde dieses außer-ordentlichen Mannes hatte Almásy die ganze Geschichte jener Frühlingstage von 1931 vernommen, mit einer Fülle erschütternder Einzelheiten. Zum Glück war es Almásy gelungen, sich Notizen zu machen.

Die las er mir vor; und ich schlief nicht in jener Nacht.

Clayton hatte Sallah el Ateuish erst am 18. März aufgefunden. Aber schon am 23. Februar kamen die ersten Flüchtlinge in Dachla an, besonders vom Glück Be-günstigte, oder besonders Rücksichtslose und Starke, die, ihre schwächeren Un-glücksgefährten weit hinter sich lassend, den Weg von Kufra in wenig mehr als einem Monat zurückgelegt hatten. In Mut, dem südlichsten Dorf der Oase Dachla, erzähl-ten diese Geretteten, daß hinter ihnen noch Hunderte in der Wüste herumirrten, Männer, Frauen und Kinder. Einige mochten noch Aussicht haben, aus eigener Kraft den Oasenrand zu erreichen; die meisten anderen waren noch viele Tagereisen davon entfernt, ohne Wasser, ohne Nahrung, mit sinkenden Kräften. Viele hatten schon ihre Kamele geschlachtet und aufgegessen: die Flüssigkeit, die der Kamelmagen enthält, hatte für einen Augenblick den Durst der Menschen besänftigt; dann war auch diese letzte Reserve verbraucht. Überall auf den Wegen der Wüste lagen Verschmachtende, die sich nicht mehr bewegen konnten. Rüstige Männer ließen ihre Frauen liegen, Mütter ihre Kinder; der Durst zerstört den Menschen im Menschen.

Der Mamur von Dachla, Abd el Rachman Zoher, saß am Nachmittag des 23. Februar in seiner Amtsstube, als der erste der geretteten Flüchtlinge, ein Zueïa namens Melad Musa, zu ihm gebracht wurde und ihm das Furchtbare berichtete.

Wenige Augenblicke darauf saß der Mamur in einem mit Wasser beladenen Auto und fuhr in die Wüste hinaus. Mit ihm ging der Arzt Dr. Timu Efendi Kolta; hoch klingt das Lied auch von diesem braven Mann. Was diese beiden in den nächsten Tagen und Wochen erlebten, ist fürchterlich; was sie taten, ist groß.

Dachla ist nicht eines der Zentren unserer mechanisierten Zivilisation. Der brave Mamur hatte für sein großes Rettungswerk außer seinem eigenen Auto und dem des Spitals nur die wenigen Mietwagen zur Verfügung, die es in der Oase gab. Das Benzin war knapp; die Kosten waren zu bedenken. Auch waren diese Menschen, die in der Wüste verkamen, nicht nur Leidende, sondern auch Verzweifelte: Beduinen mit Waffen in ihren Händen. Die entschlossenen Männer, die ihnen zu Hilfe kamen, hatten sie nicht nur zu retten, sondern auch zu entwaffnen. Außer den Gefahren der Wüstenreise im Auto war die Gefahr sehr groß, daß diese halbwilden Wüstensöhne die Autos angreifen, das für alle bestimmte Wasser gewaltsam rauben könnten.

Es ist wunderbar, wie der Mamur von Dachla diese Gefahren verachtet hat, wie er von dem Augenblick an, da ihm der erste Flüchtling die Schreckenskunde bringt, aufhört, ein privates Wesen zu sein, das essen und schlafen muß. Ehe andere Helfer zur Stelle sind, fährt er immer wieder von neuem so weit in die Wüste hinein, bis die Hälfte des mitgenommenen Benzins erschöpft ist. Begegnet er Gruppen von Flüchtlingen, dann hält er bei ihnen, labt sie mit etwas Wasser, verteilt Orangen und Lebensmittel, nimmt aber noch niemand in seine Autos auf; die Leute bekommen die Weisung, zu warten, bis er zurückkehrt. Erst auf der Rückfahrt belädt er die Autos mit den Schwächsten und Bedürftigsten; bei anderen hinterläßt er einiges Wasser und vertröstet sie auf baldige Hilfe, denn in den Autos ist nicht viel Platz.

Mehr als einmal finden der Mamur und der Doktor bei ihrer Rückkehr die Menschen nicht mehr am Leben, die sie hatten zurücklassen müssen. Oder die armen Leute haben nicht auf die Rückkehr der Autos gewartet, sondern sind sinnlos in die Wüste hineingerannt, und man findet sie nicht wieder.

Auf den Zetteln, auf denen Almásy notierte, was ihm in Kharga der Mamur von Dachla erzählt hatte, finde ich furchtbare Einzelheiten vermerkt:

»Der Ort, in dem wir die ersten Leute fanden« (erzählte Zoher) »ist nicht weit von Zayat, etwas westlich von der Straße von Dachla nach Kharga. Wir fanden 21 Personen, meist Frauen und Kinder, in einer fürchterlichen Verfassung und beinahe verhungert. Wären wir nur zehn Stunden später gekommen, dann hätten wir nur noch Tote gefunden. Wir erreichten sie um neun Uhr abends und kehrten am Morgen des 24. Februar nach Tenida zurück – – «

»Im Laufe des Morgens fuhr ich nach Mut. Hier waren inzwischen mehr Flüchtlinge eingetroffen. Ich sandte einige von ihnen mit dem Spitalautomobil ins Spital. Ein Knabe starb unterwegs.«

»Ich frug die Leute, ob sie noch andere in der Wüste zurückgelassen hätten, und sie antworteten mir, daß die Wüstenstrecke noch voller Flüchtlinge sei, manche sterbend, andere zu schwach, um weiterzugehen. Ich hielt es für meine Pflicht, sofort aufzubrechen. Ich befahl gleichzeitig einer Kamelpatrouille, mit Wasser beladen, mir zu folgen!« –

»Nach einer Fahrt von 50 Kilometern fand ich die ersten Leute verstreut auf der Fährte herumliegen. – Nach 120 Kilometern finden wir 17 Flüchtlinge, darunter mehrere, die nicht mehr stehen konnten. Diese lud ich in die Automobile und führte sie in das Spital in Mut, wo wir spät bei Nacht ankamen. Einer dieser Leute sagte mir, daß er am Morgen seinen teuersten Freund auf der Fährte hatte zurücklassen müssen; er hatte ihn gebeten, ihn doch lebendig zu begraben, was er ihm aber verweigerte. Ich suchte nach diesem Menschen, konnte ihn aber nicht finden; die Nacht war zu dunkel.« –

Am nächsten Tag, dem 25. Februar, machten sich der unermüdliche Mamur und der Doktor mit drei Automobilen von neuem auf den Weg. Diesmal müssen sie viel weiter fahren, ehe sie die ersten Flüchtlinge finden. Um sechs Uhr abends »begegneten wir einer Abteilung unter der Führung des Abdallah Abu Seif vom Stamm der Mogharba mit vier Frauen, vier Mädchen und sechs Kindern. Sie hatten vier Kamelstuten, die ihr Gepäck trugen. Als sie uns erblickten, jubelten die Frauen, jedoch mit solch schwacher Stimme, daß wir sie kaum hören konnten. Sie fielen zu Boden und die Kinder über sie. Ihr Zustand war derart bemitleidenswert, daß wir alle die Tränen nicht zurückhalten konnten. Wir gaben ihnen tropfenweise Wasser, bis sie sich etwas erholt hatten und wieder anfingen, für ihr Leben zu hoffen. Nach einer halbstündigen Behandlung mit Wasser, Milch und Medizin ließen wir ihnen eine genügende Menge Wasser zurück und fuhren auf ihren Spuren weiter.« –

»Eine Stunde darauf fanden wir abermals eine Gruppe von Mogharba, 20 Männer, 19 Frauen und 22 Kinder, in fürchterlichem Zustand (die größeren Gruppen waren meist in ärgerer Verfassung als die kleineren). Die Männer und die Frauen stürzten sich auf uns, ohne auf ihre Kinder Rücksicht zu nehmen. Ich muß leider erwähnen, daß keiner der Männer uns bat, seiner Frau zu helfen, und keine der Frauen sich um ihr Kind kümmerte. Jeder wollte nur selbst gerettet werden. Es war befremdend, wie eine Mutter mir das Wasser entriß, das ich ihrem Kinde geben wollte … Die Männer wollten uns angreifen, um uns das Wasser mit Gewalt zu entreißen; ich mußte dem Askari befehlen, mit schußbereitem Gewehr einen jeden von den Automobilen fernzuhalten. Trotz ihrer Schwäche versuchten einige Männer, mit uns zu ringen. Wir blieben anderthalb Stunden bei diesen Leuten. Dann fuhren wir in der Dunkelheit weiter.« –

»Früh am nächsten Morgen fanden wir einen Mann, der im Sande hockte, das Kinn auf das Knie gestützt, sterbend. Wir versuchten ihn zu retten, doch leider starb er nach zehn Minuten. Da der Ort zu felsig war, konnten wir keine Zeit damit verlieren, ihn zu begraben, sondern fuhren weiter, um andere zu retten.« –

»Wenige Kilometer weiter fanden wir eine Gruppe von 16 Männern, 15 Frauen und 17 Kindern. Ich übertreibe nicht, wenn ich sage, daß diese Leute kaum noch hätten bis zum Abend leben können. Sie waren mindestens noch vier Tagereisen von Dachla entfernt. Wir labten die Schwächsten und ließen dem Scheich Wasser zur Verteilung zurück.« –

»In der Nähe eines Felsenhügels fanden wir sieben Frauen und zwei Männer, die sich hingelegt hatten, um den Tod zu erwarten … bei diesem Hügel fanden wir auch das Gepäck des Hammed el Scherif mit drei Gewehren, zwei Pistolen und zwei Säbeln sowie einem silbergestickten Kamelsattel. Dieser Mann, der gerade vor unserer Abfahrt aus Mut dort eingetroffen war, hatte uns berichtet, daß er seinen sechzehnjährigen Sohn bei dem Gepäck gelassen hatte. Wir suchten auch den Jungen, konnten ihn aber nicht finden; er schien sich zwischen den Dünen verlaufen zu haben.« –

»Um 11 Uhr 15 fanden wir eine Frau bewußtlos im Sande liegen. Wir labten sie, bis sie zu sich kam, und ließen etwas Wasser bei ihr zurück. – Um 11 Uhr 30 fanden wir die Leiche eines Mädchens von 15 Jahren. – – Wir fuhren bis 3 Uhr nachmittags weiter, dann mußten wir umkehren, da wir 350 Kilometer zurückgelegt und die Hälfte unseres Benzins verfahren hatten.«

Diese Rückfahrt des Mamurs vom Nachmittag des 26. bis zum Morgen des 27. Februar verläuft beinahe noch tragischer. Ganz zufällig, weil das Auto Wasser braucht, hält man neben einem kleinen Hügel. Dort liegt ein Sterbender, der das Auto vorhin schon vorbeifahren sah, aber nicht mehr rufen konnte. – Man nimmt ihn mit, aber er stirbt später im Spital. – Die Frau, die ohnmächtig gewesen war, finden die Retter etwas erholt und nehmen sie mit. Dann kommt das Auto zu einer Gruppe von sieben Frauen und zwei Männern, die vor ein paar Stunden unterwegs gelabt worden sind. Man findet die Gruppe zerstreut; ein junges Mädchen ist unterdessen gestorben, zwei Frauen sind liegen geblieben, die beiden Männer sind wie Wahnsinnige nach zwei Seiten in die Wüste gerannt. Man folgt ihren Spuren; der eine liegt tot im Sand, der andere ist verschwunden.

Am Abend erreicht der Mamur eine andere Gruppe, der er auf der Hinfahrt begegnet ist und die er gelabt hat. Er muß feststellen, daß die Männer schon wieder ihre Frauen und Kinder verlassen haben und weitergegangen sind. Er läßt diese Leute versprechen, sich um die Ihren zu kümmern, und hinterläßt ihnen unter dieser Bedingung sein letztes Wasser und das Versprechen weiterer Hilfe: die Autos sind überfüllt.

Er kommt, nachdem er dreiunddreißig Stunden fast ununterbrochen unterwegs war und 700 Wüstenkilometer zurückgelegt hat um zehn Uhr vormittags nach Mut zurück. Er hat mehreren hundert Menschen das Leben gerettet, hat Tote begraben, Desperados entwaffnet. Er hat den Heroismus, aber auch die Niedertracht und Rücksichtslosigkeit Verzweifelnder erlebt und einen tiefen Eindruck in die Menschennatur gewonnen.

Da ist ein gewisser Mohammed Abu el Kassin vom Stamme der Ualled Waffi, einer der Geretteten. Er erzählt dem Mamur, daß er seiner Familie einfach davongelaufen sei, so rasch er nur konnte; er hat sie sieben Tagereisen weit hinter sich zurückgelassen. Sobald dieser Mann getrunken und sich erholt hat, wird er ein anderer Mensch; er fleht und bittet, das Auto möge ihn zu den Seinen bringen. – Der Mamur nimmt ihn nach Dachla mit und schickt ihn von dort mit einem anderen Wagen in die Wüste zurück. Das Auto fährt volle 400 Kilometer weit, aber die Verlorenen sind nicht zu finden. Und nun weigert sich Mohammed Abu el Kassin, derselbe Mann, der seine Frau und seine Kinder im Stich lassen konnte, mit dem Auto zurückzukehren. Er nimmt alles Wasser mit, das der Chauffeur entbehren kann, und geht zu Fuß in die Wüste hinein. Eine Woche später kehrt er nach Dachla zurück. Seine Frau ist bei ihm, er hat sie noch lebend gefunden; ihren Knaben und die beiden kleinen Mädchen haben sie in der Wüste begraben müssen.

Im ganzen ist es dem heldenhaften Mamur von Dachla gelungen, 302 Flüchtlinge lebend bis in die Oase zu bringen; aber 43 von ihnen, meist Frauen und Kinder, haben sich im Spital nicht mehr erholen können und sind binnen weniger Stunden gestorben. 63 Leichen fanden und begruben der Mamur und seine Leute in der Wüste; wie viele Tote zwischen den Dünen verborgen lagen, das kann niemand wissen. Eines der Rettungsautos kam am 2. März zu einer Karawane von 52 Personen, die 250 Kilometer von Mut im Sande lag. Als man diese Leute näher ansah, war genau die Hälfte von ihnen, 26 Menschen, schon tot. Man muß leider annehmen, daß die Verhältniszahlen im ganzen nicht günstiger lagen.

Viele der Flüchtlinge aus Kufra leben heute in verschiedenen Teilen Ägyptens; andere sind nach Kufra zurückgekehrt, als sie erfuhren, daß dort die italienischen Behörden die Rückkehr der Emigranten wünschen und begünstigen.

Aber überall in der Wüste zerstreut liegen noch heute die Gebeine derer, die niemals zurückkehren können.

Die Straße der Vierzig Tage

Wir haben gestern vom Messaha-Brunnen die Heimreise noch ein gutes Stück fortgesetzt und dann am Fuße eines »Barchan« geschlafen, einer Halbmond-Düne, die isoliert aus der Wüste aufragt. Hier erwache ich; rosig schimmert die Düne im Morgenlicht.

Seit einigen Tagen habe ich wieder begonnen, mich im Geiste der Heimat zu nähern, meinen eigenen Angelegenheiten zu Hause und jenen der großen Welt. Jetzt, in dieser göttlichen Morgenlandschaft, erobert die Wüste mich wieder zurück. Ich empfinde mit Bangigkeit, daß ich das verlieren soll, diese Größe und Stille.

Vor dem Frühstück ersteige ich unbekleidet und barfuß die hohe Düne, nehme ein Bad im Sand, den die Nacht gekühlt hat, und rodle dann übermütig hinunter. Ich will gar nicht aufstehen von diesem weichen, köstlichen Lager. Das Spiel des Lichts und der Schatten auf den Kämmen der Dünen entzückt mich. Aber Almásy, der für heute einen weiten Weg vorhat, drängt zu baldigem Aufbruch. Er will erst die unbewohnte Tamarisken-Oase aufsuchen, dann, einen Umweg wählend, die Straße der Vierzig Tage befahren, die auf Kharga zuführt, die berühmte und tragische Straße der Sklavenkarawanen aus dem Sudan.

Unser erster Halt ist am Sahra-Brunnen, den der Ingenieur Beadnell 1927 gegraben hat, ehe er den Brunnen der Landvermesser erbohrte. Heute ist Bir Sahra vollkommen versandet und gibt kein Wasser; melancholisch stehen die Winden, die Tröge um ihn herum. Wir finden auf dem Weg zum Brunnen einige tote Störche im Sande liegen, und um den Brunnen selber flattert eine halb verdurstete Wildtaube ängstlich herum. Welch ein Instinkt treibt die Tiere zu dieser Stelle, wo vor Jahren Wasser gewesen ist?

Der »Sahra-Brunnen« ist niemals sehr tief gewesen und wäre leicht wieder zu öffnen. Ich rede mit Almásy darüber, wie mühelos auf diesem Wege, von Brunnen zu Brunnen, eine große Straße quer durch die Wüste zu legen wäre, von Kharga nach Uwenat und von dort nach Kufra. Almásy stimmt mir zu: schon heute sind, von Beadnell und auch vom Prinzen Kemal el Din, große Stücke dieser künftigen Straße mit primitiven Mitteln abgesteckt und bezeichnet; immer wieder sieht der Autofahrer von weitem Benzinbüchsen oder in den Sand gesteckte Palmzweige, sogar einen Wegweiser oder zwei, mit der Inschrift auf arabisch und englisch: Zum Messaha-Brunnen. – Almásy, der gerne die Libysche Wüste der Masse der Autotouristen erschließen möchte, zeigt mir, wie wenig zu tun übrig bleibt: man schickt ein paar Lastautos, mit leeren Benzinbüchsen und Palmenzweigen beladen, in die Wüste

Bir Terfaui: das Ausgraben des Brunnens

Ein Wegweiser in der Wüste

Brunnen der Landvermesser

und markiert die als die besten erprobten Wege. Dann errichtet man ein Benzindepot und vielleicht ein Unterkunftshäuschen am Brunnen der Landvermesser, – und es könnte der verwöhnte Hotelgast von Luxor und Assuan mit einem wüstenkundigen Führer ganz unschwer bis nach Uwenat auteln, die Felsengemälde zu sehen. –

Es stimmt; und es graut mir schon jetzt ein wenig vor diesem verwöhnten Hotelgast, der in meiner Wüste herumfahren wird.

Eines ist sicher: auf dieser Strecke, aus der Almásy die Autostrada der Libyschen Wüste zu machen droht, gibt es mehr Wasser als anderswo in diesem Sandland. Nach Bir Messaha und dem Sahra-Brunnen kommt gleich Bir Terfaui, die Oase der Tamarisken.

Wir fahren in eine Mulde hinab, und auf einmal erheben sich Hügelchen aus goldenem Sand, auf denen Sträucher und niedere Bäume lebhaft grünen. Vielästige Tamarisken (»Terfa« nennt sie der Araber) künden die kleine Oase Terfaui an. Wir sehen Gazellen zwischen den Büschen weiden, ein Wüstenfuchs mit langen Löffelohren und buschiger Rute galoppiert vor uns davon. Dann senkt sich die Mulde noch tiefer, und es beginnt ein Hain von alten und schönen Dattelpalmen, in deren Zweigen die Vögel singen. Eine große Trappe rennt vor uns weg, aber wir sehen keinen Menschen in dieser fruchtbaren Palmenoase.

Wir suchen den »Bir«, den Brunnen, der sich hier befinden soll, und finden die Stelle, wo er einmal war. Fuchsspuren führen uns zu der seichten Grube hin, um die Binsen wachsen; spitze Fuchsschnauzen haben hier noch vorige Nacht im nassen Sande geschnüffelt, Fuchspfoten haben nach Wasser gegraben. – Wir öffnen mit wenig Arbeit den Brunnen, ein paar Schaufelstiche machen ihn wieder frei. Erst ist das Wasser voll Kot, dann klärt es sich bald. Es schmeckt, da ich davon koste, leicht alkalisch, aber nicht schlecht. Wasser, Weiden und Dattelpalmen, – warum ist das kleine Paradies nicht bewohnt?

Kleines Paradies! Während Mahmud und Sabr noch an dem Brunnen graben, dringe ich ein in das grüngoldschwarz durchsonnte, durchschattete Dickicht. Voll Entzücken sehe ich, daß die Zweige der Palmen mit goldenen Datteltrauben beladen sind. Mit meinem Stock erreiche ich einen der Zweige, und herrliche Früchte prasseln in meinen Tropenhelm. Die Datteln sind am Baum getrocknet, denn Datteln werden im September reif, und wir sind im Mai. Seit dem September ist kein menschliches Wesen hier gewesen, sonst wären die Datteln nicht unberührt. Früher einmal war Bir Terfaui ein Rastplatz der Karawanen und eine Zufluchtsstätte der Raubbeduinen. Jetzt liegt die kleine Oase verlassen.

Ich sitze im köstlichen Schatten und kaue Datteln. Sie sind ganz hart, aber herrlich süß und voll Würze. Ich sitze und träume mir was: eine leere Oase, der alte Wunsch! Hier sollte ich bleiben. Einige Monate, immer! Was brauche ich denn? Ein Zelt, ein Moskitonetz und ein Auto, das jedes Vierteljahr einmal von Kharga herüberkäme mit Büchern und ein paar Konservenkisten. Sonst werde ich Datteln essen und mich an das salzige Wasser gewöhnen; es ist nicht so arg. Ich werde lesen und schreiben, mit den Gazellen und Füchsen verkehren. Vielleicht suche ich auch noch den verborgenen Schatz.

Dieser Schatz, der in Bir Terfaui vergraben ist stammt nicht von den Räubern, die früher hier lebten, sondern vom Prinzen Kemal el Din. Er hat kurz vor seinem Tode Almásy erzählt, er habe in der Tamarisken-Oase ein Depot versteckt: vor allem große Mengen Benzin, aber auch Konserven, Zigarren und Wein. Der Prinz beabsichtigte Almásy eine Planskizze zu geben, damit er das Versteck auffinden könne; er kam aber nicht mehr dazu. Nun fehlt uns zum Suchen jeder Anhaltspunkt, und wir tun es nicht; aber ich sehe mich in meinen Einsiedlerträumen ganz allein in der Oase sitzen neben dem eben entdeckten Schatz, und ich bin ein Eremit in der Thebais mit einer duftenden Upman im Mund und habe eine Flasche guten Rheinweins zum Kühlen in den Brunnen gehängt!

Dann muß ausgeträumt sein, wir sitzen auf und fahren weiter gegen Nordost, durch welliges Wüstengelände.

Immer häufiger liegt hier an unserem Wege etwas Weißes und Schreckliches: einzelne Knochen und ganze Gerippe von toten Kamelen. Wir sind auf der Straße der Sklavenkarawanen.

El Darb el Arbain, die »Straße der Vierzig« (Tage), in die wir hier einlenken, ist der uralte Karawanenweg von El Fascher im Sudan bis Assiut im ägyptischen Niltal. Von den Tagen der Pharaonen bis in die meiner eigenen Jugend pflegten die Karawanen auf dieser Straße dahinzuziehen; vierzig furchtbare Tagemärsche sind es gewesen. Alle Waren des afrikanischen Südens, Straußenfedern und Löwenfelle, Gummi arabicum, buntes Leder und Beutel voll Goldstaub brachten die Karawanen auf diesem Weg nach Ägypten, vor allem aber unzählige Mengen gefesselter Sklaven, die von dem großen Sklavenmarkt zu Assiut in alle Länder des Ostens verschickt werden sollten.

Heute ist die Straße verödet. Sie ist tot und eine Stätte des Todes; eine Gespensterstraße, von Gerippen umsäumt. Aber manche dieser Gerippe sind nicht alt; noch zur Zeit des sudanesischen Mahdi, in den Achtzigerjahren des vorigen Jahrhunderts, benützten die Sklavenkarawanen den uralten Weg.

Es ist gegen Abend, da wir die »Straße der Vierzig« erreichen. Deutlich sehen wir die schmalen Furchen, die eine Kamelkarawane für viele Jahre im Sand hinterläßt, und dazwischen auch Autospuren. Die ältesten stammen von Almásys berühmter Fahrt von Mombassa bis Kairo im Winter 1929. Er und Prinz Ferdinand Liechtenstein haben damals die schon halb vergessene Straße von neuem entdeckt und zum erstenmal mit Automobilen befahren.

Die Kamelgebeine, erst noch vereinzelt, werden stets zahlreicher, bilden förmlich am Wege Spalier.

Nach einigen Kilometern weicht Almásy von diesem Gespensterweg wieder ab. Er will an einem Wasserloch lagern, das etwas abseits von der Karawanenstraße gelegen ist. Es heißt: der Bitterbrunnen, Bir Murr.

Der Brunnen ist schwer zu finden, selbst für Almásy, der vor vier Jahren schon hier war. Damals war es ein wirklicher Brunnen; was wir heute mit viel Mühe auf dem Grund einer Wüstenmulde entdecken, ist ein feuchtes Fleckchen, so groß wie eine Hand und heftig stinkend. Eine Fuchsspur führt auch zu diesem Wasserloch. Sonst ist kein Zeichen von Leben ringsum, kein Baum, kein Grashalm. Es scheint mir, im Dämmerlicht dieses Abends, die traurigste Stelle der ganzen Libyschen Wüste. Wohin man blickt, liegen bleiche Skelette. Auch Menschenknochen liegen hier, unbegraben. Ein niedriger Hügelrücken ist mit steinernen Malen ganz besetzt; es sind »Alamat«, Signale von Karawanen für andere Karawanen, vieldeutig, geheimnisvoll. – Das Tal, das darunter liegt, ist tot, wie die Wüste sonst nirgends tot ist. Es liegt etwas Dumpfes, Bedrückendes in der bleiernen Luft.

Noch vor dem Abendessen machen wir uns daran, den verschütteten Brunnen auszugraben; nicht, daß wir sein bitteres Wasser trinken wollten, denn wir haben noch besseres, aber weil es eine Pflicht des Reisenden in der Wüste ist, so etwas zu tun. In diesem Fall eine schwere Pflicht; denn der Brunnen ist mit Kamelmist und anderen verwesenden Dingen zugestopft: das Kamel, ein Geschöpf ohne Liebreiz, liebt es, einen Brunnen als Wasserklosett zu benützen, und sterbende Tiere sterben sehr gerne an Brunnen. – Uns tötet der Gestank fast, während wir graben. Dabei haben wir, weil die Umgebung des Brunnens zerbröckelt und einstürzt, bis zu den Knien im schwarzen Kot zu stehen und ihn mit den Händen zurückzudrängen. Endlich gelingt es uns mit Hilfe vieler Steine, dem Sand und Kot einen Halt zu geben, und nun sammelt sich in dem seichten Loch ein schleimiges, grünes Wasser. Ich koste es nicht ohne Not: ich weiß von Almásy, daß es Kolik erzeugt.

Wir essen etwas, bereiten unsere Schlafplätze vor, dann sitzen wir lange auf, mit einer heimlichen Scheu vor dem Schlafengehen. Wir reden von den vergangenen Tagen auf der »Darb el Arbain«.

An diesem bitteren Brunnen hier, in diesem trostlosen Tal des Todes, haben durch die Jahrtausende die Karawanen gerastet. Die schwarzen Sklaven, in schweren Ketten oder mit dem hölzernen Joch um den Hals, warfen sich über den Brunnen und tranken von dieser stinkenden Jauche. Nach den furchtbaren Marschtagen durch die wasserlose Wüste war das hier schon ein ersehnter Ort der Erholung. Manchem, der sich mit seiner letzten Kraft bis hierher geschleppt hat, mag der Bitterbrunnen die Rettung bedeutet haben. Aber wie viele müssen schon sterbend hierhergelangt sein, wurden hier eingescharrt oder auch nicht!

Nachher, da ich im Dunkel auf dem Feldbett liege, kann ich die vielen Knochen noch phosphoreszieren sehen. Ein guter Ort für Gespenster, denke ich fröstelnd. Dann schlafe ich ein.

Es ist meine letzte Nacht in der Wüste. Ich träume von lauter gefesselten Sklaven, von einem endlosen Zug durch den fahlen Sand. Ich höre die Eisen klirren, das Röcheln der Durstigen, ihren pfeifenden Atem. Ich schrecke im Dunkeln auf und höre das seltsame Pfeifen noch weiter. Ich bin wach genug, um zu wissen, daß das kein Traum mehr ist, und doch nicht wach genug, um mich zu erheben und nachzusehen, woher das gespenstische Pfeifen komme. Schließlich krieche ich, an allen Gliedern zitternd, mit dem Kopf in den Schlafsack hinein; das Pfeifen wird schwächer und ich schlafe von neuem ein.

Der Morgen bringt die Lösung des Rätsels. Der Sand um den neu eröffneten Brunnen ist ganz mit den Spuren von Wüstenfüchsen bedeckt; so war es das Bellen der Füchse, das mich erschreckt hat. Wie ich näher zum Brunnen trete, sehe ich »Abu Hussein« in Person, den kleinen Wüstenfuchs mit den Hasenohren. Er flitzt davon, und noch einer; es muß ein ganzes Rudel am Brunnen getrunken haben.

»Abu Hussein hat eine Fantasia getanzt«, sagt Mahmud, »aus Freude, weil wir den Brunnen so groß gemacht haben.«

Gestern hat Kádár für seine botanische Sammlung in Bir Terfaui zwei junge Dattelsprößlinge mit den Wurzeln aus dem Boden gerissen; einen davon nehmen wir und pflanzen ihn, bevor wir Bir Murr verlassen, in den feuchten Kamelmist neben dem Brunnen. Wir alle haben das Gefühl, daß ein einziger grüner Baum diesen Ort von seinen Gespenstern erlösen würde.

Nachdem wir das Bäumchen eingesetzt haben, fahren wir eiligst davon, und nicht einer von uns wirft einen Blick zurück.

Wie wir aber die Straße der Vierzig Tage wieder erreichen, wird das Entsetzen um uns immer bedrückender. Jetzt ist der von zahllosen Kamelfüßen ausgetretene Weg sehr breit. Arme Geschöpfe ohne Zahl sind hier elend gestorben; die bleichenden Knochen bilden förmlich ein laufendes Band rechts und links von der Straße. Ganze Kamelskelette liegen, wo das Tier niedergefallen ist; noch erkennt man an den verkrümmten Gliedern den Todeskrampf. Oder ein einzelnes Bein ragt aus dem Wüstensand. Hier oder dort hat irgend ein Humorist an dieser Straße des Todes gespenstische Wegweiser aufgepflanzt: der Knochenhals eines toten Kamels ist so in den Sand gebohrt, daß der grinsende Schädel in die Wegrichtung weist.

Und es gibt immer wieder am Weg gewisse niedere Hügel, die mit Knochen förmlich gepflastert sind. Die Geier der Wüste, die treuen Begleiter der Karawanen, haben das Aas auf die Hügel getragen und hier verzehrt. Auf einem solchen entsetzlichen Golgatha kann ich unter den vielen Kamelknochen deutlich Gebeine von Menschen sehen.

Dann fangen die Gräber an: viele Gräber am Wege. – Wenn eine der Karawanen ein muselmanisches Mitglied verlor, wurde es sorgsam unter den Totengebeten des

Einer der Knochenhügel an der Straße der Sklavenkarawanen

Ein Grab am Wege

Die »Mutter der Male«

Islams bestattet. Die Gräber von Männern sind an dem großen Stein zu Häupten des Toten zu erkennen; ein Grab, sehr sorgsam von Steinplatten eingehegt, beherbergt den Leichnam eines angesehenen Scheichs. Aber die heidnischen Negersklaven hat man, wenn sie am Wege verreckten, höchstens flüchtig verscharrt. Wir finden das Skelett eines kleinen Knaben im Sande, nehmen die Schaufeln zur Hand und graben dem armen kleinen Negerlein ein wirkliches Grab.

Unsere Schwarzen, Mahmud und Sabr, arbeiten eifrig mit, und ich kann sehen, daß sie bewegt und voll Mitleid sind. Noch ihre Väter, gute Muselmanen vom nubischen Nil, hätten das Los dieser heidnischen Sklaven nur selbstverständlich gefunden.

Ich denke: Und sie bewegt sich doch! Selbst in Afrika ist die Sklaverei heute nicht mehr populär. Nicht umsonst ist General Gordon gestorben, der Märtyrer der Sklavenbefreiung, nicht umsonst hat Slatin Pascha die Ketten des Khalifa getragen …

Hier, an dem Grab dieses unglücklichen Sklavenjungen, überwältigt mich die Erinnerung an diesen großen Mann, an Rudolf Slatin, der mir in seinen letzten Lebenstagen das hohe Gut seiner Freundschaft geschenkt hat. Und ich spreche in meinem halben Arabisch zu Mahmud und Sabr von diesem edlen Verstorbenen, der für das schwarze Volk des Sudans gelebt und gelitten hat. Sie wissen von »Saladin« Pascha und reden von ihm mit Achtung und Dankbarkeit. Hier und heute, in dieser Wüste, die er geliebt hat, halte ich meine Totenfeier für Rudolf Slatin.

Wir fahren weiter, und rosige Dünenkämme erscheinen am Horizont. Das ist schon der »Vater des Sonnenbrands«, jene Dünenkette, die sich in die Kharga-Senkung hineinschiebt und überall ihre Kulturen bedroht. Die Überwindung dieses Dünengebirges war die letzte große Beschwerde auf dem Leidensweg der Sudankarawanen, bevor sie in den blühenden Gärten von Kharga Rast und Erholung fanden. Gewiß bedecken die Dünen die Gebeine zahlloser Toter. Aber der Sand deckt sie zärtlich zu. Nur hier oder dort sieht ein Knochen hervor und beweist, daß wir immer noch auf der tragischen »Straße der Vierzig« sind.

Wir finden eine vortreffliche Durchfahrt durch das Dünengewirr. Es sind Halbmond-Dünen, lose gereiht, rosig und golden schimmernd, die letzten Basteien der Wüste, durch deren Tor wir hier schreiten. – Schneller als wir es erwartet haben, geraten wir in die Kharga-Senkung hinein. Erst kommen Gruppen von Tamariskensträuchern; dann sehen wir Dattelpalmen, in der Ferne das erste arabische Dorf der Großen Oase – – –

Hier ist die Stelle, wo mein Freund Sabr vor Freude das letzte bißchen Verstand verliert. Seine Hände verlassen das Lenkrad, er braucht sie zum Lobpreisen Allahs.

O Allah, o schöne Palmen, o gute Brunnen! Die Wüste war schrecklich, musch quajiss, doch nun ist alles gut, und das Glück beginnt!

Mutter der Male

Noch einmal brechen wir von Kharga auf, um in die Wüste zu fahren. Almásy, Kádár, Casparius und ich sind jetzt ganz andere Wesen als die Wüstenstrolche und Halbbeduinen, die vor nur drei Tagen in den Hof des Rasthauses eingefahren sind und dann ganz fassungslos dastanden vor diesen bunten Blumen und vor den milchweißen Ibissen in den Beeten des kleinen Gartens. Wir haben gebadet, unsere Hemden sind gewaschen, unser innerer Mensch hat richtige Speisen und unbeschränktes Wasser genossen; noch sind unsere Gesichter hager und braunschwarz, die mühsam zurechtgeflickten Khakikleider schlottern uns um die abgemagerten Körper, – aber schon hat uns Europa wieder.

Ein herzlicher Abschied, noch einmal, von Wasfy Bey, und wir fahren aus seiner Oase hinaus. Wir haben das Wüstenplateau zu erklimmen, das die Kharga-Senkung vom Niltal trennt, und dann wieder hinabzusteigen. Es ist der gleiche Weg, auf dem wir vor zweieinhalb Monaten nach Kharga gekommen sind: das Schlußstück der »Straße der Vierzig Tage«, hinüber bis Assiut.

Jetzt, da wir unsere Kamelefanten so lange über die Pfade der Wüste getrieben und manchmal geschoben haben, wissen wir, daß kaum ein einziger Abschnitt unserer siebentausend Wüstenkilometer so schwer zu bereisen war wie dieses Vierteltausend, das erste und nun wieder letzte! Wenn der »gesteinigte Satan« der arabischen Mythen in einer modernisierten Hölle eine Straße für böse Autofahrer einrichten sollte, brauchte er nur das letzte Stück der »Darb el Arbain« zu kopieren. Alles, was der Chauffeur sich nicht wünscht, ist hier schön beieinander, und noch einiges, wovon er in keinem Angsttraum jemals geträumt hat: steile Hänge und tiefer Flugsand und mit scharfen Rasiermessern gepflasterte Strecken. Dann wachsen plötzlich die Steine und werden melonengroß (»El Battikh« – die Melonensteine, sagen die Araber). Es ist des gesteinigten Teufels Melonenfeld. – Ist man glücklich hinüber, dann scheinen die Steine zu Glatteis zu gefrieren. Weiß und glasig und seltsam schön und fast unpassierbar liegen auf dem Boden die steinernen Riesenplatten.

Wir fahren dennoch, so rasch wir nur können. Uns treibt eine fiebrige Ungeduld. So mögen vor wenigen Jahrzehnten noch die Karawanen hier ihre Schritte beschleunigt haben. Sie hatten in Kharga gerastet und sich erholt. Die letzten Tagemärsche über das Wüstenplateau schienen leichter, selbst dem gefesselten schwarzen Sklaven, den da die Nilpferdpeitsche brutaler beduinischer Wächter zu größerer Eile trieb. Noch eine Anstrengung mehr, und das Ende des langen Wegs war erreicht, – der Markt von Assiut. Der Sklave dachte ohne Schrecken an diesen Sklavenmarkt. Wie immer dort sein Los fallen würde, wohin immer er von dort aus gelangen würde, in welches Land des Ostens, in welches müden oder grausamen Herren Haus, – alles war besser als diese vierzig Tage des Wüstenmarsches, als der Durst, die Ketten, das Joch, als der elende Tod auf der von Gebeinen umsäumten, tragischen Straße. Der sudanesische Neger, der hier am Rande des Wüstenplateaus über dem noch verborgenen Niltal diese Helle aufblitzen sah, diese feuchte Bläue, – er mochte sich glücklich preisen.

Man starb nicht mehr auf dem letzten Stück des großen Weges. Die Kranken und Schwachen waren in Kharga zurückgeblieben; an der letzten Strecke der »Darb« liegt kein einziges Grab, obwohl auch hier die Kamelgerippe im Sande verwittern.

Der Abstieg beginnt. In der Felsenmauer, die das Tal des Nils von der Großen Oase trennt, sehen wir schon durch eine sich öffnende Bresche – oh, nicht den Strom, sondern nur das besondere Licht, das er zum Himmel spiegelt. Schon riecht der Wind nach Wasser und grünen Bäumen. Ein kleines Stückchen weiter nur, und unsere Kamelefanten werden, groteske Ungeheuer der Wüste, eine wirkliche Landstraße betreten. In einer Stunde fahren wir schon durch die Baumwollfelder dem Nil entlang. Wir wissen: am Abend schlafen wir schon in einem wirklichen Grandhotel, – wenn man uns in unseren Kleidern hineinläßt. Von tollen Möglichkeiten beginnen wir untereinander zu schwätzen: ein Glas Pilsner vom Eis, ein Tonfilm, eine europäische Zeitung – –

Da erhebt vor uns die Wüste zum Abschied ihre steinerne Hand.

Wir sind an der Stelle, an der die Karawanen zum letztenmal vor dem Abstieg zu halten pflegten. Bevor man mit Liedern und Tänzen, mit den Scheingefechten und Pulversalven der arabischen »Fantasia« das nahende Niltal grüßte, hat man hier einen uralten Brauch vollzogen. Eine Sitte, vielleicht noch aus heidnischen Zeiten, gebot, hier am Ende des Wüstenwegs ein Mal zu errichten, ein Zeichen des Danks und des Abschieds.

Am Weg liegt ein Hügel: Umm Alamat. Der Name bedeutet Mutter der Male. Die Anhöhe ist ganz besät mit Haufen von Steinen; die Haufen sind klein oder größer, je nach der Menschenzahl der Karawanen, die hier vorübergezogen sind. Denn ein jeder, der herkam, trug aus der Wüste drei Steine herbei, nicht mehr und nicht weniger, und der Führer der Karawane schichtete diese Steine zu kleinen, spitzigen Malen. In jedem Stein ist eine Seele: ein Gebet, ein Seufzer, ein Weinen, ein Lachen, ein Dank an die große Gottheit der Wüste.

Auch wir aus der Wüste wiederkehrend in unsere eigene Welt, fügen uns willig dem alten Brauch. Jeder wählt sorgsam seine drei Steine, möglichst fern von dem Hügel, denn es bringt Unglück, sagt man, Steine von einem der schon bestehenden Male zu nehmen. So geht ein jeder ein Stück in die Wüste hinaus und kehrt mit drei großen Steinen zurück, schleppt sie nicht ohne Mühe den Berghang hinauf. Dort oben baut dann Almásy mit gravitätischem Ernst aus den fünfzehn Steinen den bescheidenen »Alam« unserer kleinen Karawane. Almásy, der von uns allen der Wüste am tiefsten verbunden ist, nimmt die Sache wichtig und sentimental. Ich selber fühle mich auch nicht ganz frei von Rührung und Aberglauben.

So bringen wir der »Mutter der Male« unser symbolisches Opfer dar.

Es mag ein heidnischer Brauch sein aus den uralten Zeiten vor dem Propheten. Aber Mahmud und Sabr, die Muselmanen, sprechen, während sie ihre drei Steine zu Boden legen, die »Fat'ha«, das schöne Gebet, das der Islam an jeden Anfang und jedes Ende setzt:

»Im Namen Allahs, des Barmherzigen, des Erbarmers« – –

Dann folgt der Rausch, die wirblige Freude der Fahrt hinab in das Zauberland, das unter uns liegt. Ein breiter, silberner Streifen zwischen zwei grünen: der Nil.

Mein Sabr, der am Rand der Kharga-Oase beim ersten Anblick der Palmen getobt und gesungen hat, ist hier sehr ernst und fast traurig. Lange kann er nicht reden. Dann spricht er mir, zum erstenmal auf der Reise, von den Seinen, die ihn in Kairo erwarten, von den Kindern, von seiner Frau.

Plötzlich, ehe ich es verhindern kann, greift er nach meiner Hand, sie zu küssen. Und die Tränen aus seinem guten schwarzen Gesicht rinnen mir über die Hand.

Epilog nach fünf Jahren

Eines Tages, fast fünf Jahre nach unserer gemeinsamen Reise in die Wüste, trat Almásy wieder in mein Wiener Zimmer. Wir hatten einander lang nicht gesehen, denn wir sind beide Zugvögel und gehören keineswegs demselben Schwarm an. Während ich mich in Amerika herumgetrieben hatte, war er immer wieder nach Ägypten zurückgekehrt, so selbstverständlich wie die Störche und Kraniche immer wieder über die Libysche Wüste fliegen.

Er fliegt wirklich, denn er pflegt während der Winter die jungen Ägypter in Kairo im Segelflug zu unterweisen. Und zwischendurch fährt er immer und immer wieder mit dem Auto in die Wüste, oft begleitet von Sabr. Die Araber nennen Almásy jetzt den Vater des Sandes.

Wir sprachhen von den alten Zeiten, von den Kameraden. Von Penderel, der als ein sachverständiger Unterhändler Englands mit dazu beigetragen hat, daß die Italiener im Winter 1934 die Brunnen von Uwenat als ihr Eigentum zugestanden bekamen, – sie haben dann während des abessinischen Krieges in Ain Dua eine Flugbasis eingerichtet, so daß es dort jetzt ganz anders aussehen dürfte als zu unserer Zeit. Wir sprachen von Kádár, der eine vortreffliche Broschüre nach der anderen schreibt, alle über Sandformationen in der Wüste, und so gelehrt, daß ich sie nur schwer verstehe. Wir sprachen von Almásys Streit mit dem Professore di Caporiacco, der nachträglich Almásys Anteil an der Entdeckung der Höhlengemälde von Uwenat zu bagatellisieren versucht hat, und von meinem eigenen, recht scharfen Konflikt mit dem Herrn Geheimrat Leo Frobenius in Frankfurt am Main. Ihn hatte Almásy ein halbes Jahr nach der Rückkehr unserer Expedition auf seine Bitten nochmals in die Wüste begleitet und ihm die von uns in Uwenat und in der Gegend der »Giraffenhöhle« gesehenen steinzeitlichen Felsenbilder gezeigt. Es waren dann an diesen Stellen im Herbst und Winter 1933 noch viele ähnliche Bildwerke gefunden worden, meistens von Almásy. An jener Stelle bei der »Giraffenhöhle« (jetzt »Wadi Sora« genannt, das Tal der Bilder), wo ich einen prähistorischen See vermutet hatte, entdeckte Almásy einen wunderschön gemalten Höhlenfries, der, mitten in der Wüste, nackte Schwimmer darstellt. Als Professor Frobenius dann, nach Europa zurückgekehrt, von diesen großen und bedeutsamen Funden zu reden begann, hatte er für meinen Geschmack nicht deutlich genug hervorgehoben, welchen Anteil L.E. von Almásy an ihnen gehabt hatte, und ich sagte, während Almásy wieder in der Wüste herumfuhr, von mir aus mit größerer Deutlichkeit, daß mein ungarischer Kamerad es gewesen war, der diese anthropologisch und kunsthistorisch enorm wichtigen Stätten nicht nur gefunden, sondern auch bewußt gesucht hatte. Das soll ihm niemand bestreiten oder wegnehmen, solange er seine Kameraden als Zeugen hat.

Von diesen Dingen und vielen anderen sprachen wir, Almásy und ich. Vor allem auch davon, wie damals Penderels tollkühne Expedition nach Merga ausging: wie er

Gongois Bande überraschte und vor ihrer Übermacht entfliehen mußte; wie er schließlich nach einer furchtbaren Motorpanne in der Wüste, halb verdurstend und gerade noch lebend, nach Uwenat zurückkehrte. Als Almásy einige Monate später ebenfalls Merga besuchte, fand er, daß Gongoi inzwischen von seinen eigenen Gefährten umgebracht worden war. Dem Rest seiner Bande erwirkte Almásys Fürbitte bei den ägyptischen Behörden eine Amnestie; sie sind jetzt wieder brave Staatsbürger und segnen, hoffe ich, das Andenken des Gongoi-Klubs.

Almásy erzählte noch von vielen weiteren und aufregenden Fahrten in der Wüste, die er seit dem Winter 1933 unternommen hatte. Er hat die Landkarte der Libyschen Wüste durch weitere wertvolle Entdeckungen bereichert, und er hat auch auf unsern Traum von den Schätzen des Kambyses noch keineswegs verzichtet; immer noch sucht er nach den Resten der unter der Sandsee begrabenen persischen Armee, – er hat sogar noch ein neues Wasserdepot unverkennbar persischen Ursprungs gefunden.

»Die Geschichte der meisten meiner Wüstenabenteuer habe ich jetzt publiziert«, sagt Almásy und legt mir eine Broschüre auf den Tisch. Ich lese: »Publications de la Société Royale de Géographie d'Egypte: Récentes Explorations dans le Désert Libyque«. Ein schön ausgestattetes Heft, das farbige Reproduktionen der Höhlenbilder und viele gute Photos enthält.

»Sie finden darin einen Bericht über mein Zusammentreffen mit Abd el Melik«, sagt Almásy und streift lächelnd die Asche von seiner Zigarette.

Da springe ich aufgeregt vom Stuhl.

»Nein, das müssen Sie sofort erzählen, Almásy!«

Ich weiß seit langem, daß eine der Eigenschaften, die Almásy zu einem großen Forschungsreisenden gemacht haben, die Hartnäckigkeit eines Spürhundes ist. Das, was uns Njikinjiki in der Bibliothek des Großsenussen über einen Mann namens Abd el Melik gesagt hatte, nach dem das Wadi Abd el Melik genannt sei, hat meinen ungarischen Kameraden nicht in Ruhe gelassen. So bohrend und unablässig, wie er Jahre hindurch die Araber nach den Legenden von Zarzura befragt hatte, so erkundigte er sich seit unserer Expedition bei jedem Emigranten aus Kufra, den er in irgendeiner Wüstenoase traf, nach diesem mysteriösen Abd el Melik. Es schien keineswegs so gewiß, daß es ihn je wirklich gegeben hatte. Aber eines Tages im Winter 1936 trat auf einmal ein verwitterter alter Mann in den Palast des Paschas, bei dem Almásy in Kairo wohnt, und sagte: »Wenn ich gewußt hätte, daß du es bist, o Vater des Sandes, hätte ich mich schon früher gemeldet. Ich habe immer nur gehört, jemand erkundige sich nach mir, und hielt es für klüger, zu schweigen. Aber da du es bist, – ich bin Ibrahim Abd el Melik, vom Stamm der Zueïa.«

Und dies ist die Geschichte, warum jenes so lange gesuchte Wadi im Gilf Kebir, das Almásy eines Tages aus dem Flugzeug sah, jetzt auch auf den offiziellen Landkarten »Wadi Abd el Melik« heißt:

In Kufra sind, wie wir es seinerzeit beobachtet haben, die Zueïa heute im allgemeinen der wohlhabendere Teil der Bevölkerung. Aber Abd el Melik, obwohl ein Zueïa, ist sein Lebtag ein armer Teufel gewesen. Ihm gehörten keine Dattelpalmen, keine Gerstenfelder; so wie der Tibu Njikinjiki lebte er davon, daß er die Karawanen begleitete oder die Kamele anderer Leute auf die Weide trieb. Da man den kostbaren Boden in der Oasengruppe zu etwas Besserem braucht, als zu Kamelweiden, hatte er also Plätze in der Wüste aufzusuchen, wo etwas Gras oder Gestrüpp wächst.

Der Sayed Idris, derselbe Scheich der Senussi, der noch heute bei Alexandrien im Exil lebt, wollte, als er noch in seiner Feste Tadsch über Kufra thronte, eine Karawane nach der Oase Siwah schicken, damit sie von dort Oliven nach Kufra brächte. Aber es gab in diesem Augenblick keine Lastkamele in Kufra, und die Tibu, an die der Scheich sich wandte, behaupteten, keine auftreiben zu können. Sie sind immer recht unabhängige Herren, diese Tibu.

Aber eines Tages kam ein Tibu, den seine Stammesgenossen irgendwie gekränkt hatten, heimlich zu Sayed Idris, warf sich vor ihm nieder, bat ihn um seinen Schutz und sagte dann, er wisse, wo die Tibu ihre Kamelherden versteckt hielten. Rachsüchtig sind sie auch, die Tibu.

Der Groß-Senusse ließ darauf den Kameltreiber Abd el Melik kommen, eben weil er ein Zueïa ist, und der Tibu verriet ihm, wo das verborgene Tal mit gutem Wasser und grünen Weiden lag, das nur die Tibu kannten.

Abd el Melik ging mit einem Begleiter in das Wüstengebirge und fand, vier Tagesreisen von Kufra, »in der Richtung der Kibla«, also des nach Osten, nach Mekka gerichteten Gebiets, das Wadi mit den Bäumen. Kaum hatten sie es betreten, so fiel ein Kamelhengst sie an, der plötzlich zwischen den Felsen hervorkam und versuchte, sie zu beißen. Sie überwältigten und fesselten dieses männliche Kamel; darauf kam eine Herde von sechsundzwanzig Kamelstuten fügsam mit ihnen. »Einige Tibu wurden auf den Höhen sichtbar, aber«, sagte Abd el Melik, »als ich meinen Abu Setta abschoß, flohen sie schreiend und gestikulierend.«

Abu Setta, »Vater der sechs Schüsse«, war ein offenbar von den Italienern erbeutetes, modernes Gewehr. Dagegen konnte kein Tibu etwas ausrichten.

Die Tibu zogen Abd el Melik und den Kamelen nach, die er nach Kufra trieb. Sie kamen zugleich mit ihm vor den Scheich Sayed Idris, »weinend wie Weiber«.

Der Groß-Senussi gab dem getreuen Abd el Melik, der ihm dafür die Hände und die Füße küßte, ein Geschenk von Medschidië-Talern. Den Tibu aber sagte er, sie hätten die Wahl: entweder sollten sie die Kamele, die Abd el Melik gebracht hatte, nun freiwillig für die Karawane nach Siwah zur Verfügung stellen, oder sie sollten sie, als ihr unbestrittenes Eigentum, zurücknehmen. In diesem Falle aber, und zur Strafe für ihre Verstocktheit, sollte es ihnen von nun an verboten sein, das Tal, in dem Abd el Melik gewesen war, je wieder als Weideplatz für ihre Herden zu benützen; »haram«

sollte es von nun an sein, verboten, und es sollte zu Ehren des getreuen Knechtes den Namen tragen: »Wadi Abd el Melik«.

Die Tibu, die auch für Geld ihre Kamele nicht hergeben wollten (denn sie sind ein trotziges Volk), verzichteten lieber auf die weitere Benützung der geheimen Alm in den Schluchten des Wüstengebirges.

Jener Abdallah, dessen Kuh Njikinjiki in die Wadis zur Weide getrieben hatte, war ein Zueïa, nicht ein Tibu.

»Und so, o Vater des Sandes«, sagte der alte Abd el Melik zu L. E. von Almásy, dem ungarischen Junker, der sein ganzes Leben daran gesetzt hat, die verlorene Oase Zarzura der arabischen Legenden zu finden, »und so nennt man diese Weide und diese Quellen im Gebirge jetzt das Wadi Abd el Melik. Aber vorher, wisse, hieß dieses Tal – «

Der lange, magere Ungar Almásy hielt den Atem an.

»Zarzura!« sagte der alte Zueïa Abd el Melik, als spräche er etwas Belangloses und Nebensächliches aus.

»Ich denke«, sagte mein Kamerad Almásy mit einem ruhigen Lächeln, »unsere drei Wadis werden nun sehr bald auch auf den offiziellen Landkarten der Geographen ihren alten Namen tragen: ›Zarzura‹. Die sagenhafte Oase der kleinen Vögel ist entdeckt.«

»Schade«, sagte ich in einer plötzlichen Aufwallung. »Denn eigentlich bin ich mehr für Märchen als für Wirklichkeiten.«

Bermann im Auto

Richard Arnold Bermann

SAHARAFAHRT

Tagebuch einer Expedition
in die Sahara
4. März – 29. Mai 1933

Die von S. 192 an
abgedruckten Fotos von Hans Casparius
werden erstmals publiziert.

Heute früh, bei trostlosem Regenwetter auf das Schiff gegangen, an der nämlichen Stelle, wo ich vor 31 Jahren mit O[tto]. M[üller]. zum erstenmal an Bord eines Seedampfers kam und wo ich vor genau 10 Jahren mit A[rtur]. R[undt]. die erste meiner grossen Reisen nach dem Krieg begonnen habe, ebenfalls nach Ägypten. Dieses Sichrunden und Sichvollenden der Kreise entgeht meiner Aufmerksamkeit nicht, ich weiss, was es bedeutet.

Gestern Abend im Hotel besah ich den kühnen Entdeckungsreisenden im Spiegel und fand die Rolle merkwürdig besetzt. Demnächst fünfzig Jahre alt, körperlich von jeher in zweifelhafter Verfassung, in diesem Jahr gar nicht in Form und mit allerlei Beschwerden, die ich vor mir geheim halte. Die Nerven seit den letzten Ereignissen in Deutschland beim Teufel; meine alte Elastizität dahin, von Optimismus keine Spur.

Was suche ich also in den unentdeckten Teilen der Libyschen Wüste? Ich habe eine Antwort darauf: den Kopf in den Sand stecken. Ich trete diese wildeste, abenteuerlichste, gefährlichste meiner vielen Reisen an und weiss, dass es einfach eine Flucht ist. Eine Flucht vor den unerträglich gewordenen politischen Verhältnissen in Mitteleuropa, vor den Nachrichten, vor den Ereignissen, vor der beruflichen Situation eines deutschen Schriftstellers, hinter dem die deutsche geistige Welt zusammenkracht wie ein morsches Gebäude. Ich hinterlasse zwei fertiggestellte Bücher, von denen ich nicht weiss, ob sie werden erscheinen können, ich fahre, ein seltsamer Journalist, ohne den festen Auftrag einer Zeitung, auf Entdeckungsreisen. In dieser Lage und Verfassung begebe ich mich also in Strapazen, die ich nur ahnen kann, in die Gefahren einer Durchquerung der grossen Sandsee. Bis darauf, was O[tto] für mich so fürchtet: dass mich die Löwen fressen könnten, – bis auf diese einzige Sache, die nicht möglich ist, kann alles passieren. Ich weiss es und habe kaum vor irgendetwas Angst. Dieses Heldentum, mein Lieber, ist Müdigkeit und Schwäche.

5. März. Nach Brindisi

Mein Reisegefährte auf der »Ausonia« ist ausser dem Photographen Hans Casparius der junge Ungar Dr. Kadar, der Geodät, Kartograph, Landvermesser unserer Expedition. 24 Jahre alt, und hat gestern zum erstenmal das Meer gesehen. Nachdem wir in dem halbafrikanischen Städtchen Brindisi eine Stunde spazieren gegangen sind, erklärt Kadar in der Schiffsveranda C. und mir seinen kostbaren Theodoliten, eine feldgraue Miniaturkanone, mit der er, wie ich behaupte, jede Nacht auf Sterne schiessen wird – ich verstehe natürlich von diesen mathematischen Dingen gar nichts und werde nichts von ihnen verstehen. Im Gespräch erwähnt Kadar ganz nebenhin, in Budapest habe Almásy ihm am letzten Tag gesagt, die Oase der Kleinen Vögel, die wir so romantisch entdecken fahren, sei schon entdeckt, vermessen, auf die Karten gezeichnet: jener englische Surveyor Clayton, der im vorigen Jahr Almásys Expedition mitgemacht hat (auf der die Oase aus der Luft gesichtet wurde), ist uns, [in] nicht durchaus fairer Weise, scheint mir, zuvorgekommen. Ob er die beiden anderen Wadis, in denen Almásy und Oberstleutnant Penderel zwei weitere Regenoasen vermuten, auch schon abgegrast hat, ist K. nicht klar. Also, wenn wir unsere höchst geheime Oase betreten, dürfen wir hoffen, dort bereits eine Reklame für Shell-Benzin vorzufinden.

Merkwürdig, dass mich diese Nachricht gar nicht ärgert, höchstens amüsiert. Es scheint, der Kolumbus-Trieb war in mir von Anfang an ziemlich gering. Ob dieses unangenehm steinige Tal im Gilf Kebir, in dem ich einige Tamariskensträucher und Schlangen zu finden erwarte, schon vorher von einem Engländer betreten worden ist, das ist mir egal. Von neuem stelle ich mir die Frage: was also suche ich in der Libyschen Wüste? Die Antwort lautet heute nach ein paar Stunden Ruhe auf Deck, nach Seeluft, Liegestuhl, einem idiotischen Wallace-Roman, nach einem siegreich bestandenen ersten Duell mit der Seekrankheit, lautet nach all dieser Loslösung und Erholung schon um eine Nuance anders als gestern: wahrscheinlich will ich (wie im Krieg) mich vor mir selbst und vor gewissen Menschen bestätigen. Und wäre es nur, um sehr nachträglich alle meine früheren Reisen zu legitimieren, die durch die Bank bequeme Luxusreisen gewesen sind und mich doch in den Ruf eines grossen Weltreisenden gebracht haben. Diesen Ruhm (dessen sämtliche Früchte ich unterdessen verloren habe) muss ich nun bezahlen. Ich gehe und zahle. Schulden habe ich immer gezahlt wie ein Philister.

6. März. Vor Kreta

Beim Tee erfahren wir durch ein Funktelegramm, dass Hitler und Hugenberg sich (mit welchen Mitteln!) eine Mehrheit im deutschen Reichstag erzwungen haben. Ich hatte nicht daran gezweifelt. Hier endet, durch eigene Schuld, die deutsche Republik, die mich einmal begeistert hat; hier endet die Welt, in der ich gelebt habe, die einzige, die ich mir vorstellen kann. Das Ungewisse, in das ich hineinfahre, ist klarer als das Formlose, das ich hinter mir lasse: ich gehe in die Wüste und werde, freiwillig, ungeheure Ereignisse nicht miterleben. Zum erstenmal seit 1914 schalte ich mich aus; ich frage mich, ob das noch miterleben heisst.

Auf Deck zum erstenmal die Frühlingssonne.

7. März. In Alexandrien

Da wir 9000 Meter Rohfilm mitführen, zu schweigen von den Kameras und dem Theodoliten, ist die Zollrevision keine kleine Affäre, und Casparius und ich entschliessen uns deswegen, über Nacht in Alexandria zu bleiben. Nach einigen langweiligen Stunden auf dem Zollamt, unter dem Schutz des syrischen Spediteurs Monsieur Chalub, essen wir im Hotel und gehen dann ins Cinema Royal, den neuen Lubitsch-Film sehen, – und ich, müde, verzweifelt wie ich war, verbringe einen absolut entzückenden Abend. Ich weiss nicht, ist die leichte Filmerei meines Freundes Lubitsch so levantinisch, oder passt die Levante so gut zu ihr, oder freue ich mich doch mehr mit dieser desperaten Reise als ich es weiss, kurzum ich schwimme in Vergnügen und Patschuli, geschniegelte Armenierinnen erscheinen mir très Parisiennes, ich schnuppere eine Atmosphäre von grosser Welt, wie ein Knabe, der zum erstenmal an die Riviera kommt. Ein paar Turbane dazwischen machen die Sache romantischer. Ich trinke eine grosse Flasche Pilsner, entdurste mich mit einer Wollust, im Hinblick auf die nahende Wüste.

8. März. Alexandrien – Kairo

Den ganzen Vormittag auf dem Zollamt orientalische Geduld geübt. Ich sass da und liess den Syrer machen. Die Beamten tranken Kaffee und rezitierten, glaube ich, den Koran. Zwischendurch wurden die Filmkisten aufgebrochen, die Rollen berochen, gewogen, geschätzt. Man einigte sich auf eine horrende Zollsumme, die, zum Glück, nicht ich zu zahlen habe.

Um drei Uhr im Express nach Kairo. Im Hotel Almásy mit einem verzweifelten Gesicht. Ich denke wegen des Landvermessers Clayton oder wer weiss wegen welcher Katastrophe. Eine Katastrophe gibt es: er hat den Glasdeckel seines (besonderen) Kompass zerbrochen und findet in Kairo keinen Ersatz. Ich beginne zu lächeln, dann fällt mir ein, dass von dieser kleinen Sache sehr leicht mein Leben abhängen könnte. Vor dem Hotel steht eines unserer vier Fordautos, hinten wie der Lieferwagen eines Fleischers anzusehend, vorn (da die Kühlerhaube entfernt ist) wie ein phantastisches, skelettiertes Urwaldtier.

9. März. Kairo

Schlechte Nacht, da der ganze orientalische Strassenlärm in mein Zimmer dringt. Jahrelang hat mir der nächtliche Gebetruf des Muezzin gefehlt; heute, da das Minarett meinem Fenster gegenüber liegt, weckt er mich. Dann ein gezogenes Lied, das Traben eines Esels, und mehr Autolärm als in Piccadilly. Den ganzen Tag in absolutem Nichtstun verbracht, zum Teil in Gesellschaft von Frau Fritzi B[auer], die ich früher zu bemitleiden pflegte, weil sie in Kairo in Verbannung lebt, und deren Schicksal mir jetzt sehr beneidenswert vorkommt. (Ich habe die Zeitung gelesen: in Amerika stürzt der Dollar, in Deutschland richtet sich Hitler ein).

Meinen Expeditionsgefährten, Wing Leader Penderel, R.A.F., kennen gelernt. Auf den ersten Blick: herrlich. Ein aus einem Band Kipling entsprungener Engländer. Penderel war neulich mit dem Flugzeug in der Wüste und hat viele Nachrichten. Jener dämonische Surveyor, Mr. Clayton, ist tatsächlich in »unserem« Wadi gewesen und hat dort einen Heuschreckenschwarm getroffen, der es völlig auffrass, während er dort war. Penderel will zwei weitere Wadis gesehen haben, auf die er uns verhinderte Kolumbusse vertröstet.

Jener Geruch der grossen Welt, den ich in Alexandria genoss, ist in Kairo noch köstlicher. Ich geniesse das blosse Flanieren. Ich stand vor dem Tor des ägyptischen

Museums und ging nicht hinein. Ich liess Casparius allein zu den Pyramiden fahren (er filmte irgendwelche ungarischen Flieger) und trank bei Groppi einen Kaffee alla turca. Ich habe mir Ferien von allem bewilligt. – Am Abend Bauchtanz im arabischen Tingeltangel. Montag früh Aufbruch. Es ist der Dreizehnte.

10. März. Kairo

Vormittag nimmt mich Almásy mit in den Abdin-Palast; wir besuchen den Ersten Kämmerer des Königs Fuad, Ahmed Mohammed Hassanein Bey; er ist der berühmte Forschungsreisende, der 1923 (in beduinischer Tracht mit Kamelen reisend) Kufra besucht und die Oasen Arkonu und Uwenat entdeckt hat. Sein Vater, beduinischer Abstammung, ist Sheikh von El Azhar; der Sohn ist in Oxford erzogen, sehr vergeistigt, ein feines Profil, gescheit, lebhaft, ein Mensch, mit dem ich gleich Kontakt habe, so dass es mir schwer fällt, von Zeit zu Zeit »Exzellenz« zu sagen. Es schmeichelt mir doch, dass dieser Mann mein Mahdi-Buch nicht nur sehr lobt, sondern sogar genau gelesen hat. Er verspricht jede etwa nötige Hilfe, besonders im Hinblick auf mein etwaiges Senussi-Buch. Seine Abschiedsworte: »Auch Sie werden ein Sklave der Wüste werden!«

Nachher Lunch auf der deutschen Gesandtschaft. Anwesend ausser dem langen Herrn v.S. und Madame der Filmkomponist Heymann und Frau und Dr. Hans Kohn (Jerusalem), der politische Schriftsteller. Gespräch über Autos und Wüste unter peinlichster Vermeidung der Politik. (Es ist der Tag, an dem Hitler mit Bayern fertig wird und Dollfuss in Österreich Diktatur zu machen scheint). – Nachher sind wir Gäste bei Groppi zum Kaffee, jetzt reden wir desto mehr, und sehr verzweifelt, von Politik. Am Abend bei Fritzi B. und Heinz W[agner] in der neuen »Pension Golf« in Meadi. Ich rechne aus, dass ich mit meinem bisschen Geld hier etwa 8 Jahre leben könnte – und bekämpfe eine wütende Lust auf diese Weise zu verlevantinieren.

Zwischendurch geht die Komödie weiter. Almásy trifft Lady Clayton, die als Konkurrenz zugleich mit uns auch in die Wüste geht, bitterlich werden wir um die Sandflächen ringen. Ich kann mich nicht aufregen.

11. März. Kairo

Unsere Abreise ist wegen des Radio-Apparats, den wir erst Montag bekommen, auf Dienstag verschoben worden. Almásy und Penderel sitzen den ganzen Tag im Keller des verstorbenen Prinzen Kemal ed Din und beladen unsere Autos mit der fürstlichen Ausrüstung, die wir auf Befehl des Königs Fuad aus den Vorräten des Prinzen entnehmen können, der selbst ein grosser Wüstenforscher (und Almásys Gönner) gewesen ist. Die vier Autos haben arabische Namen erhalten. Almásys Wagen heisst: »Jemkin« (vielleicht), Penderels »Lissa« (noch nicht), Sabr Mohammeds »'Ma alesch« (schadet nichts) und Abdu Musas »Insch' Allah« (so Gott will). Der Koch des Prinzen Kemal, der mit uns geht, heisst Mahmud.

198

Am Nachmittag gehe ich mit Casparius in den Basar, arabische Schuhe kaufen. Er findet keine, die für ihn (Nr. 47) gross genug wären. – Nachher deutscher Kaffeehaustisch bei Groppi, zu meiner Freude erscheint Prof. Steindorf, jünger, blühender als vor Jahren. – Beim Abendessen endloses technisches Gespräch über Kompasse. Ich verstehe kein Wort.

12. März. (Sonntag) Kairo

Vormittag im Ägyptischen Museum. Doch wieder starker Eindruck, obwohl ich immer deutlicher die (bourgeoise?) Beschränkung dieser Kultur sehe. – Mittag Lunch mit Steindorff (sic!). Er bringt uns Aufträge, wir sollen in Kufra Ölzweige für einen historisch-botanischen Zweck besorgen, und in Siwa die Cella des Orakeltempels photographieren. Feiner Kerl! (Auch er in Deutschland verloren?)

Nachmittag holen mich Wagner und Frau Bauer nach El Meadi ab, und wir unternehmen eine kurze Spazierfahrt in die Wüste, die mir kühl und angenehm vorkommt und mich überhaupt fasziniert. Vielleicht zum erstenmal empfinde ich so etwas wie Rausch und Freude im Hinblick auf diese Expedition. – Die Nachricht, dass wir ein Zusammentreffen mit einem beduinischen Räuber namens Gongoi zu befürchten haben werden, erscheint unreal und stört nicht. Auf dieser Terrasse in Meadi könnte ich mit meinen Mitteln etwa 7 Jahre friedlich sitzen, dann müsste ich nicht mehr weiterleben, 57 ist ein anständiger Schluss.

Am Abend Cocktails im Embassy Club (der uns am Dienstag vor der Abreise ein feierliches Frühstück geben will). How-do-you-do-Gespräche mit belanglosen Engländern. Abends mit der Gruppe und Zichys. A. erklärt Penderel die Weltlage vom Standpunkt eines ungarischen Grafen aus, der nicht der meine ist, ich widerspreche den krassesten Chauvinismen nicht, um den Frieden zu erhalten. Soll ich die Demokratie und den Pazifismus, die eben in Europa zugrunde gegangen sind, im Speisesaal des Victoria-Hotels in Kairo retten?

Kramen in meinen Siebensachen als Vorbereitung des morgigen Packens. Was für eine Masse Schächtelchen und Fläschchen! Die Tube mit dem Sonnenbrandcreme platzt, die Büchse mit dem Streupulver leckt, die Schweinerei fängt schon an; was werde ich wieder mal für eine Unordnung produzieren!

13. März. Kairo

Früh Vorbereitung zum Packen. Ordre de Bataille: ein städtischer (alter) Anzug, meine leichte Friesjacke, die Sackleinwandkreeches aus Arizona, Khaki-Shorts, 2 Khaki-Hemden und etwa 4 andere, mein tropisches Unterzeug, Lederweste, Pullover, 3 Handtücher, ein knappes Dutzend Taschentücher, lange Strümpfe und weisse Socken, 3 Paar starkgesohlte hohe Schuhe, darunter die weissen Stiefel aus Madeira, als Pantoffeln die unlängst gekauften gelben arabischen Schlappen, 2 Fibre-Suitcases, ein Rucksack (darin das Necessaire voll von Medikamenten), ein

Ledertäschchen zum Umhängen mit dem Nötigsten für die Stunden der Fahrt. Weniger als die anderen haben, aber mein Gewissen ist schlecht.

Die letzten Vorbereitungen. Brief an …: »Nebenbei, nur für den Fall, dass der Kopf ganz im Sand stecken bleibt, ich liebe Sie furchtbar!« Am Abend Diskussion über den Ankauf eines Schlafmittels für den letzten Notfall, wenn man sich entschlösse, es zu nehmen, statt zu verdursten. Wird beschlossen. Diesen Gedanken habe ich schon in Wien gehabt, es freut mich, dass er auch Almásy gekommen ist.

Wegen irgendeiner Privataffäre fährt Penderel mit dem vierten Auto (und Dr. Takacs dem Arabisten, der nicht arabisch kann) morgen früh nicht mit, sondern kommt nach Kharga nach, wo wir also einen langen Aufenthalt haben werden. Mir recht, schon wegen des allmählichen Übergangs ins Wüstenleben und wegen des Films für den in den Oasen mehr zu holen ist als in der Wüste.

Graf und Gräfin Zichy (er etwas gräflich, obwohl subkutan, sie eine der edlen Frauen, die vor Zartheit unschön scheinen und es nicht sind) kommen bis Kh. mit.

Bei Groppi, wo jedermann ist, begegne ich Dr. B. aus Assuan (Gespräch über den grossen Bruder!) und dem Bildhauer Felix Weiss. Nachricht, dass die Fahne der deutschen Republik abgeschafft ist.

Packen bis spät in die Nacht. Wie viel in zwei Köfferchen geht!

14. März. Kairo – Assiut

Schlaflose Nacht vor Erregung. 9 Uhr Frühstück im Embassy-Klub. Der deutsche Gesandte v. Stairer [?] anwesend. Unformell aber feierlich. Es wird photographiert und gefilmt. 10 Uhr Aufbruch unserer 3 Autos. Ich bei Almásy. Wir fahren den ganzen Tag durch das Niltal. Staub und Kot (der aufgespritzt wird). Anfangs sehr schön, dann ermüdend. Meine Ischias auf einmal wieder da. Um 10 Uhr (bei Vollmond auf dem Nil) Einfahrt in Assiut. Zu spät, um noch in der Wüste Lager aufzuschlagen. Wir gehen in »The New Hotel«, (griechisch), das zweifelhaft aussieht, sich aber als wanzenfrei und auch sonst möglich erweist. Der jugoslawische Kellner aus Konstantinopel nennt sich einen Österreicher und spricht Deutsch.

15. März. Fahrt durch die Wüste

Erwache sehr früh mit enormen Kopfschmerzen, vergifte mich mit Drogen. Ischias, dass ich nicht gehen kann. Lasse mir nichts merken, ins Auto. Ich fahre meistens mit Zichy, der sich als guter Chauffeur und (doch) sehr netter Kerl erweist. Einer der Schüchternen, denen man es zu leicht als Hochmut auslegt. Beim Flugplatz in Assiut hinein in die blanke Wüste. Gleich treffen wir eine kleine Karawane, Beduinen mit 3 Kamelen. Wir filmen, photographieren. (Die kleine Gräfin setzt sich aufs Kamel). Der eine Beduine sagt mir erst einige Worte, gibt mir die Hand. Ich verstehe: »Barakat«, Segen.

Wir fahren aufs libysche Wüstenplateau leicht hinauf. Dann beginnt eine schöne, obwohl aufregende Fahrt durch 200 km Wüste. A. sagt, dass wir auf dem ganzen Weg nichts Schwierigeres zu leisten habe[n]. Wir folgen der Darb-el-Arbain, der alten Strasse der aus dem Sudan kommenden Sklavenkarawanen. Den Teil vom Sudan bis Kharga haben Almásy und Prinz Liechtenstein 1929 zuerst mit Autos befahren, den Teil von Kharga nach Assiut zuerst Bagnold 1931; wir sehen aber doch Autospuren neben denen von Kamelkarawanen. Es wechselt rollendes Hügelland (Hamada) mit Felsdefilees und Sanddünen; besonders schlimm fürs Auto aber schön ist »Bâtik«, weisser, erodierter Stein, wie Skelettrippen der Erde, mit Flugsand in den Ritzen. Unsere Autos, infolge der Airwheels, benehmen sich wundervoll, nur eines entwickelt einen Defekt, und A. muss es mit nur 2 Zylindern weiterfahren. Wir essen Mittag nur einen Brocken arabisches Brot. Gegen Abend fährt A., bemüht, sein krankes Auto durchzubringen, uns anderen vor, wir fürchten im Dunkel schon seine Spur nicht finden zu können, ein paar angstvolle Momente, dann finden wir A., der auf einer Serpentine einer alten Römerstrasse halt gemacht hat, die in die Kharga-Depression hinunterführt. Wir schlagen auf dieser romantischen Felsterrasse um 8 Uhr Abend beim Licht der Autolampen unser erstes Lager auf. C. und ich haben ein grosses grünes Zelt und Feldbetten. Gutes kaltes Abendessen im Windschutz des Autos. Sehr gemütlich. Die kleine Gräfin ist Dame, die am wenigsten Anspruchsvolle von uns, von einem verspielten, kindlichen Ernst. C. photographiert das Nachtmahl mit Blitzlicht. – Und so zu Bett. Es ist (wie es den ganzen Tag eher kühl gewesen ist) entschieden kalt. Zelt und Bett komfortabel.

16. März. Bis Kharga

Wir erwachen in der herrlichsten Landschaft, die wir jetzt erst sehen. Wie am Rand des Grand Canyon. Märchenhafter Felsbalkon, in die rosige Wüste blickend. Katzenwäsche aus der Feldflasche, vergnügtes Frühstück, umständliches Abbrechen des Lagers, nichts klappt noch.

– Um ¼ [Stundenangabe fehlt] Aufbruch, langsam, wegen des kranken Wagens. Schliesslich kommt der gut an, und ein anderer bleibt wegen Benzinmangels 5 km vor Kharga liegen. – Schöner Serpentinenweg in die Tiefe. Unten fängt bald Vegetation an; wir sehen 2 Gazellen und (nicht ich) einen Wüstenfuchs, Fenek.

Um 2 in Kharga, gehen ins Regierungs-Rasthaus, ganz angenehm; nach dem Thee (kein Mittagessen, meine geplante Abmagerungskur wird gelingen) Spazierfahrt durch das Dorf und die Oase zu dem alten Tempel aus der Zeit des Darius. Wir sind alle betrübt, weil die Zichys morgen (mit der Bahn) zurückfahren.

Gegen Abend auf der Veranda offizieller Besuch des Mudirs der Oasenprovinz. Dieser (nette) Kümmeltürke fährt bemerkenswerter Weise gleichfalls mit dem Auto in der Wüste herum, neulich von Assuan bis her. Er erzählt, er habe (römische?) Amphoren gefunden.

Gruppenbild bei Wasfy Bey

Kharga

Aufbruch

Früh fahren die Zichys zur Bahn. Nomadenlager auf der Veranda des Rasthauses. Vormittag gehen C. und ich ins Dorf filmen. Das Dorf ist über lehmenen Unterbauten errichtet, die ein Labyrinth dunkler Gänge ergeben, mit vereinzelten Lichtstellen. C. wünscht, an diesen lichten Stellen zu filmen, sofort stürzen sich alle Dorfkinder vor die Kamera und stören aber nicht mehr als die Erwachsenen, die ordnend eingreifen und deren Regie führende Arme fortwährend in den Bildkreis kommen. Endlich lerne ich die Kunst, die Gänge mit meinem Stock zu sperren. Wir filmen ein altes Weib mit einem Nasenring, einen Derwisch am Brunnen etc. Während ich auf einer Lehmbank auf C. warte, bietet mir der Besitzer des Hauses Kaffee an. Gut, aber voll von Fliegen. Aus den Gesprächen rings um mich, die ich natürlich nicht verstehe, taucht immer ein Wort auf, Zarzura, Zarzura. Die Araber haben gehört (und in der Zeitung gelesen), dass wir Zarzura suchen. Gestern, ehe ich in der Depression noch den ersten graugrünen Strauch sah, als Zeichen der Oase, setzte sich schon die erste Fliege auf mich; seither werden wir von Fliegen schrecklich geplagt, sonst wäre das Paradies hier herrlich. Sie haben einen Garten, in dem die weissen Ibisse spazieren gehen und die Zikaden schreien; auf den nahen Feldern Gesang der Araber.

Nachmittag filmen wir eine Anzahl Buben, die im Wüstensand herumrollen, es ist oder war angeblich ein Brauch, durch den man Heilung finden will. Uns bringt der Sohn des Omdeh (Bürgermeisters) hin. In seinem Haus (mit altägypt. Figuren am Eingang) komische Teestunde, bei der wir Gäste (A. nicht mit) nichts reden können, trotz meinem krampfhaften Blättern im Gesprächsbuch. Der Sohn des Omdeh (ein schöner, dunkler Araber) verliert weder Würde noch Höflichkeit bei unserem kindischen Verhalten.

Am Nachmittag eine schöne Stunde mit 1001 Nacht, die ich in Kairo kaufte. – Am Abend Staatsdiner bei S.E. Wasfi Bey, Mudir der Südlichen Wüstenprovinz. Der bebrillte befezte Mudir ist ein Prachtkerl, von der Wüste romantisch infiziert. Erzählt abwechselnd mit A. vom Sudan. Diese Leute wissen 1000 mal mehr als ich, hätten aber doch keine Zeile meines Buchs schreiben können. – Der Mudir beglückt, weil wir seinen Römertopf bewundern. Bourgeoiser westöstlicher Haushalt mit hinter der Szene verborgener Hausfrau, die durch Türspalten alles dirigiert. Menü (gut!) säuerliche Suppe, Riesen-Truthahn, gefüllt mit Reis, Pistazien, Rosinen, gefüllte Auberginen, Kartoffelcroquetten mit Pistazien, gefüllte Lorbeerblätter mit pikanter Sauce, Griessbrei mit Mandeln, honigsüsse Orangen, von einem mir ganz neuen Geschmack, Kaffee alla Turca. Nachher im spiessigen Salon Blitzlichtaufnahmen unserer Gruppe, dann interessante, aber endlose Geschichten aus dem Sudan, während deren ich fortwährend einschlafe. (Der ganze Tag war sehr heiss, und wie immer nach einer Anstrengung bin ich nachträglich tagelang sehr müde).

Seit 3 Tagen habe ich keine Zeitung gelesen, keine Nachricht gehört. Recht so.

Unser Aufenthalt in Kharga zieht sich in die Länge. Wing Commander Penderel ist her unterwegs, kann aber in seinem einzigen Wagen nicht alle Gegenstände (Auto-Ersatzteile) transportieren, die wir in Kairo zurückliessen, ein Teil muss mit der kleinen Wüstenbahn geschickt werden, ich sehe lange Aufenthalte voraus. Übrigens ist es, bis auf die Fliegen, hier sehr angenehm. Ein Tag des Nordwinds. Gegen Abend fangen die Dünen zu wandern an. Vormittag filmen wir sorgsam »Annäherung an die Oase« (die Düne, die ersten Palmen, die Gärten), dann Szenen am Brunnen. Nachmittag Spaziergang im Dorf. Haufen von lästigen Kindern: Chawaga, bakschisch! Die Erwachsenen sind voll ernster Höflichkeit, die Kinder zeigen bald, wie lächerlich sie uns finden. Halbe Flucht zu Omar Mustaphas Rasthaus, dann langer, beschwerlicher Spaziergang heim, in Sandwehen. Am Abend geht Casparius zum Mudir Wasfi, der drei seiner Kinder und seine Frau (!) photographieren lässt. Kadar leicht unwohl. Wir sind beunruhigt, befürchten Oasenfieber etc., aber es ist nichts, vermutlich nur Sonnenbrand. Ich schnappe rasch einige arabische Brocken auf und würde mehr lernen, wenn mein Metoula-Sprachführer minder idiotisch angeordnet wäre. Lese langsam 1001 Nacht.

Wieder keinerlei Nachrichten aus der Welt.

Keine Nachricht, dass Penderel Assiut erreicht hat. Unser Aufenthalt hier ist ganz angenehm, zieht sich aber recht sehr in die Länge. – Am Vormittag (während Almásy und Kadar mühsam den Kompass des Leitautos kompensieren) begebe ich mich zu einer ummauerten Mulde am Rande der Wüste, wo zwischen Bäumen eine sprudelnde Quelle entspringt. Dort vor Sonne, Wind und Fliegen geschützt, beginne ich meinen ersten Aufsatz über die diesjährige Reise zu schreiben (zum erstenmal nicht fürs B[erliner]T[ageblatt], es tut mir doch leid). Ich beschreibe die Autofahrt über die Darb-el-Arbain. Dann hole ich Casparius und wir filmen das Heraussprudeln der Quelle, die sehr schön ist. Das laue Wasser schmeckt leicht mineralisch. Die Araber, denen der Grund gehört, spielen geduldig und mit Intelligenz die Statisten, schöpfen aus der Quelle etc.

Am Nachmittag fahren wir ein paar Kilometer südlich bis zu einer Räuberruine auf einem Hügel. Spuren einer Festung und Grundmauern eines Dorfs inmitten grüner Gerstenfelder. Viele Tonscherben. Wir finden die abgestreifte Haut einer Hornviper. Nachher fahren wir bis zu einer hohen Düne, auf die A. und Kadar klettern. Sie rollen hinab, für den Film. Wir sind ausgelassen wie Kinder im Sand.

Briefe an Otto und E[lisabeth] B[ergner].

Nach dem Nachtmahl hören wir, dass Touristen, darunter zwei deutsche Schweizer, im anderen Rasthaus (des Scheikhs Omar Mustapha) sind. Wir fahren hin, how do you do sagen, die Schweizer (ein Chirurg, ein Philologe) liegen im Bett.

Ein seltsames amerikanisches Ehepaar, nicht erfreulich. Während ich eine Flasche schlechtes Bier trinke, schreibt Almásy Koransprüche und der anwesende Stationschef der Eisenbahn korrigiert sie. Es macht aber doch so viel Eindruck auf ihn, dass er (allerdings von einem einzigen Glas Bier total besoffen) A. für einen Muselman hält und am Schluss »Salam aleykum« grüsst, so wie man Ungläubige nicht grüsst. A. pleased as Punch.

20. März. Kharga (Montag)

Schreibe am Nachmittag im Garten meinen ersten Artikel ab und sende ihn an Klement. Titel »Die Strasse der 40 Tage«. Am Nachmittag schreibe ich an der Quelle den Anfang des zweiten Artikels über Kharga. Ratloses Warten auf Nachricht von Penderel. Wie ich ins Rasthaus zurückkehre (die Schweizer Touristen sind auf Besuch da) kommt das Telegramm an, er sei früh morgens von Assiut aufgebrochen. Ich halte es für unmöglich, dass er noch heute ankommt. Aber nach zehn Uhr Abend kommt das unglaublich gepackte Auto; es ist 4 Stunden durch die Dunkelheit gefahren, und zwar mit unbrauchbar gewordenen Scheinwerfern. Stout fellow! Mit Penderel kommt Dr. Takacs, der Advokat-Arabist ist, (der sich romantisch vorkommt) und der zweite Chauffeur, Sabr Mohammed, der unterwegs einige Angst gezeigt haben soll. Während die anderen, Abdu Mussa und Mahmud, die Wüste schon kennen, ist Sabr ein braver Kairoter Taxichauffeur, und nur ein entfernter Verwandter der Söhne der Wüste. Penderel, ein Prachtkerl, erfüllt die Bude mit Leben. Mir hat er eine Sitzunterlage fürs Auto mitgebracht. Ich sage, zu scharf, er möge nicht die Idee fassen, ich sei etwas Besonderes. Er wehrt erschreckt ab. Tatsächlich werde ich in allen Dingen der Bequemlichkeit systematisch bevorzugt, was mir einerseits peinlich, andererseits wieder angenehm ist. Schliesslich bin ich bei weitem der Älteste und physisch Schwächste in der Gesellschaft. Ich habe aber die Absicht, wie im Krieg, alles auszuhalten und mich von niemand bemitleiden zu lassen.

Takacs bringt Zeitungen mit. (Die letzten). Wirre Nachrichten über die Sitzung eines Rumpfparlaments in Wien und eine Bedrohung der Republik.

21. März. Kharga

Zweiten Artikel abgesandt; »Die grosse Oase«. Das füllt den Vormittag. Nachmittag Filmerei im Ort (Schule etc.), grässlich geniert durch die Kinder, die schliesslich Steine zu werfen beginnen. Wir drei, C., ich und der komische Grand Homme de Provence, T., der Arabist, der auf Arabisch nicht sagen kann »komm her«, ganz ohne Autorität. Almásy oder Penderel hätten die Bande durch ein einfaches Stirnrunzeln verjagt. Ich kann es nicht.

Während des Filmens, um die Horde von C.'s Camera wegzulocken, rezitiere ich öffentlich Schillers »Glocke.« Am Abend Beladen der Wagen; ich packe auch. Leichter Durchfall, kein sehr angenehmes Präludium für die Fahrt, besonders da die Ischias auch wieder da ist. Allgemeine (naive) Begeisterung über meine Artikel.

Schrieb an Beer-Hofmann und Karpeles.

Eher kalt. – Kharga war schön!

22. [März]. Wüstenfahrt bis zum Grab des Fliegers

Wir wollen um 6 Uhr früh aufbrechen, es wird ½ 11. Der Mudir zum Abschied erschienen. Wir fahren 30 km bis zum Ende einer Strasse und dort, bei den Ruinen der Endstation einer strategischen Bahn, die während des Krieges (gegen die Senussi) in Betrieb war, erleidet der Wagen, auf dem ich sitze, einen Federbruch. Es dauert fast den ganzen Tag, ehe das repariert ist. Ich beobachte ein paar Insekten (Schmeiss-fliegen) und einen kleinen Vogel. Kurz vor Sonnenuntergang kommen wir noch 30 km weiter, bis zu einer Stelle, wo im Krieg ein (unbekannter) englischer Flieger landen wollte und abgestürzt ist. Wir lagern an einer romantischen Stelle; man schlägt nur für Takacs und mich Zelte auf (winzig kleine, schwer, herein- und her-auszukriechen). Die anderen stellen ihre Betten im Freien auf, obwohl die Nacht bit-terlich kalt wird.

Zigeunerleben im Lager. Einer stiehlt dem anderen (lustig) Kleidungstücke und Gebrauchsgegenstände. Ich erfinde für uns, in Anbetracht des Wüstenräubers, den Namen: Gongoi-Klub.

Während der Fahrt haben wir ein kleines Gebiet gekreuzt, von dem noch keine Karte existiert und haben Aufzeichnungen gemacht. Seltsames Kolumbusgefühl, da ich die vollkommen belanglosen Felshügel sehe. – Unterwegs arabo-englische Kon-versation mit Sabr Musa.

23. März. Bis Cleft Hill

Nach einer kalten Nacht um ½ 6 geweckt – es ist pünktlich wieder ¼ 11, bis wir fahren können. Während des endlosen Wartens sehe ich Libellen zu, die seltsamer Weise um unser Auto schwärmen, wahrscheinlich einiger verschütteter Tropfen Wassers wegen. (Seit Kharga keinerlei Vegetation mehr!) Fliegen von allerlei beson-deren Arten. Ich wollte, ich verstünde was davon.

Wir möchten Abu Ballas (Pottery Hill) erreichen, steuern aber erst Cleft Hill an, einen (»gespaltenen«) Berg, an dem Penderel (mit dem Flugzeug) Benzin für uns deponiert hat. Er hat damals einen neuen bequemen Weg hin gesehen, er navigiert hin und feiert Triumphe. Ich neben ihm schreibe Kompass- und Distanzzahlen für ihn – und feiere keinerlei Triumphe dabei. Während der Fahrt weigere ich mich, Wasser zu trinken. Wir essen aber um 3 Uhr reichlich (kalt) Mittag, trinken eiskal-tes Wasser aus dem »Semsemir«, essen Zwiebeln gegen den Skorbut. – Den grössten Teil des Tages passieren wir flachen »Serira« (»Bett«), gegen Abend wirds wild und halsbrecherisch; auf einer Düne bleibt mein Wagen stecken und muss mittels der Strickleitern herausgepaukt werden. Schliesslich erreichen wir genau bei Sonnenuntergang Cleft Hill (keine Rede von Abu Ballas). Unterwegs ein »versteinerter Wald«. Peilungen, grosses geographisches Getue. Auf jeden Berg wird gestiegen. Wir steuern Cleft Hill aber genau an und sind sehr stolz. Wieder sehr provisorisches Lager. Es wird 10 Uhr, ehe wir zu essen bekommen. Wir alle sind totmüde, auch Penderel. Meine Ischias sehr arg.

24. März

In der Nacht nicht so kalt. Wie üblich entwickeln wir furchtbare Eile beim Aufstehen, beschränken diesmal sogar das Frühstück aufs Allernötigste – und brechen infolge der Packerei wieder nach 10 Uhr auf. Lächerliche Szene, da Penderel mir zum Waschen und Zähneputzen meinen Zinnbecher halbvoll bringt. – Wir fahren, ohne irgend etwas zu essen, den ganzen Tag gegen Pottery Hill, erst durch wildes Gebirgsterrain, dann im Serira, kommen gegen Abend auf die Autospuren des Prinzen Kemal ed Din (1923!), finden sein Lager, nicht aber die Töpfe von Abu Ballas. Lager in den Dünen, ohne exakt zu wissen, wo wir sind. Unterwegs Fliegen, ein Marienkäfer, Sandspuren grosser Vögel (Kraniche?) und einer Schlange. Seltsame Sanderosionen (Röhren) und glitzernder Kies. Meine Ischias quält mich furchtbar, ich sage nichts.

25. März. Base Camp I

Erwache wie gewöhnlich bei Morgengrauen und trete vors Zelt. Ich finde Kadar, in seinen weissen Pelz gehüllt, Zahlen rechnend; er ist nicht schlafen gegangen und hat die ganze Nacht versucht, aus den Sternen unsere Position zu bestimmen. Die (glaube ich) Breite hat er gefunden, sie stimmt auch zu der von Abu Ballas, die Länge ist nicht zu finden, da es unglücklicher Weise gestern Abend auch nicht gelang, das Zeitsignal der Station Massaua mit dem Radio aufzufangen, und wir folglich die genaue Zeit nicht haben.

Es war geplant, um 7 Uhr unter Hinterlassung des Lagers nach Regenfeld zu fahren. Ich bin pünktlich um ½ 7 fertig, mein Rucksack ist gepackt, aber die anderen schlafen bis acht.

Nach dem Frühstück berechnet Almásy, dass die Benzin- und Wasservorräte aufgefüllt werden müssen; es wird beschlossen, drei Autos mit Penderel, Takacs (Gott sei Dank!) und beiden nubischen Chauffeuren schon morgen nach Kharga zurückzusenden, folglich unterbleibt heute der Ausflug nach Regenfeld, das wir ohnedies kaum finden würden. Gedrückte Stimmung. Penderel und Kadar fahren Pottery Hill suchen und kehren um 5 Uhr ohne Resultat zurück. Ich schreibe unterdessen unter einem Schattendach meinen 3. Aufsatz »Das Lager am gespaltenen Hügel«, um ihn morgen mitzugeben, dann essen wir Sardinen und Käse und ich schlafe fest zwei Stunden im Sand. Nachher macht mich Takacs durch langweilige und sentimentale Konfidenzen rasend. Ein kompletter, neurasthenischer Idiot. Alle anderen sind angenehm, – zum erstenmal heftiges Durstgefühl, obgleich ich heimlich Neusesol nahm.

Vor dem Abendessen lange, geheime Konversation zwischen Almásy und Penderel. Es stellt sich heraus, dass P. vor der Abreise aus Kairo von einem Hund gebissen wurde, sich in der Eile nicht pasteurisieren liess und jetzt den immerhin möglichen Fall bedenkt, dass der Hund toll gewesen sein könnte. A. und P. setzen unter unserer Assistenz einen Vertrag auf, nach dem A. von den möglichen Honorartantiemen, die ihm der Verlag Klement aus den Erträgnissen der Expedition zahlen wird(?), die Hälfte an Penderels (geschiedene) Frau zediert. Der Advokat Takacs erhebt die lächerlichsten Einwendungen, die er dann alle wieder zurückzieht. Er und ich zeichnen als Zeugen.

Beim Nachtmahl scheusslicher Benzingeschmack des ersehnten Wassers, den ich vergeblich mit Citronensäure bekämpfe. Vorher gelingt es, das Zeitzeichen im Radio zu hören, so dass die Chronometer gestellt werden können. Kadar zum Observieren zu müde, also morgen.

26. März. (Sonntag) Base Camp I

Penderel und Takacs (dessen Abreise allseits befriedigt) brechen mit den beiden Chauffeuren um 6 Uhr früh auf – und sind um 7 zurück, sie haben unterwegs, etwa 20 Kilometer weit, den Hügel Abu Ballas endlich gefunden. Sie teilen uns mit, wo er liegt, und fahren wieder ab. Freude im Lager, die sich in Wettläufen etc. äussert. Kadar und Almásy verbringen den halben Tag mit dem Zeichnen einer Karte, mit deren Hilfe wir morgen doch nach Regenfeld wollen, mit dem einzigen Wagen, der uns bleibt, auf die Gefahr, in der Sandsee zu stecken, bis in etwa 5 Tagen Penderel zu Hilfe kommt.

Nachmittag fahren wir nach Abu Ballas. Finden den Hügel der Töpfe leicht. Interessant. Nehmen 2 halbwegs unversehrte Töpfe mit. Beim Filmen bricht C. die Feder einer der Cameras, es stellt sich heraus, dass er keine Reservefeder mit hat. Seine kleinbürgerliche Sparsamkeit gefährdet den ganzen Film. Wie in Marokko. Es stellt sich heraus, dass ich beim Herfahren die beiden Hügel von Abu Ballas richtig erkannt und Almásy gezeigt habe, der höflich dazu lächelte. Der Fehler geschah durch zu eiliges Fahren am Schluss.

Finden eine tote Heuschrecke und sehen beim Heimkommen über unserem Lager einen grossen Raubvogel. Nennen das Lager Base Camp I.

27. März (Montag). Fahrt nach Regenfeld

Da wir annehmen, dass Penderel bis fünf Tage abwesend sein könnte und wir diese fünf Tage nicht unnütz im Lager verbringen wollen, beschliessen wir, d.h. bestimmt Almásy, dass wir unterdessen nach Regenfeld fahren. Mit einem einzigen Auto ist das, da Regenfeld schon in der grossen Sandsee liegt, eine sehr gewagte Sache, aber wir nehmen all unser Wasser und Essen für 10 Tage mit; wir rechnen darauf, dass Penderel, wenn wir irgendwo stecken bleiben sollten, uns folgen und befreien wird. Auch so gefährlich, da man einander verfehlen kann. Wir räumen das Lager sauber auf, hinterlassen für P. einen Brief in einer Flasche. Da in dem einen Auto fünf Personen (mit Mahmud) fahren sollen und der (gegen die Sonne geschützte) vordere Platz des Navigierens wegen für Kadar gebraucht wird, richtet mir A. mit viel Sorgfalt oben auf dem Gepäck einen Sitz ein, der sehr bequem ist, auf dem aber meine Hände (Rücken) von der Sonne unerhört verbrannt werden; hundert kleine schmerzende Wunden.

Wir fahren ganz direkt auf das Ziel los, fortwährend rechnend und Kompasspeilungen vornehmend. Hie und da finden wir, meist an kritischen Stellen, die 9 Jahre alten Wagenspuren des Prinzen Kemal ed Din; es ist fast gespenstisch. Am Abend steigen A. und Kadar auf eine Düne und kommen erfreut zurück, sagend, sie hätten einen prächtigen Lagerplatz gefunden. Was sie aber gefunden haben (lange können sie es nicht verheimlichen) ist die keine 300 Schritt entfernte Pyramide, die Gerhart Rohlfs in Regenfeld hinterlassen hat. Schrecklicher Zustand des mit Rost ganz rot gefärbten Wassers. Ich leide kurz vor dem Ankommen sehr an Durst, trinke schliesslich, bekomme arges Leibschneiden.

Zum erstenmal schlafe ich ohne Bett (aber auf Pelzmantel und Schlafsack) in einem Sandloch, die schmerzenden Hände im Zinksalbe-Verband. Meine elektr. Taschenlaterne fällt und verdirbt, zugleich bleibt meine (zweite, letzte) Uhr stehen, will nicht weiter.

Grosse Freude bei A. wegen der allerdings verblüffend raschen Auffindung der in der ungeheuren Sandsee verlorenen Steinpyramide. Kadar guckt bis gegen Früh in die Sterne, wird wegen unmoralischen Verhältnisses mit der Jungfrau und den Zwillingen gehänselt. –

N.B. Während wir in Regenfeld anlangten, verzog sich der Himmel, »die Sonne zog Regen«, und Casparius und ich, die wir ungedeckt auf dem Wagen sassen, fühlten deutlich einige Tropfen. Dann ging der Regen vorbei. Wäre vielleicht eine Art Sensation gewesen, aber verdammt unbequem ohne Zelte.

28. März. Dienstag. Lager in Regenfeld

Früh auf, nach einer ganz guten Nacht. (Leibzwicken) Herrlich der erste Trunk, solange das Wasser kühl ist. – Wie gewöhnlich wecke ich die anderen. Wir befinden uns in dem mittleren von drei Dünentälern. Im benachbarten ersten, ganz nah, steht die Rohlfs-Pyramide, das dritte befindet sich 4 km weiter östlich, in ihm befindet sich das ehemalige Lager des Prinzen Kemal ed Din, ebenfalls mit einem Alam (Steinzeichen). Wir fahren, von den Spuren der prinzlichen Autos geführt, bis zu der hohen Düne auf dieser Seite. Wie die Spuren zeigen, ist der Prinz mit seinen Citroens glatt über die hohe Düne gefahren; wir können oder wollen das nicht, so bleibt der Wagen vor der Düne stehen und meine Gefährten gehen zu Fuss weiter (3–4 km). Ich traue mir die Anstrengung nicht zu (furchtbar heiss!) und bleibe allein (und ohne Uhr) beim Auto zurück. Es dauert 3–4 Stunden. Ich lese in »1001 Nacht«, schlafe ein biss-

Kádár und Penderel

chen und fürchte mich ein bisschen, grundlos. Endlich Rufe von der Düne; die 4 Leute kommen, mit einer Flasche, in der der Prinz das Dokument hinterlassen hat, das zu suchen wir herkamen. (A. hat ein Ersatzdokument verfasst, in dem der Prinz »the greatest explorer of the Libyan Desert« genannt wird. Etwas hart für Rohlfs und Hassanein). – Rührung Almásys, der das Andenken des Prinzen romantisch verehrt. Der Koch Mahmud (der früher im Dienst Kemal ed Dins stand) hat bei der Steinpyramide geweint und gebetet.

Wir essen etwas, dann setze ich ein deutsches Dokument auf, das in die Rohlfs-Pyramide gelegt werden soll. Almásy schreibt es um, so dass wenig von Rohlfs und viel von Pz. Kemal ed Din und König Fuad drinsteht. – Wir klettern über die Düne (drüben sehr steil) gehen zu der Pyramide, tragen sie ab (was Casparius filmt), finden im Innern die Haut einer Viper und einen toten kleinen Vogel, aber keine Flasche mit Dokument. Gehen verstört in die Ebene suchen. A. entdeckt mit seinen fast unfehlbaren Augen eine Ecke eines der Fantase (eisernen Wasserbehälter), die Rohlfs aus Deutschland mitgebracht hatte, ferner einige geflochtene Satteltaschen seiner Kamele. Bergen diese 59 Jahre alten Reliquien. (A. will mir eine portugiesische Sardinenschachtel schenken, ich danke.) – Dann zurück zur Pyramide, die doch die richtige sein muss. Tief im Sand findet Mahmud wirklich eine Sektflasche (französisch), mit dem Wappen des Prinzen versiegelt und mit einem Schriftstück darin. Wir nehmen die Flasche, ohne sie zu entsiegeln, für König Fuad mit und bauen eine neue, höhere Pyramide, in der wir unser Dokument lassen und zwar in der leeren Sektflasche, die die Firma Kempinski C. mitgegeben hat, damit er sie zu Reklamephotos benütze. Hier kriegt sie ein erstklassiges.

Zurück ins Lager. Ich komme fast nicht über die steile Düne und muss von Casparius gezogen werden. – Gute Laune beim Abendessen, obwohl mangels Brennstoff nichts warm gemacht werden kann. Ich erzähle von Neuseeland. Kadar macht mir ein Sandbett nach Beduinenart, eine Art Grab. Ich schlafe miserabel, erwache mit einem steifen Bein und heftigem Ischias, vom Leibweh zu schweigen. Sonst gesund.

29. März. Mittwoch. Zurück ins Base Camp I

Wir packen nach dem Frühstück auf und fahren zurück. Ich sitze diesmal mit Almásy und dem sympathischen Mahmud vorn, also gegen die Sonne geschützt, aber so beengt und verkrampft, dass die Ischias mir wahrhaft höllisch zusetzt. Unterwegs bauen wir auf einem markanten Hügel einen Alam, er soll demjenigen den Weg weisen, der nach uns kommt und seinerseits unser Dokument abholt. (Wir stiften damit das Blaue Band der Sandsee). – Schnurgerade in unseren vorgestrigen Spuren zurück. Unterwegs unterhalten wir uns darüber, ob Penderel morgen oder übermorgen zurückkommen wird. Zu unserem Staunen ist er schon mit den 3 Autos im Lager, als wir um 2 Uhr Nm. eintreffen; er kam nach einer wahren Rekordfahrt schon gestern Abend zurück. Wie ich gegen Almásys Meinung vorher vermutete, ist er sehr gekränkt, weil wir ohne ihn fuhren, beobachtet aber gute Haltung und lässt sich schliesslich versöhnen. Beratung der Führer; es wird beschlossen, dass morgen 3 der Autos zum Gilf Kebir weitergehen, aber das vierte, Casparius und ich, sollen hier in Base Camp I zurückbleiben (wir beide allein); es soll angeblich nur bis Abend dauern; ich rechne auf 2–3 Tage. Etwas unheimlich, da wir beide so wüstenfremd sind und Einiges auf einen Sandsturm hinzuweisen scheint.

Nach dem Mittagsimbiss liege ich im furchtbar heissen Zelt. Dann, da die Sonne hinter erheblichen Wolken verschwunden ist, schreibe ich im Freien dies hier, während Casparius und Kadar die zum Glück nicht wirklich gebrochene Feder der Filmkamera reparieren.

Eine Libelle und Marienkäferchen im Lager.

30. März. Donnerstag. Im Base Camp I

Ein bemerkenswerter, obwohl nicht restlos angenehmer Tag. Erwache mit einer erheblichen Kolik, beschliesse, tagsüber nichts zu essen und führe diesen Vorsatz auch durch. Es herrscht Südwind, der später nach Westen umspringt (Westwind ist in der Wüste enorm selten) und aus dem schliesslich ein erklärter Sandsturm wird, der erste, den wir erleben. Liege den grössten Teil des Tages im geschlossenen Zelt; der Sand erfüllt alles; es ist aber nicht gar zu heiss und ich finde, dass der Schrecken, nun er da ist, sich ganz gut ertragen lässt. (Meine Ischias gestern hat die Wetter-änderung pünktlich prophezeit!) – Beim Mittagessen habe ich, da ich nur Thee trin-ke, den Vorteil, nicht mit Sand erfüllte Spaghetti essen zu müssen. – Meine Gefährten schneiden einander, des fliegenden Sandes wegen, mit einer stumpfen Maschine die Haare ganz kurz und sehen wie Sträflinge aus. (C. wie der komische Sträfling im Film). Ich kann mich zu der Operation noch nicht entschliessen. – Am Nachmittag liegen wir herum, die Abreise der anderen ist bis zur Beendigung des Sandsturms ver-schwunden. A. deprimiert, es scheint, weil er mit einer Zigarette beinah einen Lager-brand angerichtet hätte; vielleicht kommt ihm auch ins Bewusstsein, wie gewagt un-sere Fahrt nach Regenfeld war: unsere Spuren sind schon vom Sandsturm verwischt, Penderel hätte uns niemals gefunden. – Trotz dem Sandsturm schreibe ich, allerdings provisorisch und elend, meinen (4.) Artikel »Besuch in Regenfeld«. Almásy liest mein St. Helena-Buch, zeigt sich entzückt und erinnert mich überhaupt erst wieder an mei-ne beiden im Erscheinen begriffenen Bücher (träume später davon). Meine Wiener Sorgen sind mir tatsächlich schon aus dem Kopf geblasen.

Nach Sonnenuntergang hört der Sturm auf, und nun kommt eine neue Wetter-sensation: es regnet! Nicht arg, nur die ersten grossen Tropfen machen wirklich nass, aber dann kommen doch immer wieder kurze Schauer aus kleinen schwarzen Wölk-chen. Wetterleuchten in der Ferne, manchmal sehr heftig. Es ist der erste Regen, den Almásy in der Wüste erlebt.

Langes geographisch-astronomisches Gespräch im Messezelt, dem ich, ohne zu verstehen, gern zuhöre. Es ist schön, wenn irgendwer irgendwas kann; die drei (Almásy. Penderel, Kadar) können ihre Sache.

Almásy äussert kuriose Ahnungen. Ich meinerseits habe keine mehr und lasse mich leben. Wahrscheinlich ist es ein Wahnsinn, was ich da treibe, aber ich befinde mich vorläufig dabei nicht schlecht, trotz [der] kleinen Körperbeschwerden.

Mein Nachtmahl besteht aus einer der parfümierten Kharga-Orangen.

31. März. Freitag. Im Base Camp I

Da der Sandsturm, obwohl mit verminderter Heftigkeit, weiter andauert, ruhen im Lager fast alle Vorbereitungen für die Weiterreise. Penderel, der eine für einen Wüstenreisenden etwas seltsame Abneigung gegen Sand hat, verlegt unser Messezelt auf ein mit unangenehmen Steinbrocken besätes Felsplateau am Rand der Ebene, in der das Lager liegt; hierher weht kein Sand, aber ich mit meinem Ischias-Bein kann mich auf der mit Geröll bedeckten Platte kaum bewegen und verbringe den Tag, auf dem unebenen Zeltboden liegend, eher wie ein Gefangener auf der Teufelsinsel. Ein Raubvogel (Habicht?) bewohnt das Plateau; wir sehen seinen Horst mit Exkrementen, die Kadar an sich nimmt, um sie zu untersuchen, und die Leiche eines kleinen Vogels.

Als es kühler wird, kommen Almásy, Penderel und Kadar aus der Ebene herauf und bringen Lunch mit. A. und P. spielen ein scharfsinniges Spiel: »Battleship«. Abends sehr gern wieder zurück ins Lager. Mein vom Wind vollgewehtes Zelt eine Art Heimat. – Almásy repariert meine Taschenlampe. Herrlich.

1. April 1933. Samstag. Base Camp I

Endlich wird mit dem Aufbruch doch Ernst gemacht. Früh (relativ) aufgestanden, man bepackt die Wagen. Drei davon, mit Almásy, Penderel und Kadar sowie mit den beiden Chauffeuren sollen (250 km oder so) zum Gilf Kebir fahren und dort soll am Ostabhang ein neues, permanentes Lager errichtet werden. Penderel und Kadar fahren sofort mit 2 Wagen weiter, um vom Bir Messahar (Brunnen der Landvermesser) recht viel Wasser nach Base Camp 2 zu holen; Almásy mit einem einzigen Auto und mit Abdu Musa dreht sofort wieder um, um Casparius, Mahmud und mich abzuholen, die wir unterdessen (mindestens 3 Tage) hier bleiben sollen; uns bleiben 3 Zelte, Vorräte für mehr als 10 Tage und Wasser für 1 Monat, ausserdem das eine Auto, mit dem wir im Notfall gar nichts anfangen könnten, da von uns dreien nur Casparius die leiseste Ahnung vom Chauffieren hat, und keiner von der einzuschlagenden Richtung. – A. lässt das eine Auto hier, um Benzin zu sparen; sein Entschluss, mit einem einzigen Auto zurückzufahren ist wieder etwas riskiert, obwohl er darauf rechnen darf, dass ihn im Notfall Penderel mit seinen 2 Wagen heraushaut; das sind lauter scharfe Rechnungen, in denen eines Tages irgend ein Posten versagen könnte.

Um ½3 brechen die drei Autos auf, ohne rührenden Abschied (C. filmt vom Berg). C. und ich bleiben wie Wüstenrobinsone zurück, mit unserem schwarzen Mann Freitag (der vortrefflich für uns sorgt). Das ist ja ganz schön für die Robinsone, die miteinander tratschen können, aber der Mann Freitag, der unsere Sprache nicht versteht, bleibt recht isoliert. Beim Abendessen (ein Ozean voll Nudelsuppe, Gänseleberpastete mit grünen Erbsen (warm), Vanillecustard, Tee, frisches Brot) bemerke ich gar zu selbstgefällig, dass ich nach den wenigen Tagen schon meine gewöhnlichsten Wünsche auf arabisch ausdrücken kann, während der Schwarze sich mir kaum verständlich zu machen weiss – da fragt er mich plötzlich, ob ich eigentlich französisch verstehe, und, siehe da, er kann sehr viel mehr französisch, als ich am Ende der Reise arabisch können werde. – Schenke ihm zur Sühne eine Schachtel Pfeifentabak. Prachtkerl.

Eine matte Schwalbe, wahrscheinlich beim Durchzug zurückgeblieben, treibt sich um das Lager herum.

Ich schrieb im Laufe des Tages einen Artikel »Der Hügel der Töpfe«, den fünften seit dem Aufbruch von Kairo.

2. April. Sonntag. Im Base Camp I

Der erste Tag unserer Robinsonade vergeht unmerklich. Ich sitze meistens im Zelt, schreibe den Regenfeld-Artikel um, während Casparius Tonnen Sandes aus seinen Apparaten und seinem Gepäck entfernt. (Ich in meiner Ungeschicklichkeit und Unordnung bin in Zelt und Bett förmlich von Sand bedeckt) – Kühler Nordwind. Ich trage Shorts und schmiere mir die Knie, damit sie nicht verbrennen, mit einer braunen Paste ein, die Krusten bildet. Neugierig, wann der Sonnenbrand doch kommt. (Meine Hände werden immer wieder wund, aber nicht gebräunt.)

C. zeigt Mahmud seine Sammlung von Photos. Kuriose Reaktion. Die Negerbilder vom Senegal und von der Sierra Leone missfallen ihm, – weil die Neger zu negerisch aussehen, dicke Lippen haben etc. Er, der Dongolaner, ist zwar schwarz, aber offenbar stolz auf seinen mehr oder minder kaukasischen Gesichtsschnitt.

Abendspaziergang durch die Ebene. Casparius zertritt mit seinen Pantoffeln einen Skorpion (?), der unfassbar schnell zu entfliehen sucht.

Da wir vor dem Abendessen im elektrisch beleuchteten Zelt sitzen, kommt ein grosser Nachtfalter. Es gelingt nicht, ihn zu fangen. Fliegen genug.

3. April. Montag. Base Camp I

Mässige Nacht, gestört durch meine Blasenangelegenheit und steifen Hals. Kalt. Ich träume seltsam von Almásy. Er wirbt mich (in Wien) zu einem Flug nach Afrika an, der habsburgisch-legitimistische Zwecke hat. Göndör (an dessen sonderbares Gespräch mit A. ich mich zufällig gestern erinnerte) mahnt mich an meine republikanische Gesinnung. So sage ich Almásy ab, worauf eine Vehme weissbemäntelter Offiziere mir nach dem Leben trachtet. Almásy redet dagegen, aber nicht allzu energisch.

Früh ist es recht heiss. Ich verbringe den Tag grösstenteils im Zelt, schreibe den Abu Ballas Artikel um, lese (mit Genuss) »Die Revolte in der Wüste« von Lawrence, während Casparius höchst harmlose Karikaturen zeichnet. – Der grosse Raubvogel schwebt über dem Lager. Eine Art Falter. Zunehmende Fliegen.

Gegen 5 Uhr erscheint im Triumph das Auto mit Almásy und Sabr. Sie haben keine besonderen Schwierigkeiten gehabt. Am Gilf Kebir meinen sie schon den fahrbaren Riss durchs Gebirge gefunden zu haben, den wir suchen. – Dort haben sie Base II etabliert, wohin wir morgen übersiedeln. Penderel, Kadar und Abdu gingen unterdessen mit 2 Autos zum Messahar-Brunnen. Amüsant, weil sie irrtümlich nur Wein statt Essen mithaben. Almásy wäscht sich luxuriös. – Politisches Gespräch im Mondlicht, in den Linien meines Traumes, den ich erzähle. Groll Almásys gegen Göndör. – Gehe mit höchst unangenehmen neuralgischen Schmerzen im linken Nacken und der Schulter schlafen oder nicht schlafen.

4. April. Dienstag. Fahrt zum Gilf Kebir

Jämmerliche Nacht wegen rheumatischer Schmerzen im linken Nacken, der Schulter etc. (offenbar Folgen der Zugluft). Während des Vormittags wird das Lager Base I, das neun Tage lang unser Hauptquartier war, abgebrochen (sonderbar, dieser zerwühlte Sandplatz schien schon eine Art Heimat), und wir beladen, es dauert endlos, die Autos. Wir haben zuviel Zeug für die beiden Wagen, sie sehen recht bedenklich aus. – Um 12 Uhr Aufbruch. Von Anfang an Widerwärtigkeiten und schlechte Laune. (A. äussert sich abfällig über C.'s indolente Art und Filmerei. Mit Recht!) Sabr mit dem zweiten Auto (Mahmud und C, sehr gedrängt mit darauf) bleibt immer zurück und wird zurechtgewiesen, es ist aber mit der Zündung etwas nicht in Ordnung. A. übernimmt den Wagen, wie er immer das Schwierige übernimmt. – Dann bläst uns ein übler Sandsturm viele Stunden ins Gesicht, Almásys gestrige Spuren verwischend. Ich fahre jetzt mit Sabr, der zu Murren beginnt, und A.'s Eile nicht begreift. Er weiss aber, was er tut. Wir essen und trinken nicht, rasten nicht, befinden uns aber bei Mondaufgang noch 40 km vom Ziel, setzen in der Dunkelheit über einen bösen Dünenzug, langen schliesslich vor 9 Uhr in der Öffnung des Gilf Kebir an, in dem A. und P. unsere Vorräte aufgestapelt haben. Hier sollen wir mindestens eine Woche bleiben: Base II.

Viel zu müde, Zelte aufzuschlagen. Wir stellen unsere Betten in den zweifelhaften Windschutz der Kistenbarrikade, etablieren unser herrliches elektrisches Licht und essen ein gigantisches kaltes Abendessen: Corned Beef, Schnittbohnen, kalifornisches Obst, Käse, Thee. Sofort eingeschlafen.

5. April. Mittwoch. Base II

In der Nacht bläst ein Sturm purpurroten Sand auf uns, trotz der Kastenmauer. Krieche ins Innere des Schlafsacks und schlafe ganz gut, trotz den bei mir üblichen Unterbrechungen. Rheumatismus stört weniger, wohl infolge Togal. Früh erwache ich in einer wildfremden Gebirgswelt, orange, weiss, schwarz. Wir lagern an den zer-

rissenen Rändern der mittleren Ostseite des Gilf Kebir, dort wo A. und P. die grosse, fahrbare Durchfahrt (Gap) vermuten. Über unserem Lager ein kalottenförmiger Hügel »Die Nachtmütze«. Weitere Umgebung grossartig, weite Ausblicke. Dies ist hier, obwohl wir gestern noch Autospuren des Prinzen Kemal ed Din fanden, von uns neubetretenes Land, der Eingang zu unserem eigentlichen Forschungsgebiet.

Hier sind wir 500 km. von irgendwo. Base I lag schliesslich noch eine sehr starke Tagesfahrt von Kharga. Keine Fliege bisher, kein Vogel, nichts Lebendes.

Am Morgen relative Windstille, aber Schabhur (Sandnebel).

Almásy schlägt mit spielerischer Sorgfalt ein Musterlager in der (grob)sandigen Talsohle auf. Erst C.'s grosses Zelt, das bei Tag als Messezelt dient, dann das meine, ebenso gross und für mich allein, dann drei kleine, gegenüber das grosse (allein nicht grüne, sondern graue) Küchenzelt, in dem Mahmud kocht und bäckt und die Schwarzen schlafen. Auf der steinernen Plattform unter der Nachtmütze soll aus den Kisten ein ganzer Speisesaal gebaut werden.

Penderel und Kadar von ihrer Reise zum Messahar-Brunnen noch nicht zurück. Angenommen, sie hätten einen Zwischenfall, dann wären sie schwer zu finden, da der gestrige Sandsturm das Spurenlesen schwierig macht.

Der Vormittag vergeht mit der Lagereinrichtung. Ich kriege sogar elektrisches Licht ins Zelt. Lese nach Tisch (Sardinen, Zwiebel, Brot) Lawrence of Arabia.

Nach und nach entdecken uns die wenigen Tiere. Zuerst eine Schmeissfliege. Einige kleinere. Eine Schwalbe, sehr scheu. – Wir finden einen toten Kranich, schmücken mit seinen Federn kindisch die Zeltgiebel.

Gegen Abend unternimmt A. mit C. und mir in einem Wagen eine Rekognoszierungfahrt in den »Gap«, die vermutete Durchfahrt in den Gilf. Wir kommen etwa 15 km. gut vorwärts, finden aber dann zu unserem Schmerz ziemlich frische Autospuren. Clayton muss (gegen die feierliche Abrede!) unlängst hier gewesen sein. Sorge, ob er den ganzen Gap befahren hat. Wahrscheinlich! – Halb aus Ärger bleibt A. furchtbar im Sand stecken, wir machen in der Dunkelheit (immer wieder!) lange Versuche, flott zu werden. Endlich gelingt es. – Sabr ist schon mit dem zweiten Auto unterwegs, uns zu suchen.

Im Lager finden wir Penderel und Kadar noch nicht vor. Sie sollen nach der Verabredung erst morgen Abend als überfällig angesehen werden, aber ich beginne mir doch Sorgen zu machen. Wir alle haben bisher zu leicht alles durchgesetzt und glauben, es müsse immer so gut klappen. – And so to bed.

6. April. Donnerstag. Base II

Tag des Wartens auf Penderel und Kadar, die nicht kommen. – Vormittags leichtmechanische Werkstatt etabliert, zum Reparieren meiner Uhr und der Filmkamera, beides gelingt *fast*. A.'s Unwillen über den Kameramann, der weder ein Ersatzteil mit hat, noch weiss, wie die Kamera innen aussieht. Lese Lawrence zuende, dann 1001 Nacht. Ziemlich kühl. – Gegen Abend liegen C. und ich auf einer Düne, mir scheint die Wüste herrlich schön, aber ich bin (zu sehr) besorgt wegen der Abwesenden, rezitiere (Einfluss 1001 Nacht) fortwährend den idiotischen Vers:

»O, kämen die Autos doch aus der rosenfarbenen Wüste.«

C. redet kindisch über Mangel an photographischen Motiven.

Finde eine sehr lebendige Heuschrecke. Dies und ein jahrealter Wildschaf-Wechsel, den A. zu entdecken meint, werden als Anzeichen der nahen Oase Zarzura (!) gedeutet.

A. macht Risotto zum Abendessen, ich esse, mehr um ihn zu erfreuen, zu viel davon, was ich in der Nacht mit Kolik bezahle.

7. April. Freitag. Base II

Es regnet in der Nacht und früh mehrmals ein paar schwere Tropfen. – Noch vor dem Frühstück fahren unter Hallo die Vermissten ein. Sie hatten keinen Zwischenfall, ausser dass Kadar sich mit der Seilwinde des Messahar-Brunnens an der Nase leicht verletzte. Sie bringen 700 Liter Wasser. Fröhliches Frühstück, herzliches Erzählen beiderseits. Dann für die beiden Ankömmlinge ein Ruhetag. Auch ich (durch eine lächerliche kleine Kratzwunde an der grossen Zehe am Gehen etwas behindert), tue überhaupt nichts, fange an, Herodot zu lesen. Wolken am Himmel, meine Rheumatismen melden einen Wettersturz. Er kommt am Abend, nachdem die anderen von einer kurzen Rekognoszierungsfahrt zurück sind: Platzregen (d. h. immer nur ein paar heftige Tropfen), gemischt mit Sandsturm. Das Sandtreiben jagt Almásy, Penderel und mich aus dem »Speisesaal«, einem von Kisten umstellten Viereck, in dem wir plaudern und Pläne für die nächsten Tage machen.

Sandsturm während der ganzen Nacht, gegen das Zelt prasselnd.

C. sah einen Adler über dem Lager.

8. April. Samstag. Base II

Statt, wie geplant, mit dem Trigonometrieren zu beginnen, stehen wir früh erst gar nicht auf; der Sandsturm von Norden (zum Glück nicht heiss) bläst weiter, und die Wüste ist hinter Nebel verschwunden. Frühstück um 11 Uhr, ich bespreche mit C. das Arrangement der zu filmenden Lagersachen. Dürftig!

Gegen Abend legt sich der Wind, die Sicht wird klar, man kann etwas unternehmen. Um 5 Uhr brechen wir in zwei Gruppen auf: Almásy und Kadar mit Abdu und einem Auto nach links, um mit dem Trigonometrieren endlich anzufangen, Penderel, Casparius und ich mit einem anderen Auto nach rechts, da Penderel aus der Ferne einen relativ hohen Berg gesehen hat, den er besteigen möchte, um sich zu orientieren. Wir erreichen den etwa 6 km. entfernten Berg, er ist grau und geformt wie die Rap en miniature. Die anderen ersteigen ihn, Casparius mit dem Filmapparat; ich bleibe wie gewöhnlich unten sitzen. Sie kommen kurz vor Sonnenuntergang zurück, Penderel ganz erregt: er glaubt einen praktikablen Weg gefunden zu haben, der auf die Höhe des Gilf Kebir führt. Sofort, ohne Rücksicht auf die Dunkelheit, muss losgefahren werden. Es beginnt die tollste Autopartie, an die ich mich erinnere; einfach wahnsinnige Passagen, schief über Abgründen hängen wir. Auf dem hinteren Wagen sitzen Casparius und Sabr; wenn ein mohammedanischer Neger erbleichen und sich bekreuzigen könnte, täte er es, so deutet er fortwährend: der Bimbaschi ist verrückt geworden! – Ich, der ich geglaubt hatte, diese Abenteuer als vollendeter Fatalist über mich ergehen zu lassen, kriege doch manchmal erhebliche Angst, zeige sie aber nicht im geringsten. Endlich erklärt P. sich befriedigt. Wir sind, wahrscheinlich als die ersten Menschen, wirklich bis zur Höhe des Wüstenplateaus gekommen. – Schwierige Rückfahrt in der Finsternis. Die anderen hocken schon weissbepelzt im warmen Kochzelt. Erst erzählt Penderel begeistert, was für eine ausgezeichnete Autostrasse zum Plateau er gefunden habe, dann wir hinter seinem Rücken, wie toll er gefahren sei; im Kreis der Schwarzen erzählt Sabr das Gleiche gestikulierend.

Während dieses Tages habe ich mich zum ersten Mal mit Penderel befasst und finde ihn wirklich sehr liebenswert. Sieht mit seinem Wüstenbart und in seinem zerrissenen Khaki aus wie ein homerischer Held, mehr Odysseus als Achill, ist wunderbar knabenhaft, ein männlicher, ernster, klarer, unkomplizierter, sehr kritischer Knabe.

9. April. Sonntag. Base II

Wie wir erwachen, ist der Himmel mit dicken Wolken verhangen, 13 Grad Celsius, Stimmung wie im Salzkammergut, im Herbst vor einem Schnürlregen. Es wird gegen 10 Uhr wieder in zwei Partien, wie gestern, aufgebrochen, um die begonnenen Arbeiten fortzusetzen. Casparius, von Penderel aufgefordert, geht widerstrebend mit ihm, ich bleibe widerstrebend im Lager zurück. Ich weiss selbst nicht, ob ich es aus Faulheit tue, ob wegen des kalten Wetters oder aus Angst vor einer neuen lebensgefährlichen Autopartie. – Kaum bin ich mit Mahmud im Lager allein, da fängt es zu regnen an. Diesmal nicht immer nur ein paar Tropfen, sondern beharrlich und stundenlang, so dass ich ins Zelt muss (es ist zu kalt, um ein Bad zu nehmen). Ich hänge meine schmutzige Wäsche hinaus, in der Hoffnung, sie waschen zu können, sie wird aber zum Auswinden doch nicht nass genug.

Vor der Abreise ärgert sich Penderel über die Schwarzen und fängt zu fluchen an, wie ich es noch nicht gehört habe. (Damn your bloody eyes!) – Dabei vollkommen harmlos, und von jedermann so verstanden.

Ich schreibe meinen 6. Artikel »Grand Sand Hotel«. Humoristisch, pathetisch und lyrisch, der Teufel hole die kleinen Kochkünste meiner Routine. Über die Wüste werde ich anders schreiben müssen, wenn es was werden soll!

Um 5 Uhr kamen die Autos zurück. Penderel war wieder auf dem Gilf. Ich begleite Alm. und Kadar noch einmal hinaus zum Triangulieren. – Beim Abendessen erst grosse Diskussion über das weitere Programm. A. möchte das Lager (und, fürchte ich, mich) hierlassen, wenn er weiter nördlich vorstösst, Penderel will das Lager verlegen. Ich unterstütze ihn diplomatisch.

Interessantes Gespräch über den nächsten Krieg. A. und P. für Lösung der Arbeitslosenfrage durch Ausrottung. A. entwickelt absolut hunnische Theorien, denen P. knabenhaft zustimmt. A.'s Wunschtraum: allein, d. h. mit Dienerschaft, in einer durch Gas von Menschen gereinigten Welt zurückzubleiben. – Bin ich entrüstet? Gar nicht. Er trägt die Ansichten seines Stammes und seiner Klasse wenigstens ehrlich vor; die Attila-Qualitäten, die er geerbt hat, machen ihn u. a. zu einem so guten Führer von Männern. Ich lebe unter Kriegern, und das ist eine gute Lektion für mich. – Vielleicht liegt hier ein Keim zu dem Wüstenbuch, nach dem ich unsicher suche.

Scheusslich kalt am Abend. Zum ersten Mal sitze ich im Pelz im Zelt. Blicke durch Penderels Glas zum Mond und zum Jupiter. Auch nicht einsamer als dieses Wüstental!

10. April. Montag. Base II

Almásy, Kadar, Casparius fahren zum Triangulieren, ich bleibe mit Penderel im Lager, der die Wagen repariert. Sein Khakihemd ist so zerrissen, dass er sich scheussliche Sonnenverbrennungen zuzieht. – Sehe eine Libelle und einen braunen Schmetterling. Kühler Tag.

Als Almásy und Kadar zurückkommen, fangen sie ihre Winkel zu rechnen und eine Karte zu zeichnen an. Kalt trotz vier übereinander gezogener Hosen.

Dem Chauffeur Abdu wird plötzlich übel. Komischer Weise werde ich allgemein als der Arzt der Expedition betrachtet; während die offizielle Reiseapotheke noch nicht geöffnet wurde, kommt jeder zu mir um Medikamente. Abdus Krankheit kann nach dem Stand meiner medizinischen Kenntnisse alles sein, von einem Sonnenstich bis zu einer Lungenentzündung. So schütte ich die Hälfte meiner Mittel auf einmal in ihn hinein; das richtige muss darunter gewesen sein, denn ihm wird viel besser und die Schwarzen preisen mich laut!

11. April. Dienstag. Base II

Nach einer kalten, windigen Nacht (ich träume von ganz kleinen Eisbären, die mich beissen) werde ich mit der Mitteilung überrascht, man wolle mich mit Mahmud, dem (noch etwas kranken) Abdu und zwei Wagen im Lager lassen, die anderen gingen auf eine mehrtägige Rekognoszierungsfahrt in das unbekannte Gebiet im Norden. Man verlasse sich auf meine Umsicht, falls es nötig wäre zur Hilfe nachzukommen etc. Unschwer erkenne ich die Wahrheit: dass man mich bei einer schweren und anstrengenden Unternehmung nicht mithaben will. – Ich erkläre meine Bereitschaft, weigere mich aber, irgendwelches Entzücken zu zeigen. (Ich kann mich nicht sehen, wie ich im Notfall einer etwaigen Panik der Schwarzen entgegentrete und sie, trefflich Spuren lesend über das unbekannte Gebirge leite). Daraufhin neue, geheime Beratung der Führer, der Beschluss wird umgestossen, Almásy fährt mit Kadar und Sabr allein rekognoszieren, sie werden vielleicht erst morgen früh zurückkommen. Je nachdem, was sie melden, werden dann die weiteren Beschlüsse ausfallen, ob man das ganze Lager weiter verlegt u.s.w.

Vor der Abfahrt fängt Kadar eine Heuschrecke und legt sie in Spiritus. – Stiller Tag im Lager. Penderel pflegt seine Brandwunden. Ich lese Herodot und finde eine schöne Stelle, die auf das Topflager von Abu Ballas neues Licht wirft.

Gegen Abend fahren wir zum Filmen bis zur nächsten Düne, und Penderel vollführt vor Casparius' Kamera mit dem Auto so tolle Kunststücke, das mir die Haare zu Berge stehen, besonders bei einem letzten Sprung, den das Auto macht.

Gegen Erwarten kommen Almásy und Kadar noch vor dem Abendessen zurück. Sie sind mehr als 100 km gefahren und haben überall Claytons Radspuren gefunden, sowohl im »Gap« als in alle Wadis hinein. Es sieht ganz so aus als sollten wir grossen Entdecker überhaupt nichts Entdeckbares mehr vorfinden. Was mich zwingen könnte, wieder ein Buch der Art des »Urwaldschiffs« zu versuchen. Ich glaube, es »wühlt« schon in mir.

Vergeblicher Versuch am Radio. Wir haben weder die richtige Zeit, noch gar Nachrichten aus der Welt. Als das Zeitsignal aus Massaua ausblieb, behauptete ich, »draussen« sei unterdessen die Institution der Zeit abgeschafft worden; überhaupt sei unterdessen die Menschheit ausgestorben, ausser Mr. Clayton natürlich.

12. April. Mittwoch. Base II

In der Nacht stürzt mein Feldbett (dessen Überzug Mahmud gestern den ganzen Tag repariert hat) zusammen; ich, zu ungeschickt, Abhilfe zu schaffen, verbringe, schief und krumm in den Ruinen liegend, eine klägliche Nacht. Tagsüber zeichnen Almásy und Kadar im Messzelt ihre Landkarte; mein Zelt ist wegen des zusammengefallenen Betts kaum bewohnbar, ich strolche ziellos herum, lesend. – Sehe eine Libelle. Ich beschliesse, Ereignisse wie dieses regelmässig zu notieren; ich habe nämlich heute, Almásy über die Schulter blickend, auf der offiziellen (Bagnoldschen?) Karte der Wüste einen Ort so verzeichnet gesehen: Live Locust.

Deprimierte Stimmung im Lager, wegen der Claytonschen Spuren. – Penderel belädt die ganze Zeit, unendlich langsam, zwei Wagen; erst lange nach 5 Uhr ist er fertig (nachdem er mehrmals, wie ein Knabe, blutend zu mir gelaufen kam, mit Rissen an den Händen, von der Arbeit an den Kisten). Er bricht mit Kadar und Abdu (ganz genesen!) auf, in der letzten Minute schliesst sich Casparius an. Absicht ist, das Lager etwa 100 km weiter zu verlegen; P. soll mit den zwei leeren Wagen (ohne K. und C.) zurückkommen, Almásy, mich, Mahmud, Sabr hier abholen; unterdessen wird der Rest des Materials verladen.

A. und ich richten es uns in den beiden grossen Zelten bequemer ein (zum erstenmal seit langem kein Sand auf meinem Fussboden). Gegen 8 Uhr nehmen wir mit dem Radio das Zeitsignal von Massaua auf; sonst keine Sendungen zu erwischen, es sei denn ein beharrlich wiederholtes Morsesignal der britischen Kriegsmarine: R.N.O. – Royal Navy Orders.

Beim Nachtmahl erzählt mir Alm. endlich seinen grossen Filmstoff von der verlorenen Oase. Ich denke, wenn ich an der Sache arbeite, kann ein robuster, nicht eben

Bermann schreibend

psychologisch wertvoller Film in der Art der Romane von Rider Haggard daraus werden.

13. April. Gründonnerstag. Base II

Schöner, sonniger, nur Mittags heisser Tag, den Almásy und ich still im Lager verbringen, er schlafend, ich meinen 7. Artikel (»Der Theodolit«) schreibend und 1001 Nacht lesend (was hätte ich ohne die vier Bände gemacht!) Am späten Nachmittag beginnen wir, die Wagen zu beladen, da morgen aufgebrochen werden soll, auch wenn Penderel noch nicht zurück ist. – Abends im Radio jemand, der russisch redet. Eine Libelle.

Nach dem Nachtmahl erzählt A. von seinen Ahnen. Seltsame Abneigung der ungarischen Eroberer- und Steppenreiternatur gegen die türkische Geschichte von Bernstein.

14. April. Karfreitag. Unterwegs zum nördlichen Gilf

(Ein Monat seitdem wir Kairo verlassen haben) – Nach dem Erwachen bepacken wir die Wagen, da kommt Penderel an, ohne Kadar und Casparius, die er irgendwo mit den Wagenlasten gelassen hat. Er meldet von grossen Entdeckungen: dem nördlichen Gilf ist ein Dünengürtel vorgelagert, den er indessen auf einem mühsam gefundenen Weg passiert hat, dahinter ist das provisorische Depot (100 km nördlich von Base II).

Vor der Abfahrt kreisen zwei herrliche weisse Adler über uns. A. will sie schiessen, P. sagt, Adler schiessen bringe Unglück. – Heuschrecken, Libellen.

Mittag gegen 1 Uhr brechen wir dahin auf, ich mit Penderel, der unterwegs sehr gut gelaunt ist. Wir schlängeln uns auf einem phantastischen Weg durch die Dünen, den P. gefunden hat, indem er stundenlang zu Fuss ging, nach härteren Stellen tastend. Er fand dabei Reste eines (nicht alten) Strausseneis und einen lebenden kleinen Vogel (Zarzur). – Wir passieren die Düne glücklich, sehen dann Casparius und Kadar auf einem Berg. Ihr Lager hinter dem Hügel. Voll Ungeduld wartet Almásy nicht einmal, bis Kadar mit seinem Theodoliten unten ist, sondern bricht mit mir auf; es ist gegen 4 Uhr. Wir finden, dass der Gilf von der ersten Düne der Sandsee durch eine kiesige Ebene getrennt ist, wir fahren 43 km nach Norden, in rasendem Tempo, durch wirkliches, unentdecktes Neuland (keine Räderspuren). Es zeigt sich, dass der Gilf hier ganz anders verläuft, als man annahm. In der Ferne taucht ein schönes Vorgebirge auf, das A. (halb im Scherz) »Gebel Almásy« benennt. Endlich sind wir da; an die Matterhorn-förmige äusserste Spitze des Tafelberges hängt sich unmittelbar die grosse Sandsee an; schöne rosige, weisse, braune Berg- und Wüstenlandschaft. Viele tote kleine Vögel, nicht ein Insekt, ausser einer Art Sandfloh. – Während A. ganz verzückt den Berg besteigt, kommt Penderel mit den anderen an, er ist sehr verstimmt, wohl über Almásys Davonlaufen, gibt scharfe Gegenorder gegen das angeordnete Errichten eines Lagers. Er geht A. nach, als sie nach Stunden zurückkommen, wird doch eine Art Lager aufgeschlagen, der Abend vergeht in nicht immer erquicklichen Diskussionen. P., elend gelaunt, erklärt, wir müssten uns erst mit Benzin und Wasser versorgen, ehe wir hier an das so wichtige Kartographieren gehen, und setzt seine Meinung durch. – Auf der anderen Seite schmollt Casp., weil er zu schnell aus dem vorigen Lager aufbrechen und einen Teil seiner Sachen dortlassen musste. Seine Laune äussert sich in Bedenken, wegen des Filmes, die auch ich habe, aber immer. Auch die Schwarzen, mit denen ich am Lagerfeuer in einem Sprachengemisch plaudere, zeigen sich gereizt gegen P., den sie einen verrückten Inglesi nennen, obwohl im Grunde gutmütig. (Kullu Inglesi — Geste zur Stirn). Sie zeigen Verehrung für Almásy und (da ich dabei bin) für mich, Casp. nennen sie »Abu Suhra« (?), Vater des Bildes, Kadar (aber mehr offiziell, da sie seinen Namen aussprechen können), »Abu Haggr«, Vater des Steins.

Ekelhafte Nervosität im Lager. Teile, seit der ersten Wüstennacht zum erstenmal, ein Zelt mit dem schnarchenden Casparius.

15. April. Samstag. Erwachen im provis. Lager am »Gebel Almásy«

Um 6 Uhr weckt uns Penderel. Es soll so rasch wie möglich aufgebrochen werden, und zwar nach dem 400 km (auf unerforschten Wegen) entfernten Kufra. Zweck: Unterwegs eines von Penderels geheimen Benzindepots besuchen, in Kufra Wasser holen, nachhause telegraphieren, dann rasch wieder herkommen und mit der eigentlichen Forschungsarbeit beginnen. Ich habe meine Bedenken: diese Expedition zieht sich unsinnig in die Länge, auch wollte ich in Kufra in Ruhe filmen.

Der Tag vergeht in endlosen Beratungen; es wird natürlich nicht aufgebrochen. Subkutane Rivalität zwischen A. und P. – Schliesslich bleibt es bei den Beschlüssen, für morgen. Langweiliger Tag, lese das Märchenbuch. Wir fangen einen grossen Nachtfalter, jagen auf der Düne vergeblich einen »Sandshrimp«, ein spinnebeiniges, rasches Tierchen. – Am Abend bestimmen Penderel und Kadar mit 2 Theodoliten die Position, ich assistiere P. zum erstenmal, natürlich nur als Handlanger beim Zeitansagen u.s.w. A. verbringt die ganze Nacht mit dem Reparieren seines Kompass, Kadar am Theodoliten.

16. April. Ostersonntag. Erwachen im prov. Lager »Gebel A.«

Penderel, der gestern so stürmisch geweckt hat, hat es heute nicht eilig, sagt, wir hätten ja nur 2 ganz kleine Tagesmärsche nach Kufra. – Dafür blickt er mit Missgunst auf mein Waschen.

Während des Anziehens etc. eine Libelle. Meist zu Zeiten, wenn ein bisschen Wasser vergossen wird.

Aufbruch gegen 11 Uhr. Ich habe das starke Vorgefühl, dass wir nicht sehr weit kommen. – Wir erreichen in glatter Fahrt die Stelle in den Dünen, wo wir am 14. April Kadar und Casparius abgeholt haben, laden einiges von den dort lagernden Vorräten auf, während Almásy, zurückgeblieben, den grossen Bogen des Nord-

gilf skizziert. Um 3 Uhr Aufbruch, wir passieren die atemberaubende Dünenrutschbahn (Penderel's Privy Peerless Passage), P., mit dem ich fahre [sic], strahlt, aber
gleich nach der letzten Dünenkette brennt an unserem Wagen die Zylinderkopf-
dichtung durch. Wir erreichen mit Not und Mühe »Signal Hill«, einen in die Ebene
vorstehenden markanten Berg, auf dessen Spitze eine Krone zu sitzen scheint. Hier
müssen wir stehen bleiben. Penderel kommt bald zu Hilfe [sic], während die anderen in dem dritten Wagen schon fern sind. Wir verfallen darauf, sie durch Spiegelsignale zurückzurufen. Sie begreifen, kommen, wir schlagen um 5 Uhr ein provisorisches Lager auf, und Penderel mit Casparius müssen noch einmal über die schrecklichen Dünen zurückfahren, da die Ersatzteile dort in dem Depot geblieben sind. Sie
kommen aber glücklich um 7 Uhr zurück. Wildes Lagern im Sand, nur für mich wird
im Windschatten des Autos unter einer Wagenplache mein Bett aufgestellt. Hätte lieber verzichtet. Beklage den Verlust meiner letzten Taschenlampen-Batterie, die durch
meine Unvorsicht geschmolzen ist. Schluss mit der elektrischen Taschenlampe. Recht
peinlich beim Schlafengehen.

Fröhliches Abendessen im Freien, Whisky, früh zu Bett. Nacht doch recht kalt.

Kadar, der übernächtigt war, überglücklich, weil er eine ungeahnte Kombination
aus Sand und Tropfstein fand. (Merkwürdige Steinformen). Ich finde am Ende der
Dünenpassage ein kleines Stückchen Schale von einem Straussenei.

Ostermontag, 17. April. Unterwegs bis Three Castles

Früh auf, Aufbruch um 10 Uhr. Wir folgen den Spuren Claytons durch den Gap,
bis sie an einem tief in eine Talstufe führenden Pass aufhören. Hoffnung, dass er hier
umgekehrt ist, erschreckt durch unten sichtbare Riesendünen, und die Durchfahrt
durch den Gap, die wir heute suchen, nicht gemacht hat. Kommen unten gut an,
Fahrt neben der Düne leicht. Mehrere Talstufen. Auf einer finden wir eine »Mud
Pan«, eine Mulde mit trockenen Lehmschollen. Hier war beim letzten Regen Wasser,
und es gibt viele Hügelchen, wie Ameisenhaufen, mit einem dornigen Gestrüpp (vollkommen trocken) bewachsen. Bergschaflosung. Die Sträucher hoch wie mein Stock.
Vorher Gras, »eine Prärie«, scherze ich. Weiter. Der endende Gebirgspass wird zerrissen. Förmlich Canyons, in die geahnte, von einer Höhe erspähte Ebene führend.
Almásy geht eine Passage suchen, Penderel mit mir eine andere. Wir sollen 20 Minuten ausbleiben und bleiben 2 Stunden. Finden und passieren mit dem Auto eine hals-
brecherische Sandschlucht, fast bis in die Ebene.

Ein paar Minuten werde ich ganz allein gelassen, unter phantastischen Stein-
blumen. (Wie wenn P. den Hals bricht?) – Wie wir endlich zurückkommen, finden
wir, dass die anderen schon seit Stunden eine herrliche, ganz bequeme Strasse ins Tal
gefunden haben, zwischen hohen Felsen. Filmen den Durchzug. Wermuttropfen:
mein Überzieher ist verloren. – In der Ebene trennt sich bei Sonnenuntergang eigen-
sinnigerweise Penderel von uns; er *muss* ein Wasserdepot besichtigen, das er irgendwo hat. Fährt mit Abdu; ohne Essen, aber mit unserem Schlafzeug auf seinem Auto.

Wir fahren durch die Dunkelheit nach Three Castles, »Talata Kussur«, drei wilden Felsenburgen in der unendlichen Ebene. Romantischste Stelle auf dieser Reise. Zum Glück kommt P. mit den Schlafsäcken gleich nach. Osterdiner: Sardinen (nur für mich, der ich zu Mittag nicht ass), kalte Zunge, Tee, Suppe (in dieser Reihenfolge), Schokoladengelee, Käse.

– Wir finden eine wahre Räuberhöhle, vorspringendes Dach unter Felsen, verbauen die Windseite mit einer Kistenmauer, schlafen dort alle, bis auf Casparius, der anderswohin verbannt wird, teils wegen Schnarchens, teils weil (wegen seiner indolenten Untätigkeit) zwischen ihm und A. plötzlich (von Zeit zu Zeit) Reibungen erscheinen, die ich nicht immer gleich beseitigen kann. – Wunderschöne Nacht im Warmen, unter Sternen und Mond.

18. April. Dienstag. Unterwegs

Früh haben wir entschiedenes Jagdglück. Penderel, der in Three Castles ein kleines Benzindepot liegen hat, hebt eine der Holzkisten hoch; darunter ist eine Schlange, die Almásy tötet. Wir sammeln dann für Kadar: eine Libelle, eine Sandkrabbe, eine Fliege, einen Marienkäfer – Gegend voll steinerner Ostereier.

Früher Aufbruch, wir fahren einen Kilometer in der Ebene, dann finden wir Autospuren, die Almásy für die seinigen vom vorigen Jahr hält; sie sind es aber nicht (offenbar eine italienische Grenzpatrouille). Wir verlieren die Spuren und geraten in eine scheussliche Berggegend, eine endlose, hohle Röhre aus graublauem, vulkanischem Gestein, entsetzlich fürs Auto.

(Casparius fragt unschuldsvoll: »Warum fahren wir denn nicht lieber in der Ebene?«) – Nach 15 km dieser Quälerei kehren wir um, fast den ganzen heute zurückgelegten Weg, bis wir, bei Anbruch der Dunkelheit, nur 30 km vom Ausgangspunkt, Almásys vorjähriges, berühmtes »Chiantilager« erreichen, alle schwer deprimiert wegen unserer ersten Niederlage. – Wir packen kaum ab, ich bestehe diesmal darauf, im Sand zu schlafen, es geht ganz gut. Nur Casparius hat ein Bett, das er mir vorgeblich anbietet.

19. April. Mittwoch. Unterwegs

Aufbruch um 9 Uhr, in schlechter Laune. Wir finden gleich die richtige Spur von Almásys vorjähriger Fahrt nach Kufra und könnten, ihr folgend, rasch hingelangen, wenn nicht Penderel auf einmal kindische Querelen anfinge. Er besteht in einer Art schulmeisterlicher Pedanterie darauf, Almásys vorjährige Wegtraverse und seine Karte anzuzweifeln und Stück für Stück zu kontrollieren, wobei er aber in seinem Zorn fortwährend in Verwirrung gerät. Die gestrigen Erlebnisse geben ihm Argumente gegen das Spurenlesen. Aber es ist, als triebe er bewusst Obstruktion. Ich, bei ihm sitzend, habe seine (nicht gegen mich gerichtete) Wut auszubaden. Dann, wenn wir halten, finde ich, dass Almásy, um sich ein Ventil zu schaffen, den armen Casparius angebrüllt hat, der freilich ein bisschen sehr indolent oben auf dem Wagen sitzt und sich nicht einmal umsieht, ob die anderen nachkommen. Kadar wieder ist voll

Ärger gegen P.; es ist eine hübsche psychologische Situation, und wir sind nicht fern von einem bösen Konflikt, umso mehr, als die Schwarzen beginnen, offen für A. Partei zu nehmen. Natürlich behindert all dies das Vorwärtskommen. Wir stecken in dem unangenehmen Gebirgszug von gestern und brauchen viele Stunden für die ersten 40 km. – Als wir endlich in die offene Ebene gelangen, als alle Wegzeichen Almásys stimmen und das Weitere vollkommen klar ist, wird P. vollends unmöglich. Er bockt wie ein Knabe, will es nicht wahr haben, dass wir auf dem richtigen Weg sind, verliert endlose Zeit mit überflüssigen Kompassberechnungen. Ausserdem bleibt auch Sabrs Wagen zweimal im Sand stecken. (Sofort wird P. besonnen, freundlich, hilfreich, bis das Hindernis beseitigt ist).

Es ist ein heisser Tag. Ich habe seit früh nicht getrunken, und ausser zwei getrockneten Datteln nicht gegessen. Nachmittag proklamiert P. eine Art Belagerungszustand. Das Wasser gehe zu Ende, wir müssten uns rationieren. Die Folge ist, dass – da immer alle zugleich trinken sollen – ich, der ich sonst, wie immer, bis Abend ausgehalten hätte, drei Becher heisses Rostwasser kriege, worauf sich sofort ein wilder psychologischer Durst einstellt.

Gegen 5 Uhr sind wir, noch gegen 100 km von Kufra entfernt, auf offener Serira. Da Almásys Wagenkompass verdorben ist, übernimmt jetzt P. die Führung und wir kommen, unter dauerndem Gefluche, rasch vorwärts, bis die Sonne untergeht. Wir sind gar nicht mehr weit von K., wenn wir richtig gefahren sind, was P. plötzlich wieder anzweifelt. Noch ein kleines Stück weiter im Dunkel; wir fahren schon in die Mulde hinein, die die Kufra-Depression sein muss, sehen etwas Vegetation. Dann, an einer Düne, lagern wir. P., weil er nicht glaubt, dass wir vor Kufra sind, Almásy, weil er nicht bei Nacht die dortigen Gastfreunde überfallen will, sind dafür. Nur die Schlafsäcke in den Sand, kaum ein Abendessen. Sardinen und Tee. Ich habe keinen Hunger, verdurste aber beinahe. –

Der Streit geht weiter. P. schlägt vor, umzukehren und in Three Castles Benzin zu holen. Dann verlangt er, dass die geographische Länge berechnet werde. Trotz seinem Protest muss Kadar es tun. Da er auch noch Pech dabei hat, beobachtet und rechnet er die ganze Nacht. Bei Morgengrauen sehe ich seine Gestalt noch am Theodoliten. Schliesslich findet er: wir befinden uns in Kufra.

Mich quält der Durst. Soll ich heimlich Wasser trinken? Ich tue es natürlich nicht.

20. April. Kufra (Donnerstag)

Bei Reveille steigen wir auf die Düne – und sehen die weisse Fortmauer der Zitadelle Tadsch über Kufra, etwa 20 km entfernt. Wir hören das Geräusch fahrender Autos. – Aufbruch in wesentlich besserer Stimmung. Ich mag das Rostwasser gar nicht trinken, jetzt, da ich darf.

Zauberhaft schöne Fahrt nach Kufra (Baëma) hinein. Erst Dornsträucher, dann Tamarisken, wirklich grün. Die Dattelpalmen. Das erste Haus. Der erste Mensch, sehr verwundert. Grüsst fascistisch. Granatblüten. Esel mit Heu. Die italienische

Flagge über der Senussi-Zitadelle auf dem Berg. – Wir fahren ein, werden von Somali-Askari salutiert und von einer Anzahl netter Tenenti empfangen. – Es zeigt sich, dass der Militärgouverneur, Major Rolle, Urlaub hat, sein Stellvertreter, Capitano Fabri, begleitet die Claytons ein Stückchen, die heute früh abgefahren sind; das waren die Autogeräusch[e]!

Bequemes Quartier, ein riesiger Somali als Diener, ein Bad (!), ich gebe meine Wäsche zum Waschen (kommt nach 3 Stunden gewaschen zurück). Gebe Almásy mein ganzes it. Geld, 1350 Lire. – Unsere Schwarzen strahlen, da sie mit 100 Lire in die Kantine geschickt werden. – Wir, frisch gewaschen, essen um 12 Uhr in der Offiziersmesse Spaghetti, kaltes Huhn, Salat, Chianti, Maulbeeren mit Zucker. Ich natürlich im Mittelpunkt, wegen meines noch immer guten Italienisch. Ein intelligenter Tenente Fantoni macht den Cicerone. Der Kommandant schon zurück; erinnert im Typus an meinen Schwager M. B.

Aus dem Mittagsschlaf schrecke ich auf: Wo ist denn mein Windschutz? Sehen die Zitadelle an. Reizende eingeborene Enfants de la Troupe, von Fantoni unterrichtet und dressiert, Tauben im Hof der Senussi-Residenz. Der Sor Estat, die Moschee und das Grab Mohammeds-El-Mahdi. – Mahmud und Sabr gehen mit, ganz begeistert, weil wir uns am Grab ihres Heiligen anständig benehmen. Wünschen dort photographiert zu werden. Votivbild, Ali zu Pferde, einem anderen Reiter ein Bein absäbelnd!

Fahren hinunter nach Dschoff. Das entstehende Regierungsviertel. Gässchen, Höfe. Die Tibu-Leute mit Lithams. Alle grüssen »römisch«. Die Kinder hier lieb und ohne Frechheit zutraulich. – Grabmoschee einer Tochter des Senussi-Mahdi (Weihrauchpfannen). – Zurück in die Zitadelle, grosse Toilette (C. zieht eine weisse Pyjama-Hose an, selbst P. erscheint gekämmt). – Gespräch mit dem Capitano über Vorgeschichte der Okkupation. Habe leider kein Notizbuch bei mir, so dass mir interessante Namen entfallen (7 Mitglieder des Senussi-Hauses waren damals noch am Leben, Said Idrisi, Mohammed Abd. (?) – Der Capitano scharf und parteiisch gegen die Senussi: »Handelsfirma zur Ausbeutung des Landes«.

Casparius zeigt Photos, ich erzähle von Hollywood, wir hören Radio: Csardas aus Budapest, tschechischer Vortrag aus Prag.

Freitag, den 21. April. In Kufra

Freude am relativen Komfort beim Erwachen. Die kindlich-ernsten abessynischen Christen-Askari, die uns bedienen. Im Hof des Hauses des Sidi Idris die Schule der Soldatenkinder. Der kleine Sumbaschi Mohammed aus dem Buch vorbetend: »Sua Edscheldensa Benido Musolini, gabo delle governo«. Penderel fährt uns, d. h. ausser mir Casparius, den netten Tenente Fantoni, den Feldwebel (Schumbaschi) der Meharisten und den kleinen Mohammed in die Oase, wo wir an einem blauen Salzsee filmen. Schwarze Schafe und Ziegen aus Tibesti. Millionen Fliegen. Knabe schwimmt. Penderel trägt Turban. Unterdessen Almásy und Kadar daheim, die Karte zeichnend.

Nach Tisch bringt mir Fantoni ein wichtiges Buch: Gen. Adolfo Graziani, Cirenaica Pacificata, Mondadori, Milano. Militärisch, also unmöglich geschrieben, aber enthält alle Daten. Ich lese, schlafe, (sehr heiss), plausche mit dem Capitano über die Uwenat-Frage etc. – Fantoni schiesst in unserem Zimmer die Fliegen mit Flint [sic]. Der schwarzgelbe Käfer, der mich in den Hintern beisst.

Erst in der Dämmerung fahren wir wieder aus, zum Spital des klugen jungen Dott. Ricci, und in die Dattelhaine.

Am Abend Radiosendung aus Wien, unverständlich. Penderel beunruhigt wegen angeblichen Konfliktes Englands mit Russland (den er natürlich wünscht).

Beginne meine Briefe an E.B., Otto, Klement, Beer-Hofmann, Wingate.

Telegraphiere meine Ankunft hier.

Weitere Pläne Almásys und Penderels chaotisch. Die Expedition wird doch einmal mit dem Geld und den Nahrungsmitteln enden müssen. – Der italienische Auto-Convoi angekommen, Post für Kadar, Penderel. »Corriere« von Anfang April (Judenboykott in Berlin).

Samstag, 22. April. Kufra

Vormittag im (it). Auto in die Palmenhaine. Fantoni lässt seinen Platon Meharisten antreten und wir filmen die Kamelreiterei. Heisser Tag, aber angenehm. Festliches Mittagessen. (Weshalb? Als Abschied gedacht?) Panetone di Milano, Champagner. – Verbringe den Nachmittag damit, vier Artikel zum Versenden durchzusehen. Fahre erst nach Sonnenuntergang (Flaggensalut) mit Almásy und der ganzen Militärschaft aus. – Beim und nach dem Abendessen viel mit Dolmetschen zu tun (Augenfarben, Penderels Turban). Zwinge Casparius, die Photographie zu entwickeln, die unser Askari Abraham haben will (er sagt »Telegraphie«), C. tut es mit mauvaise grâce, dann grantig, weil zerkratzt. In der Wüste müsste man sich anders behelfen können. Aufschlussreiche Gespräche mit dem Capitano. (Gongoi, Waffenschmuggel)

Sonntag, 23. April. Kufra.

Der Tag wird im Wesentlichen vertrödelt. Wechselnde Pläne wegen der Abreise. Sehr heiss. Mache mir Notizen aus Grazianis Buch. (Die Gestalt Omar Mukhtars.)

Es gelingt mir, mir die Haare schneiden zu lassen. Penderel verjüngt ohne Bart.

Nach Tisch langes Hin und Her, bis schliesslich zwei Autos mobil sind. Casparius und Fantoni fahren zum Filmen ins Tibu-Dorf, Almásy und ich nach Tebat, um einen Sheikh zu besuchen, den A. im vorigen Jahr kennen lernte. Sheikh Quais Ghazall (weil er als Knabe schön war, wie eine Gazelle) ist ein wohlhabender Dorfbürgermeister. Wir trinken in der Scheune, die ihm als Schreibzimmer dient, die 3 zeremoniellen Gläser Thee. Ich verstand schon vormittag Almásys langes arabisches Gespräch mit zwei Khabiren (Karawanenführern), einem würdig schönen, etwas dummen Araber und einem gerissenen Tibu. (Interessante Aufschlüsse über den Weg nach Siwa und zu den Oasen.)

Jetzt am Nachmittag verstehe ich den Sheikh ebenfalls. Ich bin es, der Rohlfs als Mustapha Bey erwähnt; der Araber freut sich. – Auf einmal kommt jemand mit einer Meldung hereingestürzt: aus der westlichen Oase Arribiana (?), 150 km entfernt (?), ist ein Kamelreiter da, um anzuzeigen, dass dort zwei Leute aus Tibesti zwei Negerknaben geraubt haben, um sie als Sklaven zu verkaufen. – Aufregung des uns begleitenden jungen Meharisten-Unteroffiziers (Schumbaschi).

Recht angeregt fahren wir heim, Kadar auslösend, den wir zum Insektenfangen am Ufer eines Salzsees liessen. Capitano Fabri befiehlt dem Tenente Sallustio, morgen mit zwei Autos die Verfolgung der Räuber aufzunehmen. Es ist der erste Raid auf Kufra, seit die Italiener da sind. Schimpfen auf die Franzosen in Tibesti.

Nach Tisch im Freien vor Hitze so schläfrig, dass ich nur schwer das übliche Gespräch mit dem Capitano aufrechterhalten kann, während die anderen ihre Briefe schreiben, da die Autokolonne morgen abgeht.

Montag, 24. April. Kufra

Am Vormittag filmen wir erst die Schule der Soldatenkinder. Ein drolliger kleiner Stöpsel namens Gejta (vielleicht 2–3 Jahre, sehr dick, weiss) der in Uniform aussieht wie der selige Napoleon und der fortwährend die Arme kreuzt wie Napoleon, bildet den komischen Star. Lustige Szene wie er Brot frisst, während die anderen um ihn Ball spielen.

Wir fahren dann ins Dorf und Fantoni stellt uns eine dramatische Szene. Seine kleine Geliebte, das arabische Mädchen Mabruk, schön gekleidet und mit viel Schmuck, spielt (ein wenig orientalisch kitschig) ein Rendezvous mit einem Meharisten, der dann, wie Don Josè in »Carmen« die Trompete Alarm blasen hört und davoneilen muss. Dies zum Anschluss an die vorgestern gefilmten Szenen.

Spät zum Essen, dann Nachmittag mit Almásy auf den Markt und in Geschäfte, um Andenken einzukaufen. (Sudanesische Lederkissen, Straussenfächer). Man sagt uns, eine abessynische Karawane sei im Dorf. Wir gehen hin, wühlen in buntem Leder. (Portefeuilles, schon europäisch verkitscht, Inschrift: HABESCH, TSCHAD). – Casparius fächelt sich mit einem schwarzen Straussenfächer und kriegt eine furchtbare Ladung Pfeffer ins Auge, mit dem die Federn konserviert werden. – Ein schwarzer Muselman betet gegen Mekka. Ich kaufe 5 Lederkissen á 9 Lire, 1 Straussenfächer, ein Paar sudanesische Schuhe.

Am Abend Wind. Ltnt. Sallustio, der die Sklavenräuber verfolgt, meldet per Radio, dass er erst gegen Abend in Arribiana angekommen ist, wegen Sandsturms. – Es sind 6 Räuber, die mit 10 Kamelen aus Tibesti kamen, friedlich Datteln kauften und wegritten. Zwei davon kehrten zurück und stahlen die Jungen.

Nach dem Nachtmahl »Battle Ship«. Gespräch über Kazer Kalesco. Almásy und Penderel teilen mir einen neuen Plan mit: die Rückkehr über Siwa abgesagt, wir sollen uns nach der bevorstehenden Umsegelung des Gilfs in Uwenat trennen und in zwei Partien, die eine über Merga, Kharga erreichen. Wird natürlich wieder abgeändert!

232

Der kleine Gejta

Ein Tisch in der Wüste

Sturmnacht. Früh zum Brunnen, das Wasserladen zu filmen. Dann spielen wir im Lager der Meharisten Alarm (Almásy mit). Der komische kleine Gejta auf dem Kamelsattel als Schaukelpferd. Die Kinder, vom Gebrüll der Kamele erschreckt, kommen zu Sior. Dottore um Schutz.

Mitten in der Alarmszene fällt mir ein, dass ich diese Filmerei in Kufra zum Hintergrund einer exotischen Novelle »Der Meharist« machen könnte. Sofort Feuer und Flamme, möchte am liebsten gleich anfangen. In 8 Tagen, hier, wäre das Buch fertig. Leider daran so wenig zu denken, wie an den Ausbau des hübschen Meharistenfilmes, von dem wir da blosse Fragmente herstellen.

Nachmittag mit Penderel, Kadar, Casparius zur Karawanserei, sie zu filmen. Kaufe noch einen schwarzen Straussenfächer und ein langes Lederkissen (mit semitischem Hakenkreuz). – Penderel wühlt in Leoparden- und Löwenfellen. Wir (ohne Casparius) fahren dann weiter zum See, auf dem Rückweg geht uns bei der Zaptieh-Kaserne das Benzin aus, wir müssen warten, bis, herbei telefoniert, Almásy kommt. Unterdessen kommen die Mädchen von gestern, Mabruk und Khadidja, vorbei, herzliche Begrüssung.

Sabr quetscht sich beim Aufladen ziemlich arg den Fuss, trägt es heldenhaft.

Am Abend gedrückt-verlegene Abschiedsstimmung in der Messe. Grosses Dessert, Zabaglione, die ersten Aprikosen. Fantoni diktiert mir Daten, Namen etc.

Mittwoch, 26. April. Unterwegs

Abschied von Kufra. Wir packen, essen um ½ 10 reichlich (Penderel krank von den Aprikosen). Nach 10 Aufbruch nach viel Abschied. Fantoni küsst mich, er schenkt Casp. und mir je einen Tibu-Dolch. Er »verkauft« sie uns, des Aberglaubens wegen. – Wir fahren einen etwas besseren Weg bis zum Gebirge, dann wieder diese rotschwarze Höllenlandschaft. Im weissen »Teufelsgarten«, noch 30 km vom Chianti-Camp, wohin wir wollten, überfällt uns die Finsternis. Wir tuen zum erstenmal das Vernünftige, d. h., bleiben, wo wir sind, unter einem weissen Felsen. Nachtmahl: Sardinen, Chianti, dann Bett im Sand.

Donnerstag, den 27. April. Bis Chianti Camp

Erwache nach einer guten Nacht im Sand; erst Penderels Gratulation macht mich darauf aufmerksam, dass es mein 50. Geburtstag ist. ich denke ganz vergnügt: eine gute Sache, die Nacht zu seinem Jubeltage in einem Sandloch der Sahara zugebracht zu haben; gar so alt bin ich offenbar noch nicht. – Während aufgeladen wird, sitze ich beiseite und mache eine Eintragung ins Tagebuch. Almásy ruft mich, ich habe wieder keine Ahnung, worum es sich handeln kann, gehe hin, finde zwischen den

Autos einen Gabentisch aufgebaut, geschmückt statt mit Blumen mit zackigen Kalksteingewächsen und mit einer grossen bunten Gratulationszeichnung von Casparius. Man schenkt mir Lederwaren von der Karawane (dafür habe freilich letzten Endes ich bezahlt), Casp. eine grosse rote Schreibmappe, ich weiss nicht wer ein grosses Portefeuille aus Schlangenhaut, aber, rührenderweise, Almásy die kostbare vorletzte Taschenlaterne der Expedition, Kadar ein Flacon mit Eau de Cologne, Penderel ein Seidentuch.

Aufbruch nach 9 Uhr, und zwar fährt Penderel mit Casparius, der die belichteten Filme gegen frische umwechseln soll, zum ziemlich nahen Depot Three Castles, wir anderen 30 km weit bis Chianti Camp. Casparius fährt höchst ungern, weil es heisst, dass Almásy während seiner Abwesenheit die vorjährigen Felszeichnungen (5 km vom Camp) photographieren soll, noch dazu mit C.'s Kamera, da er die seine in Kufra verlor. Ich verspreche, den Plan womöglich zu obstruieren. – In Chianti Camp lagern wir wieder in dem relativ recht schattigen Felsenkorridor, dann, statt zu den Bildern zu fahren, entwickelt Almásy eine neue Idee. Wir sind jetzt auf der Suche nach dem Wadi Talh, Wadi der Tamarisken, einer von den Geographen noch unentdeckten, den Kamelbesitzern von Kufra wohlbekannten Regenoase hart neben Almásys Wadi Abd-El-Melik. Nach den Aussagen der Karawanenführer und gewissen Flugzeugphotos der Italiener soll das Wadi keinen Ausfluss in die Wüste haben, sondern nur zu erreichen sein, wenn man etwa 40 km von hier die Mauer des Gilf besteigt und dann 15 km. über ein Plateau zu Fuss geht, einem bezeichneten Karawanenweg folgend.

Es wird ein Wagen mit dem Nötigsten für Übernachtung und Fussmarsch ausgerüstet, und nun kommt die Geburtstagsüberraschung für mich: ich soll nicht mit, sondern mit den 3 Schwarzen 2 Tage im Chiantilager bleiben und dann, wenn nötig, Hilfe bringen. Es scheint also doch, dass ich 50 Jahre alt bin, und der, der ich bin. Ich muss einsehen, dass über den Gilf zu klettern und in der Wüste zu marschieren nicht ganz meine Sache wäre, dass ich mindestens ein Hindernis für die anderen abgeben würde; andererseits wäre es hart, gerade nicht dabei zu sein, wenn die viel umfabelte Oase gefunden würde. (Gebe hier, vorher, zu Papier, dass ich an die Sache mehr instinktiv nicht recht glaube, möge ich mich irren).

Penderel und Casparius kommen, recht verspätet, um 2 Uhr zurück, wir essen rasch was, dann fahren die Vier mit einem Wagen ab, mich mit recht gemischten Gefühlen zurücklassend.

Ich richte mich im Lager ein. Man schlägt mir ein Zelt auf. Doktore die 3 Schwarzen, von denen jeder eine kleine Verletzung hat. Wir haben acht lebende Hühner aus Kufra mitbekommen (nebst 100 Eiern, grünen Zwiebeln, Rettichen, zahllosem anderen Proviant, alles gratis). – Wir lassen die Hühner, die in einer Kiste reisten, frei herumlaufen, sie hüten sich, in die Wüste auszuwandern.

Sobald es kühler ist, stelle ich einen Tisch in den Felsenschatten und beginne zu schreiben, nicht, wie ich vorher plante, einen Artikel über Kufra, sondern das gesamte erste Kapitel (7 Seiten) des geplanten kleinen Romans, der Geschichte von der

Filmerei, der ich den provisorischen Titel »Kufra« gebe. (»Die letzte Oase«?) –
Schreibe mit Gusto, weiss aber nicht, ob gut.

Esse italienische Militärkonserven mit frischem Salat, schreibe im Zelt noch weiter, lese dann bei elektrischem Licht, da kommt eine langschwänzige braune Ratte
ins Zelt, vielleicht eine Gerboa. Da sie den Ausweg nicht findet, könnte ich sie vielleicht fangen, täte es auch, wenn Kadar da wäre (für den ich vormittag eine schöne
Grille gesichert habe, durch einen Wurf mit einer leeren Konservendose) – tue es aber
nicht und öffne dem Tier die Zeltklappe.

Freitag, 28. April. Chianti Camp

Verbringe den ganzen Tag allein mit den Schwarzen, meistens schreibend (12 weitere Seiten des kleinen Romans) und den Hühnern zusehend, die sich im Freien tum-
meln. Sehr heiss. Ich mache gar keine Bewegung und leide darunter. Neuralgische
Erscheinungen, offenbar Vorboten einer Wetteränderung.

Keine Tiere gesehen, ausser ein paar Motten. In diesem Lager, dem einzigen, war
noch keine einzige Fliege.

Esse wenig, Mittag Käse, frische Zwiebeln, Abend Makkaroni und Weingelee –
auf Eis von Kufra!

Die Schwarzen recht gedrückt und verdrossen, scheint mir, vielleicht besorgt um
ihren geliebten »Cont'«, schlafen den ganzen Tag.

Samstag, den 29. April. Chianti Camp

Erwache in der Nacht von neuralgischen Schmerzen im Munde. Richtig, Wetter-
umschlag, Südwind, der am Morgen Sand zu schleudern anfängt. Beim Erwachen
frage ich »Quelle heure-est-il, Mahmud?« (Sein Wecker ist die einzige heile Uhr im
Lager). Er antwortet: »Heure ma fiche« – der Wecker ist stehengeblieben. Schöne
Sache, ich soll doch eventuell morgen punkt neun Uhr mit der Hilfsexpedition aufbrechen. – Gehe und bezeichne Almásys Wagenspur vorsichtshalber mit einem
Steinpfeil. – Sehr heisser Tag, fühle mich nervös und nicht zu wohl (Verdauung).
Veranlasse die Schwarzen, sich ihr Zelt aufzuschlagen. Arbeite bis Mittag an dem
dritten Kapitel der »Letzten Oase«, eine gedrängte Geschichte der Senussija enthal-
tend. Punkt zwölf Uhr (wie ich denke) stelle ich meinen Stuhl senkrecht in den Sand,
ob er einen Schatten wirft; da er keinen wirft, lasse ich Mahmud den Wecker auf 12
stellen. Gleich darauf fällt es Mahmud ein, dass einer der Chronometer im Lager
geblieben ist. Wir sehen nach; wenige Minuten nach zwölf. –

Gegen 1 Uhr fährt auf einmal Almásys Auto mit den 4 Kameraden ins Lager; sie
sind, bis auf den rüstigen Kadar, halb tot, Casparius, der eine (präventive!) Kolik
bekam und deshalb nicht mitkletterte, wegen der Kolik, die anderen wegen ihrer
gestrigen Kletterei und des Marsches auf dem Gilf. Sie haben, wie ich es ahnte, trotz
enormer Anstrengungen das Wadi nicht erreicht, wohl aber den (künstlich aufge-

bauten) Pfad gefunden, auf dem die Eingeborenen, wahrscheinlich Tibu, von Uwenat her die Wadis zu erreichen pflegen, wenn es im Gilf geregnet hat und dort Weide vorhanden ist. Sie muss beträchtlich sein, denn die Spuren waren zahlreich und die Gesellschaft hat an einer steilen Stelle nicht nur Kamelskelette, sondern auch das *einer Kuh* gefunden. Unweit davon die schon im Vorjahr entdeckte Stelle mit 17 lebenden und zahlreichen verdorrten »Talh«-Bäumen, unter denen Steinbock-Gehörne lagen (sie bringen welche mit, ausserdem eine lebende Eidechse etc.; haben grüne Vögelchen und eine Schlange gesehen). –

Am Nachmittag Ruhe und lange Besprechungen. Das Entdeckte, besonders die bedeutsame Kuh, hat Almásys Phantasie entzündet; er will auf jeden Fall in dieses Wadi Talh eindringen. Wir stossen alle unsere Pläne um. Penderel mit Abdu und Kadar (der nicht entzückt ist), soll morgen via Three Castles und Gap mit einem Wagen den Gilf durchqueren, bei Gebel Almásy den zweiten, dort zurückgelassenen, Wagen mit dem Inhalt unserer beiden dortigen Depots beladen, und versuchen, rund um den nördlichen Gilf herumzufahren; am 8. Tag sollen wir uns an der westlichen Mündung des Gilf wieder vereinigen. – Das ist eher ein riskiertes Unternehmen, besonders, da die schwierigen Dünen von Gebel Almásy mit einem einzigen Wagen passiert werden sollen. Aber für Penderels leidenden Ehrgeiz ist es wohl das Richtige; ich nehme an, dass wir dann, nach einem Besuch in Uwenat, vereinigt zum Nil zurückkehren können, ohne weitere Sonderfahrten. – Zum Abendessen werden zwei Hühner geschlachtet; Casparius (seufzend) isst nichts, ich kaum etwas. – Am Abend, da Almásy und Penderel lange beim elektrischen Licht reden, kommt meine braune Ratte sie besuchen (keine Gerboa). – Kadar erbeutet eine »Gottesanbeterin«.

Sonntag, den 30. April. Chianti Camp

Erwache etwas unwohl und beschliesse, heute zu fasten. Während Penderel und Kadar sich zur Abfahrt rüsten (beiden ist es, denke ich, etwas schwummerig zumute), laufen die Hühner wie gestern zwischen den beiden Felsen unseres Hohlwegs herum; auf einmal ist ein »Zarzur« zwischen ihnen, ein Vögelchen von der Grösse, etwa von dem Aussehen und der Färbung eines wilden Kanarienvogels (unten gelb, oben grün). Die Hühner stürzen auf ihn wütend los, – wie die Geier; er aber lässt sich lange nicht von ihnen verjagen, schlüpft in die Hühnerkiste, frisst und trinkt, scheint überhaupt so zahm, dass wir denken, er werde hierbleiben. Casparius, der es in solchen Fällen immer tut, schiebt das Filmen auf, bis der Vogel auf einmal wieder weg ist. Ärgerlich. – Schenke Penderel, der in Fetzen herumgeht, mein zweites Khakihemd. Sorgfältiges Packen, Abfahrt unter etlicher Rührung; Almásy und Mahmud fahren bis Three Castles mit, um aus dem dortigen Depot Verschiedenes zu holen. C. greedy for water.

Um drei Uhr (bei heftigem Wind) kommt Almásy zurück. Er hat unterwegs einen lebenden Wanderfalken gefunden, den der Sturm aus der Luft gefegt hat, ein Flügel ist gebrochen. (Schlechtes Omen für den Flieger Penderel?) – Almásy bringt den

Falken mit, flösst ihm Alkohol ein, um ihn für die Operation zu betäuben; das Einrichten des Flügels misslingt; ich kann nicht annehmen, dass A's Absicht gelingt, den Falken für einen Zoo zu erhalten.

Wir fahren zu den Felsenbildern; es ist schon spät, auch findet A. das wenig entfernte Wadi, in dem er im Vorjahr war, lange nicht, so dass wir bei sinkender Sonne ankommen. Grossartige Felsenszenerie der Libyschen Wüste. Die Bilder kleiner, undeutlicher, als nach den Photos anzunehmen. Wir finden eine bisher nicht entdeckte, bebilderte Höhlenwand, die, soweit man im Dunkeln urteilen kann, die schönste zu sein scheint; ich finde den Umriss des bisher einzigen Löwen, der auf den Bildern vorkommt. Wir haben die Schwarzen mit, die sich kindlich freuen. Casp. findet schöne Mahlsteine. (Welche Freude, wenn er gratis irgend eine Art Besitz erwirbt!) – Rückkehr, wie gewöhnlich in der Finsternis, dann gemütlicher Abend in meinem Zelt. Ausser Thee und am Abend Suppe habe ich den ganzen Tag nichts gegessen; trotzdem ist die Störung nicht völlig behoben.

Montag, 1. Mai. Unterwegs

Vormittag fahren wir wieder zu den Felsenbildern und entdecken viele neue. An einer Stelle ist die Höhle eingestürzt, wir stellen fest, dass unter den Trümmern tief eingegrabene Bilder begraben liegen. Aufregung, da A. ein Grab gefunden zu haben meint, aber es sind nur Tierknochen, wahrscheinlich Speisereste. Zeichnen die Bilder mit Kreide nach (Löwe, Kühe, Giraffen), wobei gefilmt wird. C. in trotziger Verzweiflung, da ihm A. ins Photographieren zu viel hineinkommandiert. Finden in der Umgebung die Küchen oder Feuerstellen des prähistorischen Dorfs mit Mahlplatten, Mahlsteinen, Steingeräten, Knochen. Ich finde ein schönes Feuersteinmesser und eine Axt. – Ein (noch nicht alter) Entenkopf. Ins Chianti-Lager zurück. Wir packen auf. Der arme Falke lebt noch, obwohl er nicht zu fressen scheint. Wird neben den Hühnern und einem lebenden Salamander mit auf den Wagen gepackt. – Aufbruch um 4 Uhr, wir fahren 60 km weit, auf Mayor Rolles Spuren auf den nördl. Gilf zu (wir wollen von Rolles Lager aus die Wadis finden). A. krank, Hämorrhoiden, Kreuzschmerzen. Meine eigene Beschwerde verwandelt sich auf einmal in eine katastrophale Diarrhö, sehr deprimierend.

Wir lagern vor Dunkelheit in einem unangenehmen rotschwarzen Kessel, in dem wir aber zwischen den Autos geschützt und gut liegen. In der Nacht kein Schlaf, da grauenhafter Durchfall.

Dienstag, 2. Mai. Unterwegs

Früh fühle ich mich sehr elend. Da mir die Kameraden zum Essen zureden, erbreche ich. Grosser Schreck (C. täppisch-besorgt). Alm. redet davon, mich nach Kufra ins Spital zu schaffen. Ich beharre auf dem Weiterfahren; tagsüber bin ich sehr erschöpft, halte aber durch. – Wir wollen den Spuren des Major Rolle folgen, zu einem

Lagerplatz am Gilf, von wo Lady Claytons Spuren ins Wadi Abd-El-Melik führen sollen. Finden Rolles Spuren, verlieren sie aber mehrfach wieder; endloses Herumfahren, während dessen wir Kamelspuren entdecken, vielleicht auf Wadi Talh zuführend. – Gegen 5 Uhr haben wir Rolles Spuren wieder gefunden; lagern gleich, A. und C. fahren nochmals rekognoszieren, finden die Spuren; unterdessen liege ich schon im Zelt im Bett, kriege gute Hühnersuppe, erhole mich erheblich, obwohl die Diarrhö noch vorhanden. Einfall: die Hühner schreien, wenn sie unseren Falken riechen. (Er lebt und frisst). Warum scheuen sie den Menschen nicht, den grössten Hühnerfresser?

Mittwoch, 3.Mai. Im Wadi Abd-El-Melik

Früh noch recht unwohl, esse kaum. Aufbruch um 9 Uhr, wir drei Europäer in 1 Wagen. Suchen Ing. Claytons Spuren nach Wadi Abd El Melik, finden sie, schlecht, dann die herrliche neue Airwheel-Spur der Lady Clayton, keine 14 Tage alt, die uns direkt (100 km weit) ins Wadi leitet. Diese berühmte »verlorene Oase«, die Almásy genau vor 1 Jahr und 2 Tagen aus der Luft gesehen hat, und in der nun, sicherlich zu seinem Schmerz, die Claytons vor ihm gewesen sind, erweist sich als 40 km langes Hochtal, recht trostlos, aber bestanden mit Hunderten von Seisal (»Talh«-) Akazien, einigen Selim-Akazien, viel Gras und Dorngestrüpp, die Bäume, soweit nicht von Heuschrecken abgefressen, grellgrün, das andere im Verdorren. Ein verlassenes Lager der Tibu-Hirten, mit Windschutz, Körben etc, und hoch oben am »Ras« (Talschluss), nahe der jetzt trockenen Quelle eine Art Hütte, ferner zahllose Kamelspuren und Mist beweisen, was wir schon wissen: dies ist die Wüstenalm für Uwenat und Kufra, wenn Wasser da ist. – Wir finden einen der Brunnen, eben noch feucht. Bleiben hoch oben unangenehm stecken. Meine Ungeschicklichkeit beim Dirigieren der Strickleiter unter Rad. C. sulky, wie immer in Unannehmlichkeiten – und wenn A. ins Photographieren hineinredet. Finden wenig Tiere, bis auf Schmeissfliegen. Schöne Schmetterlinge, die wir nicht fangen; einige Vögelchen: Schwalben und ein weissschwänziger Zarzur, den A. (unter Sentimentalitäten meinerseits) schliesslich schiesst: unbekannte Species, einem Star ähnlich. – Das also ist das Ende meines Geredes von der »Oase der kleinen Vögel«. Infolge C.'s unterbewusster Obstruktion wird auch dieser Vogel erst gefilmt, wie er tot aus der Luft sinkt. – Und ich wollte den Film nach den kleinen Vögeln benennen! – Ganz hoch oben sieht Almásy frische Wildschaf-Spuren, wird mir ganz toll, rennt nach, obwohl es spät wird, kommt wieder, ohne etwas gesehen zu haben. Da er C. mit hat, bin ich eine Stunde allein, recht unbehaglich, wegen meines Gesundheitszustands. Wir filmen etwas und rasen dann wunderschön in 2 Stunden die Riesenstrecke zurück, so dass wir noch bei Licht ins Lager kommen. Tagesleistung 270 km. – Ich bin aber auch fertig, esse ausser Suppe wieder nichts. Psychisch ganz beisammen.

Leiden hält an, fühle mich recht geschwächt und unenergisch. Bis Mittag balgt Almásy den toten Zarzur aus; der Falke jetzt gut beisammen, bis auf den gebrochenen Flügel, frisst das Fleisch; selbst die Eidechse kriegt Fliegen und lebt wieder auf, die Hühner gackern, der Kränkste von der wandernden Menagerie bin ich. – In diesem Lager gibt es zahllose Schmetterlinge verschiedener Arten, Fliegen, eine Heuschrecke. Dieses Mysterium klärt sich auf, da wir losfahren, Almásys vorjährigen Spuren folgend. In einer »Mud-Pan« finden wir einen vereinzelten Baum, keine Akazie, keine Dornen, ganz voll von (grünen) Blüten; tausende von Insekten darum herum. – Bin zu schwach, um nur auszusteigen. – Wir nähern uns, im Ganzen etwa 100 km fahrend, auf schlechten Wegen der Hauptmasse des Gilf, während Almásy sich, scheint mir, hazardierenden Vermutungen darüber hingibt, wo die Mauer sich erheben könnte, hinter der er das zweite verlorene Wadi, Wadi Talh, vermutet. Schliesslich vertraut er sich einigen Kamelspuren an, die im Bett eines Wildbachs (natürlich ohne Wasser) hinaufzuführen scheinen. Wir fahren vorwärts, bis es die Steine der Moräne unmöglich machen, lagern dann im wildesten Geröll. Sabr, auf einer Rekognoszierung herumsteigend, findet die wohlerhaltene Mumie eines grossen Wasservogels (Rohrdommel)! Alm., der zuerst in der Abendkühle den Aufstieg beginnen wollte, lässt es wieder auf morgen. Wir schlagen die Zelte auf. Mir ist es recht übel, erbreche vor dem Abendessen, diesmal heimlich, dann wird mir viel besser, dass mir ein leichtes Essen (Reissuppe, Spargel, Zunge, Gelee) ganz gut schmeckt und ich wieder Hoffnung fasse. Nehme allerlei Mittel, wahrscheinlich zu viele, lege mich schlafen.

Freitag 5. Mai. Lager im Geröll

Nach Mitternacht weckt mich arger Stuhldrang, wandle in die Wildnis, schlafe dann unter schweren Träumen weiter. Bei Sonnenaufgang fortwährend wiederholte Diarrhö, der Auswurf scheint mir blutig, ich fange an, (bei mir) die Sache bedenklich zu finden. Will den Tag ganz ruhen und nur gekochtes Wasser trinken. Almásy, begleitet von Sabr, bricht um 7 Uhr früh auf, um über die Berge zu steigen; Casp., der sich sonst, nicht sehr erfreulich scheint mir das Schauspiel, um die Strapaze herumdrückt, begleitet ihn ein Stück den Hang hinauf, kehrt dann zu mir und zum Komfort zurück. Teile A.'s Ansichten über C., sage aber: ein Mops, oder meinetwegen ein Bernhardiner, ist eben kein Jagdhund. *Mein* Fehler, ihn zu so einer Expedition zu verleiten. Gegen mich ist er, obwohl recht tapsig, natürlich voll Hilfsbereitschaft. – Früh ist mir andauernd schlecht, bis ich Energie einschalte, mich etwas wasche und sogar zum Frühstücken zwinge. Ein frisches Ei aus Kufra tut gute Dienste. Bleibe im Pyjama im geöffneten Zelt liegen, mit den gesegneten arabischen Märchen, den unauslesbaren. – Es wird in dem Höllenkreis entsetzlich warm, und mein Leiden wird immer unangenehmer (Koliken). Ich trinke nur Teewasser mit Alkohol de Menthe. –

Um 1 Uhr soll etwas gegessen werden, auch habe ich wieder einen Anfall – da erscheinen Almásy und Sabr. Sie sind 6 Stunden gelaufen und bis an den oberen Rand des Wadi Talh gelangt und haben hineingeblickt. Es existiert, ist eben solch ein mit Bäumen erfülltes Hochtal wie Wadi Abd-El-Melik, nur kürzer und breiter. Alm. ein zu schlechter Fussgänger, sonst wäre er trotz der Hitze eingestiegen. Auch so ein grosser, positiver Erfolg. Er fand Tibu-Windschutz etc., alle Spuren einer ehemaligen »Kamelalm«, wie ich es nenne.

Den Nachmittag verbringe ich im Zelt; die Krankheit tritt etwas zurück, das Unbehagen und die Hitze sind enorm. Der erste eigentlich schwarze Tag dieser Reise (früh, als der Stuhl blutig schien, war ich im Ernst alarmiert und dachte einen Augenblick daran, Almásy nicht fortgehen zu lassen). Jetzt unter dem Eindruck der guten Nachricht, hellt sich's auf. – Nehme etwas ein und habe eine restlos gute Nacht.

Die lange gehegte Eidechse aus ihrer Benzinkiste entwichen. Viele Schmetterlinge. Eine Heuschrecke.

Samstag, 6. Mai. Nach 3 Castles

Um 5 Uhr Reveille, um nur diesem heissen Höllenofen zu entkommen. Um 6 Uhr fahren wir, ich mit Sabr, der mir die Schnitte in seinem Gesicht zeigt, die die Stammeszeichen der Iaalim sind (3 auf jeder Wange, 1 auf der Schläfe), und klagt, seine Eltern hätten keinen Verstand gehabt, er sei doch viel moderner. – Und das übliche Lob des »Conte«. – Wir legen die 100 km. bis Chianti Camp ohne Zwischenfall [zurück], stellen dort fest, dass der Falke aus seinem Käfig entkam; mit seinem gebrochenen Flügel ist er natürlich verloren. Er floh nicht sehr weit von der Stelle, wo Almásy ihn fing. – Wir fahren weiter gegen 3 Castles, auf einmal, gegen 1 Uhr, versagt die Zündung an Almásys Auto. Wir lassen es stehen, Sabr bleibt dort, wir anderen fahren in Sabr's Auto bis 3 Castles, wo Schatten ist. Nachdem A. kurz geruht hat, schleppt er das kranke Auto herein. Consternation, da es ungewiss scheint, ob die Reparatur ohne die Ersatzteile möglich ist, die erst Penderel (morgen im Gap fällig!) mitbringt. Aber es stellt sich heraus, dass der Condensor ersetzt werden kann.

Ich bin Rekonvaleszent, obwohl noch keinesfalls wohl. Esse aber etwas, plaudere mit Almásy, gehe dann, nicht ganz ohne Angst vor Schlangen, in die Höhle unter dem überhängenden Felsen schlafen. Leidliche Nacht.

Sonntag 7. Mai. Bis Südspitze des Gilf Kebir

Früh sehr erschreckt durch Blut im Stuhl. Leichte Krämpfe. Sage nichts, schreibe einen italienischen Brief, der im Gap hinterlassen werden soll, für den Fall dass wir nicht nach Uwenat gelangen, bevor man uns von dort suchen fährt. (Alm. masslos begeistert). Grosses Packen der hier konzentrierten Vorräte und Sammlungen. Habe einige Angst vor Ruhr, glaube aber nicht recht daran, da Allgemeinbefinden entschieden besser und ich das Essen behalte. Keiner merkt etwas. Nachher kommt mir

der Gedanke, dass ich einfach wieder Hämorrhoiden haben könnte, wie eine Erlösung vor.

Nach ein Uhr sind wir mit dem Packen fertig und ruhen vor der Abfahrt im Schatten der Höhle aus. Eben prophezeie ich, wir würden Penderel, Kadar und Abdu noch heute sehen, da kommen sie mit ihrem Wagen hereingefahren. Grosses Erzählen. Mir berichtet Kadar. Fazit: nichts erreicht und nicht viel getan. P. ist in seiner wirren Art recht ziellos herumgerast, bis er irgendwo Claytons Spuren fand, die einfach überall waren. Ein Brief von ihm auf unserem Wagen am Gebel Almásy (nebst einer dort auf dem Wagen erschlagenen Schlange). Er hat unsere Spuren im Gap gefunden und alles nachentdeckt. Affenkomödie. Penderel schwer deprimiert, erst tröstet ihn der Gedanke an Wadi Talh, dann ist er entsetzt, weil A. nicht wirklich drin war; er will umkehren, selber hin, bekommt Streit mit Casp., der, in der Angst, mit zu müssen, eine patzig klingende Antwort gibt. – Erst um 5 Uhr fahren wir zur Südspitze des Gilf, kampieren dort auf offener Serira zwischen den 4 Wagen. Wir trinken Chianti, mir geht es ganz gut, grosse Debatte zwischen den Führern über das Weitere und darüber, wo das Denkmal Kemal ed Dines hin soll.

Montag den 8. Mai. Bis Peter und Paul

Früh fahren wir alle mit zwei Wagen an die Stelle, wo Almásy das Denkmal hinstellen will. Unterwegs bitterlicher Streit darüber, welcher der zahlreichen unangenehmen Hügel die genaue Südspitze des Gilf darstellt. Erst will Almásy das Denkmal in ein überhaupt unzugängliches Bachgerölle stellen, dann entscheidet er sich zum Glück für einen Punkt vor dem Gebirge, wohin wenigstens in der Theorie nach uns andere Menschen gelangen könnten, obwohl ich im Ernst glaube, dass wir da ein Denkmal errichten, dass nach uns kein menschliches Auge mehr sehen wird, ausser in unserem Film und in den vielen Photos, die Casp. während der Prozedur macht (leider bricht die Feder seiner zweiten Filmkamera). Wir wählen einen hübschen Steinknollen, im Hintergrund das Gebirge, es sieht gut aus. Der natürliche Sockel wird mit Hacke und Hammer behauen (bröckelnder Sandstein), bis die Gedenktafel, geschickt gestützt und untermauert, ordentlich steht. Es ist ein graues Stück Marmor mit der schwarzen arabischen Inschrift: »S. Sultanischen Hoheit, dem Pzen. Kemal El Dine Hussein, dem Erforscher der Libyschen Wüste, von denen, die sein Werk schätzen.« Ein wenig aufdringlich diskret! –

Die Schwarzen, die sehr im Vordergrund sind, insbesonders beim Photographiertwerden, und Kadar errichten auf der Höhe 2 Alamat.

Wir sind gegen drei im Lager zurück, essen Brot und Käse, liegen bei arger Hitze im Schatten einer Plache, bis es zum Aufpacken fast zu spät wird. Aufbruch weit nach 6 Uhr. Wir fahren im Mondlicht 50 km. südlich, bis zu den Kuppen »Peter und Paul«, wo wir zwischen schönen Granitblöcken ein gutes Lager beziehen.

Früh, noch vor dem Frühstück, hört Almásy Motorgeräusch. Er glaubt, die Italiener fahren uns aus Uwenat entgegen und nimmt das Auto, ihnen zu begegnen. Aber kaum ist er weg, so fliegt eine Schwadron (9) englischer Vickers-Flugzeuge über uns, die wir hart an einem ihrer Flugplätze lagern. Penderels eigene Schwadron! Er versucht, ein Rauchsignal zu geben, sie bemerken es nicht, so wenig wie Almásys Herumfahren und Kadars Spiegelsignale. Sie fliegen weiter, offenbar von Uwenat gegen den Nil. Hätten sie uns gesehen und wären niedergegangen, hätten wir ihnen unser schweres Gepäck mitgeben können. – Penderels Laune wird scheusslich, er drängt darauf, gleich selbst mit 2 Autos nach Kharga zu fahren, bloss um die paar Töpfe aus Abu-Ballas und Kadars Sammlungen dort abzuwerfen, dann will er uns andern in Uwenat treffen, nur um dann selbständig mit zwei Autos nach Süden weiterzufahren, während wir über Kharga heimkehren sollen. Unterdessen sollen wir 4 Weissen nur Sabr bei uns behalten, Mahmud soll als Begleitperson mit nach Kharga, so dass wir keinen Koch haben und bestimmt den Italienern zur Last fallen. Grosser Streit. A. kommt zu mir und verlangt, ich solle den Anspruchsvollen spielen, der ohne Bedienung nicht leben könne. Da ich zögere, macht A. mit Vorwürfe, ich lasse ihn im Stich. Ekelhafte gespannte Situation, endlich, gegen ½ 5 wird alles, wie Penderel es wollte; er mit Abdu und Mahmud fährt (auf einem neuen Weg) 700 km. weit nach Kharga, wir 120 km. weit nach Uwenat. Ich weiss gleich, dass wir da in eine ekelhafte Situation hineinfahren. – Wir erreichen das Granitgebirge von Uwenat nach glatter Fahrt (sehr heiss) noch bei Licht, finden in dem kleinen Talkessel bei der Quelle Ain Dua ein wenig ordentliches Lager, wo 5–6 Offiziere der italienischen »topographischen Mission«, darunter ein Naturforscher Prof. Ludovico de Caporiacco, Kommandant Primo Capitano Marchesi mit 50 arabischen Askari lagern. Es ist schrecklich warm in dem Felsenloch, der Brunnen gibt 150 Liter (gutes) Wasser täglich, also keinerlei Überfluss, obwohl man mit grosser Mühe auch aus dem hochgelegenen Ain Zueya Wasser holen kann, die Mission hat wenig zu essen und die englischen Flieger haben allen ihren Wein ausgetrunken; wir bedeuten eine schwere Verlegenheit, was Almásy nicht wahrhaben will. Der Empfang ist höflich, gastfreundlich, kaum mehr. – Interessante Gespräche mit dem Professore, der deutsch spricht, über die Probleme des Austrocknens der Wüste etc. – Die anderen stark zurückhaltend. – Zum Glück haben wir eine Flasche Chianti. – Gehe mit Sorgen ins heisse Zelt. Hier warten, bis es Penderel beliebt zu kommen? Es ist hier, finde ich, das (…)loch der Wüste! Wir beschliessen, morgen ins Wadi Ghazall, 30 km. südlich zu fahren, da Almásy für die Offiziersmesse eine Gazelle erlegen möchte.

Schlafe zum erstenmal, seitdem ich in der Wüste bin, ohne Decke. Abendliche Fantasia der Askari.

Früh steht Almásy wie immer spät auf, was den Professore zum peinlichsten Warten zwingt, dann fahren wir bei schrecklicher Hitze ins Gazellental, eine flache Depression (recht grün, mit vielen gelb blühenden Akazien, von Bienen umschwärmt). Schrecken einen Gazellenbock auf, hetzen sie lange im Auto. Almásy vollendet die Verfolgung, während wir (Casp.) mit dem Professore bei den Akazien bleiben, er schiesst Insekten mit der Giftspritze. (Cyanide di Potassio.) – Almásy und Kadar kehren mit der von einem britischen Infantriegeschoss aus Penderels Gewehr arg zerfetzten Gazelle zurück. Der Askari, der auf dem Wagen mitfuhr, hat auch geschossen, und kriegt einen Putzer. – Auf der Rückfahrt schrecken wir noch 7 Gazellen auf, Almásy schiesst aber nicht mehr, wir hetzen nur noch eine, armes, schönes Wesen, zum Photographieren.

Mit der Beute zurück ins Lager, essen sogleich mit den Italienern Gazellensteak, was ausgezeichnet schmeckt, etwa wie Schöpsernes, ohne Hammelgeschmack. – Almásy bemüht sich, den Italienern durch geographische Informationen gefällig zu sein.

Endlos die heissen Mittagsstunden im Zelt. – Da es erträglicher wird, entdecke ich unter den Askari den alten Tibu Ibrahim, einen der Führer, mit denen wir am 23. April in Kufra das Gespräch hatten, dass dann zur Auffindung des Wadi Talh führte. Heute bestätigt er lachend alles, was Almásy ihm berichtet (selbst die tote Kuh kannte er, sie gehörte einem gewissen Abdullah) und rückt mit einem dritten, dem »Roten Wadi« heraus, (ein kleines W. ohne Wasser, das die Kamele in 3 Tagen abweiden), das hinter W. Talh und Abd-El-Melik liegen soll. Ich studiere die schlangenartigen Gestikulationen dieses Mannes. Er weiss mehr, als er sagt. Hätte man ihn in Kufra engagiert, hätte man was Rechtes finden können. C. photographiert, filmt ihn.

Die Situation den Italienern gegenüber recht prekär. Sie haben wenig Wasser, sind selbst dabei, ihr Lager abzubrechen, und wir wollen noch eine Woche dableiben, in einem solchen Stinkloch noch dazu!

Beim Abendessen Gespräch mit dem Professore über die Flüchtlinge von Kufra; Alm. erzählt seine Anekdoten, der Professore andere, entsetzliche Geschichten vom Verdursten. Lasse mir dann das Ende des Abenteuers des Tenente Sallustio mit den Kinderräubern genau erzählen. Sie waren 3 Tibu, ihr Scheikh hatte in Tibesti Geld nötig, um eine Blutrache zu bezahlen, holte es sich so. Klopfte an die Negerhütte, schlug den Vater nieder. – Sie wurden gefangen, weil sie die Knaben (6 und 10 Jahre) zwangen, zu Fuss zu gehen; so fand Sallustio die Spur. Überraschte die 3, unweit der französischen Grenze, beim Theetrinken. Sie liefen davon, die erschreckten Kinder auch; ergaben sich schliesslich ohne Gegenwehr. Sallustio liess sie, da die Knaben nackt waren, ihre schönen Burnusse ausziehen; Entzücken der Negerlein. – Die 3 wurden auf besonderen Befehl des Gouverneurs der Cyrenaika in Kufra gehängt. Die Tibu von Kufra haben angeblich mindestens die Verfolgung zu sabotieren gesucht.

Früh rückt Almásy mit seiner Absicht heraus: er will mich (mit Sabr und einem Auto) wieder einmal allein lassen und mit Kadar und Casparius 100 km weit ins Karkur Talh, ein Seitental des Uwenat-Gebirges fahren. Zweck: Jagd auf Waddan-Bergschafe; er ist die ganze Zeit darauf versessen. Mir ist es keineswegs recht, unter dem schäbigen Vorwand, es sei so für mich bequemer, in dieser vor Hitze fast unbewohnbaren Felsengrube hinterlassen zu werden und zwei Tage hier sinnlos herumzuliegen, statt wenigstens Uwenat näher kennenzulernen; ich füge mich nur, um die völlige moralische Auflösung der Expedition zu verhindern, da Casparius plötzlich zu bocken beginnt (er will nicht mit) und auch Kadar murrt. Almásy (der beim Jagen möglichst wenig Leute und Gespräch wollte) ist offenbar froh, er richtet mir eine Felsenhöhle zum Schreiben ein, wo die Hitze am Vormittag nicht gar so entsetzlich ist. – Mittagessen mit den Italienern. Es sind von ihnen, da eine Expedition nach Arkenu abging, nur noch der (Primo) Capitano Marchesi, Tenente Giora, ein netter Venezianer, und der Professore da. Almásy zeigt und gibt ihnen alle seine Karten. – Nach dem Essen furchtbare Hitze, 41 Grad im Schatten, wo er am kältesten ist. Um 4 Uhr beginnen die drei allmählich zu packen und fahren ab, A. mit einem schlechten Gewissen mir gegenüber. – Sobald es kühler wird, schreibe ich an meinem (achten) Artikel »Der grosse Gilf«. – Am Abend esse ich mit den Italienern, die zum erstenmal nicht durch eine fremde Sprache gestört werden, und sich etwas gehen lassen. Gespräche über Kolonialpolitik, die Besetzung von Uwenat, die Franzosen, den Krieg gegen die senussischen »Rebellen«. Der Professore, ein Offizier der fascistischen Miliz, eröffnet mir Einblicke in die fascistische Weltanschauung. Ich rede mit, ohne mich besonders zu exponieren. Als Menschen (und Familienväter) sind alle drei recht sympathisch.

In der Dämmerung drei totmüde Schwalben, die das Wasser suchen. Unsere (4) Hühner, die wir bis hierher geschleppt haben, und die sich von den Hühnern der Italiener fernhalten, greifen die Schwalben mit ekelhaftem Gekreisch an, so wie damals den Zarzur.

Freitag, den 12. Mai. Uwenat

Verbringe den Vormittag und einen Teil des Nachmittags schreibend in der »Kanzlei«, der Felsenhöhle, die für mich eingerichtet worden ist. Vollende den 8. Artikel, beginne den neunten (»Die sterbenden Oasen«). Esse mit den Italienern zu Mittag, Professore Caporiacco ist abwesend. Liege während der ärgsten Hitze sehr gequält im »Kommschatten« (Gegensatz zu: Gehschatten) eines Felsens. Gegen Abend verabschiedet sich Capitano Marchesi, er fährt nach Kufra. Bald darauf kehren Almásy, Kadar, Casparius zurück, mehr tot als lebendig. Sie waren im Karkur Ibrahim, haben dort in arger Unbequemlichkeit geschlafen (Almásy verheimlichte eine Hornviper), A. lauerte vergeblich auf Waddans, heute fuhren sie weiter ins Karkur Talh, Herris frühere Residenz, kehrten dort um, ohne Steinbock.

Langes Gespräch mit dem Askari Scherif Hassan Yakia aus Aden. Interessanter Reisläufer. Zufrieden mit seien 10 Lire täglich, mit den Italienern. Abneigung gegen Maghrebis. Entzücken, da ich von Fatimah weiss.

Stumpfsinniger Abend mit Gioras Grammophon. (»Prinz Eugen«, »Rosentango«, »Weisses Rössel«.)

Samstag, den 13. Mai. Uwenat

Der Tag ist womöglich noch heisser, den Vormittag verbringen wir in der »Kanzlei«, über Penderel redend, der seine Ankunft in Kharga noch nicht telegraphisch angezeigt hat, überlegend, wie und ob wir an Wasfi Bey nach Kharga funken sollen etc. Sabr wäscht einige Hemden aus. Gespräch mit dem Scherif über das Zueya-Mädel, das er liebt, und das ihm einen silbernen Siegelring gab. – Mittagessen mit den Italienern in ihrer Höhle, Stumpfsinn-Konversation über die grosse Frage: See oder Gebirge (der Venezianer Giora gegen den Friaulaner Caporiacco) – Qualvolle Nachmittagsstunden im geheizten »Kommschatten« des Felsens auf dem Bett. Endlich Abendessen, die gewohnte lange Konversation, Kriegspläne der Herren italienischen und ungarischen Nationalisten. Ich schweige. – Zum Nachtmahl unser unglücklicher Hahn, weil er zuviel gekräht hat.

Sonntag, den 14. Mai. Uwenat

Noch heisser, fast 40 Grad bei Sonnenaufgang, Mittags 64 Grad im Zelt. Wir sind ganz gebrochen. Vormittags in der Kanzlei wird endlich das Telegramm nach Kharga geschrieben, da kommt das Telegramm Penderels: Er ist schon unterwegs her; gehobene Stimmung. Mittagessen, Liegen im Schatten; dann gibt Almásy Sabr den Auftrag, in einer der Felsenhöhlen eine Schlafstätte für Penderel zu finden. Sabr kommt (gegen 4 Uhr) zurück. Er hat ein Stück auf dem Berg eine Höhle gefunden – und in ihr das Bild eines Tiers! – Alm. stürzt nackt hin, holt dann den Professore, Kadar hisst mich über die Felsen – unglaublich viele und schöne Felsenbilder, Haustiere und Menschen in Ocker, in einer Höhle, wo die Askari zu schlafen pflegten! Da ich es dem Radiotelegraphisten erzähle, erfahren es die Askari, schwärmen aus, und in wenigen Viertelstunden werden noch 5 solche Höhlen entdeckt mit den (wahrscheinlich) besterhaltenen und interessantesten Troglodyten-Bildern, die je gefunden wurden. Ich glaube Kamele zu sehen, Streit mit Almásy, der es nicht wahrhaben will. Riesige Aufregung, diplomatisches Spiel, da Alm. seine (Sabrs?) Priorität in höflicher Weise festlegen will. Es gelingt, und die Italiener telegraphieren seinen Namen nach Florenz. Grosse Freude, fröhliches Nachtmahl mit Whisky. Der erwartete Penderel kommt nicht.

Zeitig früh werde ich von den Kameraden nicht ohne Mühe zu der interessantesten Höhle bugsiert, wo die Felsenmalereien allerdings herrlich sind. Almásy malt sie sehr geschickt ab, Casparius filmt und photographiert, bis A. in seiner gewohnten Art das Photographieren besser verstehen will als C. und diesen so sehr reizt, dass er knabenhaft bockt; im Lauf des Tages kommt es zum völligen Abbruch der Beziehungen. Grotesk, aber für den Schluss der Reise unangenehm. – Nach dem Mittagessen erscheint Penderel mit 2 Wagen, Abdu und 2 neuen in Kharga angeworbenen Schwarzen; er weiss wenig zu erzählen, gar nichts aus der grossen Welt. Die Geschichte mit den Rock Pictures freut ihn, es ist aber sein Pech, wieder nicht dabei gewesen zu sein. – Mahmud klagt über die Reise: bis 520 km an einem Tag, immer der schlechtere Weg. –

Steige mit Casp. und Kadar zur »Kamelhöhle«, die von mir entdeckten Kamele werden mir abgestritten. Kadar findet viele Steinzeit-Werkzeuge aus Obsidian etc. In einer anderen Höhle Tibu-Sandbett, gemauerter Herd (Ziegel).

Gegen Abend kommt Capitano Marchesi aus Kufra zurück, bringt Post für Kadar und Penderel, mir einen Brief von Fantoni, einige Vorräte für uns. Offenbar wenig entzückt über »unsere« Funde oder Penderels Anwesenheit, die ihm nach dem Besuch der engl. Flieger verdächtig sein muss. Rede darüber mit P., der ganz konsterniert wird.

Marchesi bringt die Nachricht, dass 2 Zueya, geflüchtete Senussi, sich in Kufra ergeben haben. Sie kommen aus Merga, wo, wie sie sagen, Gongoi (oder vielmehr Gogo) und El Rami mit 12 Bewaffneten leben. Wir wollten während Penderels Abwesenheit ganz harmlos hin, obwohl ich die ganze Zeit ahnte und sagte, dass die Räuber dort sein müssen. – Penderel will die geplante Reise über Merga keineswegs aufgeben, obwohl er nur 1 Gewehr hat; er will von fern rekognoszieren, dann eventuell nach Dongola rasen und Flugzeuge herbeitelegraphieren. – Ich komme in Versuchung, mitzutun; mich schreckt wirklich nur die ins Endlose gehende Verlängerung der Reise und die beginnende Regenzeit des Sudans (auch in Ain Dua Wolken bei grosser Hitze).

Trinke zuviel Wein und schlechten Spumante, schlafe deswegen und wegen des Windes nicht, höre Casparius schnarchen.

Dienstag, 16. Mai. Auf der Fahrt

Aufbruch bei Sonnenaufgang. Packen. Gegen 9 Uhr kommt der Teil der it. Mission, der in Arkenu war, zurück. Um 10 Uhr (it.) Abschied von den Italienern ohne Überschwang. Wir nehmen ihre Briefe mit. Capitano Marchesi erzählt Näheres von den Banditen: Die Überläufer waren ein Tuareg, 1 Zueya, 1 schöne Frau. – Sie sagen, dass noch 12 Mann, 16 Frauen, 2 Kinder, 70 Kamele in Merga sind. Waren dort die ganze Zeit versteckt; wenn Aeroplane kommen (Penderel), flüchten sie zu einigen geheimen Brunnen oder in die Wadis. – Achselzucken über Penderels Plan. – Gespräch mit Almásy, der vernichtend über C. als Photographen urteilt.

Um 10 Uhr (it. Zeit) fahren wir aus dem Loch hinaus, filmen draussen zum letztenmal alle 4 Autos, nehmen von P. Abschied, der mit 2 Autos (er hat ausser Abdu 2 neue Neger aus Kharga mit) gegen Merga und in den Süden fährt. – Regenwolken über Uwenat. Wir fahren bei erträglicher Temperatur, oder kommt es mir so vor, 200 km. gegen Bir Messaha, Almásy passiert geschickt die Dünen. Lagern um 7 Uhr in Sand und Wind, trotz 30 Grad scheint es kalt.

Mittwoch, 17. Mai. Unterwegs

Auf bei Sonnenaufgang nach einer herrlich kühlen Nacht, in der ich zum erstenmal seit Uwenat geschlafen habe. Fahren 60 km. bis zu einer Halbmonddüne (Barkan), wo gefilmt wird, unter den üblichen mich nervös machenden Konflikten zwischen Casparius und Almásy. – Gegen 2 Uhr sind wir beim Brunnen Bir Messaha, schöpfen Wasser, filmen, um 5 Uhr weiter. Almásys Auto versagt gegen Abend, wir erreichen, 200 km. von unserem Start, eine neue Halbmonddüne. Klettere zum erstenmal auf eine hohe Düne, sehr schön.

Nach dem Essen langer Disput mit A. (d. h. ich disputiere keineswegs) um den nächsten Krieg. A. für Ausrottung der Menschheit ausser den Bauern und nachher ein (sein) Robinsondasein in den Trümmern, wobei er dann Höhlenzeichnungen von Autos und Flugzeugen zu machen wünscht. Lasse ihn reden; ich weiss, dass die Welt in die Hand solcher Leute (andere sind im Grunde weniger wohlmeinend) gerät. Dagegen hilft, scheint es, keine Diskussion, sondern im Ernstfall das, woran ich öfter denke.

Wir beschliessen für morgen einen Ausflug in die unbewohnte Oase Bir Terfaui.

Am Bir Messaha Grab der jungen (verheirateten) Tochter des Senussi-Scheikhs Sahla-el-Ateuisch. (Clayton las die verdurstende Karawane 24 km. von dem Brunnen auf, dessen Existenz sie nicht kannten.)

Wieder mal ins Beduinenbett. Kalt.

Donnerstag, 18. Mai. Unterwegs

Morgens photographiert Casparius noch die Düne. Es stellt sich heraus, dass er, nicht ohne Schuld, ohne Filmmaterial dasteht (eine Kiste wurde von Penderel mit nach Kharga genommen). Lange Auseinandersetzung, bei der Almásy massvoll redet und grösstenteils recht hat. – Infolgedessen Aufbruch erst um 9 Uhr. Unterwegs, wie schon gestern, tote Störche. Wir passieren den jetzt versandeten Bir Sahra, einen Brunnen, den Bagnold 1927 vor Bir Messaha bohrte. Eine verdurstende Holztaube nähert sich uns, es gelingt nicht, ihr Wasser zu geben. Unterwegs auch Schwalben.

– Nach [Kilometerangabe fehlt] km. erreichen wir die kleine unbewohnte Oase Bir Terfaui, erst Terfa-(Tamarinden)büsche, dann in einer Mulde ein entzückendes

Dickicht von Dattelpalmen, die noch (trockene) Datteltrauben tragen. Wir graben ein Wasserloch auf (Fuchsspuren), essen Datteln, filmen das alles. Spiele mit dem Gedanken, mich hier anzusiedeln. Leider ist das Wasser alkalisch. – Um 5 Uhr weiter; Kamelgebeine weisen zur Sklavenstrasse Darb-el-Arbain. Almásy orientiert sich märchenhaft und findet 10 km von der Darb das üble grüne Wasserloch Bir Murr (Bitterbrunnen), eine der tragischen Stellen der Sklaventransporte. A. und Kadar graben den schlammigen Brunnen aus. (Gestank, grünes Dreckwasser voll Kamelmist.) Schon während wir nach Tisch im Lager sitzen, hören wir Abu Hussein, den Fuchs, bellen. – Mässige Nacht wegen meiner Blase; träume von Abu Hussein (Fenek) statt die erwarteten Gespenster zu sehen. – Vielleicht letzte Nacht in der Wüste. Schade, mir gefällt's noch immer!

Freitag, 19. Mai. Bis Kharga

Früh ist der Brunnen ganz umgeben von den Spuren der Füchse und wir sehen einige von ihnen, die C. unwillig und erfolglos zu filmen versucht. Brechen auf und fahren die Darb el Arbain entlang. Schrecklicher Anblick der Kamelskelette, besonders der Hügel, auf die die Geier die Knochen verschleppt haben. Wir sehen viele Gräber, darunter das stattliche eines Scheikhs. Aus einem flachen Grab im Sand blicken der Schädel und die dünnen Knochen eines kleinen Knaben, eines Sklaven, da er nicht ordentlich einen Fussstein hat, wie ein Muselman. Wir bestatten ihn besser, filmen dies und anderes mit unserem letzten Material, unter fortwährendem Gezänk zwischen A. und C. und des letzteren passiver Resistenz. – Wir kreuzen auf einem neuen, guten Weg, den sich A. ausgedacht hat, auf dem wir aber Wasfi Beys Räderspuren finden, die breite Dünenkette Abu Meharriq (»Vater des Sonnenbrandes«) und gelangen gegen 5 Uhr zu den ersten Bäumen der Kharga-Depression. Fassungsloses Entzücken Sabrs, Lobgesänge auf den »Cont'«. Wir betreten das Dorf Mahs el Gebli, fraternisieren mit den Bewohnern, aber A., der sehr drängt, gestattet nicht, dass wir ihre Einladung zur Rast annehmen. Wäre mir sehr willkommen gewesen. Es folgt eine dreistündige Autoraserei aussen an den Oasendörfern vorbei, sehr anstrengend, glaube es kaum zu ertragen, halte aber durch. Zuletzt etwas Regen. Der erste Anblick der Gärten von Kharga überwältigend. Kann gar nicht glauben, dass der Garten der Straha (Rasthaus) früher so grün war. Ankunft um 6 Uhr. Verzögerung und Tantalusqualen vor dem verschlossenen Haus und Bad, weil der Farrash (Hausmeister) im Dorf. Endlich können wir uns auf all das Wasser stürzen.

Nachtmahl, Gesang aus dem Nebenhaus, wo Wasfi Bey 10 Imamen und den Honoratioren ein Fest gibt. Almásy geht im Pyjama, dem einzigen sauberen Kleidungsstück, hinüber. Ich bade ausführlich. Kharga scheint ein Paradies. Die Vögel im Garten, die Grillen, das plätschernde Wasser!

Vergessen zu erwähnen: die fast meterhohe erodierte Steinkugel in der Wüste. Kein noch so winziges Tier auf der nun ganz toten Darb-el Arbain.

Verbringe den ganzen Tag auf der Veranda oder im Bett (Kopfschmerzen nach der gestrigen Überanstrengung) und gehe nur aus, um beim Mudir Wasfi Bey Thee zu trinken. Lange, herzlich geführte Konversation mit dem ausgezeichneten Manne. Er ist trostlos, dass seine Regierung ihm nicht gestattet hatte, uns nach Uwenat entgegenzufahren. Sein Interesse an Uwenat und Kufra ist sehr gross. – Es stellt sich heraus, dass das gestrige Diner bei ihm, in das Almásy geriet, eine Gebetsversammlung zum Todestag seiner Mutter war (Rezitation des Koran, das war der Gesang). – Während wir anderen bei Wasfi sind, sitzt Almásy mit Hassan Bey, einem Beamten des Gouvernements, beisammen und lässt sich aus den aufregenden Akten über die Flucht der Senussi (1931) nach Dakhla lange Auszüge diktieren.

Sende Telegramme nachhause und an Klement, schreibe an Otto, E. B., Wingate.

Sonntag, 21. Mai. In Kharga

Früh mit Almásy zur Quelle. Fahre dann in der Mittagshitze und wieder am Nachmittag mit Casp. zum Filmen aus, begleitet von einem italienisch sprechenden Polizei-Schauisch, der die Kinder in Ordnung hält, so dass wir in idyllischer Ruhe arbeiten können. Wir filmen u. a. das Tor, die Kubbas auf dem Friedhof, einen schönen Brunnenteich, Tricktrack- und Kartenspieler vor dem arabischen Cafe, Korbflechterinnen, dreschende Kühe. – Am Abend geht Almásy zum Mudir und kehrt angeregt zurück; er hat mit den ägyptischen Honoratioren gekannegiessert. Sie möchten die Italiener dazu benützen, die Engländer aus dem Land zu bringen. A. nimmt diese Naivitäten ernst.

Gebe meine Post auf, darunter von Casparius gemalte Ansichtskarten. Ich beginne, mehr und mehr an Wien und die Zukunft zu denken.

Montag, 22. Mai. In Kharga

Packen und Abschied nehmen. Vormittags ins Dorf, um Matten zu kaufen, aber es gibt keine guten. Nachmittags kommen Wasfi und der Mamur Kemal Effendi zum Tee; politisches Gespräch. Freiheitssehnsucht der beiden Ägypter, bei grosser Offenheit. Rede ihnen Almásys italienische Ideen aus.

Dienstag, 23. Mai. Unterwegs

Aufbruch für 5 Uhr geplant, wirklich schon um 7 Uhr. Wir legen die 250 km. über das Wüstenplateau bis 4 Uhr zurück, ohne Zwischenfall und Erlebnisse; dann, statt wie geplant war, vor Assiut zu kampieren, fahren wir noch 140 km nach Minia weiter. Spiel mit Almásy, da wir »El Wadi el Nil« neu »entdecken«. Tolle Freude Sabrs. Die Fahrt äusserst anstrengend, mir gefällt aber Ägypten nach 2 Monaten Wüste sehr. (Die Wasserbüffel, die heimkehrenden Herden am Abend, die Kamele, die Zelte der Erntearbeiter.) Die Idee, bis Kairo durchzufahren. Sind aber in Minia totmüde und gehen gern in das sehr gute griechische Hotel. Wir werden, unseres Kostüms wegen, vor dem Hotel und im Wirtshausgarten wie Weltwunder angestaunt. Essen behaglich, das erste Bier. Ich komme vor Müdigkeit kaum ins Bett, dann halten mich Bauchtanzgeräusche unter meinem Balkon lange wach. – Meine dunkle Brille aus der Tasche verloren, im Futteral 9 Pfd.

Mittwoch, 24. Mai. Nach Kairo

Aufbruch um 9 Uhr, nach zu flüchtigem Frühstück. 250 km bis Kairo so schön wie gestern, ich habe aber Hunger. In Kairo fahren wir erst in das landwirtschaftliche Museum in Gizeh, dessen ungarischer Direktor Nagy Almásy und Kadar mehr oder minder eingeladen hat, jedenfalls wohnen sie dort. Dann ins Hotel Victoria. Das Bad. Meine Post enthält niederschmetternde Einzelheiten über das Hitlerregime in Deutschland. (Brief des kranken Beer-Hofmann, guter Brief Greens, Entrüstung Nieiras). Von Otto keine spätere Nachricht als vom 8. April, wie gewöhnlich. Kein Geld von Klement. Da ich Almásy all mein Geld pumpte, komme ich fast mittellos in Kairo an.

Donnerstag, 25. Mai, in Kairo

Der Tag ist der Retablierung gewidmet. Einige Einkäufe, die Uhren zum Reparieren. »Saturday Evening Post«. Der Buchhändler kennt und hat das Mahdi-Buch. Ich lese in den Zeitungen niederschmetternde Einzelheiten aus Deutschland, schreibe Briefe darüber. Wir telegraphieren an Klement. Den Abend verbringen wir im Ezbekisch-Garten bei einem Film »If I had a million dollars«. Dann zu Finish. – Kann nicht arbeiten. Für wen denn?

Freitag, 26. Mai, Kairo

Absolutes Nichtstun, bis ich spät nachmittags Fritzi Bauer bei Groppi treffe. Vorher kriege ich eine meiner Uhren wieder, ungewohntes Gefühl, nach geregelter Zeit zu leben. Casparius unschlüssig, ob er nach Deutschland zurück soll. – Wir alle (mit Kadar, Almásy, Casp.) gehen in ein Kino (Marie Dressler, »Emma«), als wir spät zurückkehren, ist Penderel im Hotel. Er erzählt, bei zuviel Rotwein. Er ist unter Zwischenfällen und Schwierigkeiten (gebrochene Karosserie, Dünen, offenbar falsch gewählter Weg) an den Rand von Merga gekommen und hat dort Gongois Kamele und Menschen gesehen. Worauf er, da er doch nicht allein die Bande verhaften konnte, wieder abfuhr, und zwar nach Uwenat, da sein Wasser zuende ging. – In Uwenat haben die Italiener noch zwei Bilderhöhlen gefunden.

Nichtstun wie gestern. Ein Telegramm von Klement kommt, verspricht das Reisegeld für den Anfang der Woche. – Nachmittag Sandwind. Wir (Alm., Casp.) fahren zum Abendessen zu Bauers nach Meadi; am Morgen hat Norbert B. mich schon besucht und mir zu viele Geschichten von Löwen und Gazellen von seiner Reise erzählt. – Beim Nachtmahl der österreichische Generalkonsul Dr. Stross und seine Frau. Während wir essen, geht ein Gewitter nieder. – Die Angelegenheit geht bis 12 ½, erst um 2 Uhr schlafe ich ein.

Sonntag, 28. Mai. Kairo

Früh im Ezbekisch Garten. Schreibe meinen Artikel über die Höhlenbilder um. Am Abend mit Bauers und Wagner nach Heliopolis in ein Kino. (Sehr kalter Abend, höchstens 25 Grad). Bin wegen Casparius' Zukunft beunruhigt; er steht in einer Krise auch gar zu hilflos da.

Montag, 29. Mai

Warte weiter vergeblich auf Geld von Klement. Vollende die Revision des Artikels, lese Ferreira de Castros Buch. Nachmittag bei Groppi Interview mit Frantiček, dem Neger, den Franz Ferdinand nach Konopišt genommen hatte. – Ich gebe einem Reporter der »Bourse Egyptienne« einen kurzen Bericht über unsere Expedition, einschliesslich der Merga-Episode.

Nachwort
Andreas Stuhlmann

»Zu mir kommen sie alle, die Sehnsuchtskranken, die Wanderlustigen.
Einer, der ein Buch von mir gelesen hat (es handelt von der Suche nach dem
Dorado, nach verschollenen, phantastischen Tempelstädten), kommt in mein
Zimmer und fragt mich, ob ich mit ihm Zarzura suchen will.
Und gleich bin auch ich voll von einem wilden Verlangen nach der verscholle-
nen Oase Zarzura. Obwohl mir ihre Abwesenheit von der Landkarte lange
Zeit hindurch nicht besonders aufgefallen war, ehrlich gestanden.«[1]

Im Dezember 1930 berichtete Arnold Höllriegel, der Sonderkorrespondent des
Berliner Tageblatts, unter dem Titel »Suchen wir Zarzura!« von seiner wahrscheinlich ersten Begegnung mit dem jungen Ungarn László Ede de Almásy. Hinter dem alt-
tiroler Bauernnamen Höllriegel verbarg sich mehr oder weniger offensichtlich der
österreichische Journalist und Schriftsteller Richard A. Bermann. Mit dem Claim
»Suchen wir Zarzura!« begann die Geschichte einer der denkwürdigsten Expeditionen in die Libysche Wüste und für Bermann die abenteuerlichste und gefährlichste
seiner zahlreichen Reisen.

Bermann alias Höllriegel

Richard Arnold Bermann wurde am 27. April 1883 als Sohn des Versicherungs-
angestellten Moritz Bermann und seiner Frau Hannchen in Wien geboren. Ver-
setzungen des Vaters brachten es mit sich, dass er seine Jugend teilweise in Prag verlebte. Als Schüler und Student in Wien las er mit »glühenden Ohren« die Hefte der
Fackel von Karl Kraus, fand Anschluss an die Jungwiener Gruppe, an Arthur
Schnitzler, Hermann Bahr und Peter Altenberg, lernte Sigmund Freud und Victor
Adler kennen, den Führer der österreichischen Sozialdemokratie. Seine Karriere als
einer der bekanntesten Feuilleton-Journalisten und Reiseschriftsteller der Zwischen-
kriegszeit begann er in Berlin, er arbeitete für fast alle großen Zeitungen: das *Berliner
Tageblatt*, die *Vossische Zeitung*, aber auch für die *Frankfurter Zeitung*, das *Prager
Tagblatt* und den Wiener *Tag*. Bermanns Werk umfasst 16 Bücher und etwa 2000
Feuilletons und Reportagen, er übersetzte zudem Romane des Portugiesen José
Maria Eça de Queiroz, des Franzosen Paul de Musset und des Brasilianers José Maria
Ferreira de Castro.

In Berlin verkehrte Bermann im Café des Westens, hatte Umgang mit den Expres-
sionisten um Kurt Pinthus, Else Lasker-Schüler und Kurt Hiller. Er pflegte ebenfalls
intensive Kontakte zur Theaterszene und zur gerade aufblühenden Filmbranche in

---

1 Arnold Höllriegel, »Suchen wir Zarzura! Eine verschollene Oase.« *Berliner Tageblatt*, Morgenausgabe
vom 7. Dezember 1930. 1. Beiblatt.

Deutschland und Amerika. So zählten Elisabeth Bergner, Ernst Lubitsch, Alexander Moissi, Charlie Chaplin oder Douglas Fairbanks jr. zu seinen Freunden.

Als Journalist orientierte er sich an den Vorbildern Heinrich Heine und Karl Kraus. In einem Essay über Heine stellte er sich die Frage, ob man in seiner Nachfolge »zugleich Journalist und Dichter sein« könne.[2] Durch die Bejahung dieser – zur selben Zeit von Karl Kraus entschieden verneinten – Frage wird Heine für Bermann zum Gewährsmann eines ethisch verantwortlichen, modernen, künstlerischen Journalismus. Bermann verfolgte dabei eine Doppelstrategie: einerseits wollte er den klassischen Begriff von »Dichtung« modernisieren und ihren Gegenstandsbereich erweitern, andererseits den Journalismus literarisch aufwerten. Im Beruf des Journalisten brachte er seine literarischen Neigungen und seine politischen Überzeugungen in Einklang. Zum Ausgangspunkt seiner Feuilletons wählte Bermann stets eine kleine »pointierte, bedeutungsvolle oder doch lustige« Anekdote, zunächst ganz im Stil des bekannten Wiener Dichters und *Fackel*-Autors Peter Altenberg.[3] Diese Technik des Erzählens im Feuilleton öffnete ihm den Weg zu einer Form, in der er Literatur und gesellschaftliches Engagement, Information, Unterhaltung und die kritische Diagnose der Zeitläufte kombinieren konnte. Die Verbindung von Tradition und Moderne, von Utopie und Skepsis charakterisiert wie die Mischung von Literatur und Feuilleton sein Werk. Ein ungenannter Kollege des *Berliner Tageblatts* bezeichnete diesen Stil in der kurzen Gratulation zu seinem 50. Geburtstag am 27. April 1933 als die »induktive Methode« eines jener »sehr seltenen journalistischen Erzähler«.[4]

Als Romancier bemühte sich Bermann, seine anekdotischen Erzählstränge mit historischen Ereignissen oder der Beschreibung von Landschaften zu verknüpfen, ohne dabei »journalistische Kunstwerke«, also Kitsch, zu produzieren. Er veröffentlichte 1911 den *Hofmeister* über seine Tätigkeit als Prinzenerzieher in Italien, 1914 *Das Seil* und den Kinoroman *Die Films* [sic] *der Prinzessin Fantoche* als Zeitungsfortsetzung. Zur selben Zeit führen ihn erste Fernreisen nach Irland und Indien, und er begann, sich als Reiseautor einen Namen zu machen. Mit der Annahme des *Seils* im Verlag S. Fischer erhielt er »gleichsam den Adelsbrief« für einen jungen deutschsprachigen Autor.[5]

Reisen und Reisejournalismus

Bermann reiste um die ganze Welt – als Student zunächst nur aus romantischem Fernweh, später dann im Auftrag seiner Blätter. Er verlebte zwischen 1914 und 1937 – nur unterbrochen vom Weltkrieg – einen Teil jedes Jahres unterwegs und

---

2 Richard A. Bermann, »Heine, der Journalist.« *Der Weg* (Wien) vom 17. Februar 1906. S. 13–14, hier: S. 13.
3 Arnold Höllriegel, »Anekdote.« *Berliner Tageblatt* vom 27. Juli 1912.
4 N. N., »Arnold Höllriegel.« *Berliner Tageblatt* vom 27. April 1933.
5 Richard A. Bermann alias Arnold Höllriegel, *Die Fahrt auf dem Katarakt*. Eine Autobiographie ohne einen Helden. Mit einem Beitrag von Brita Eckert herausgeben von Hans-Harald Müller. Wien: Picus, 1998. S. 99.

schrieb Romane und Feuilletons aus allen fünf Erdteilen. Sein Fernweh war in einem Schlüsselerlebnis begründet. Auf seiner ersten Italienreise 1902 sah er auf der Zugfahrt durch die Karstlandschaft bei Triest zum erstenmal das Meer:

> »… ich sah das blaue adriatische Meer tief unter mir, beschienen von der ersten Morgensonne. Aus mir ist später ein Weltreisender geworden. Ich habe in viel trostloseren Wüsten als dem Karst grünende Oasen entdeckt, ich habe von Robert Louis Stevensons Grab auf dem Berg Vala auf die leuchtende Südsee hinabgeblickt, auf Inseln und Palmenhaine. Aber kein Augenblick meiner Reisen hat mir je das Entzücken gegeben wie dieser erste Blick auf ein südliches Meer. Er hat wie Stevenson es ausdrückt, ›in mir eine jungfräuliche Stelle des Empfindens berührt‹; die unbändige Wanderlust, die mein Leben bestimmen sollte, begann dort und damals.«[6]

Die rasche Entwicklung von Schiffs-, Schienen- und Straßenverkehr im ersten Drittel des 20. Jahrhunderts brachte vor allem den ökonomischen und kulturellen Eliten eine wachsende Mobilität. Die technische Entwicklung und zunehmende touristische Standardisierung des Reisens erschloss zwar einerseits erst die meisten außereuropäischen Räume, führte aber auch schnell zu einer technokratischen Entwertung des singulären Reiserlebnisses.[7] Je einfacher es aber für ihn wurde, seine Sehnsuchtsorte zu erreichen und dem Fernweh nachzugeben, um so mehr wuchs Bermanns unbändige Reiselust. Im Reisejournalismus fand er sein wichtigstes Standbein und profitierte dabei, wie viele andere, davon, dass die Reiseliteratur nicht nur zu einer literarisch bedeutenden Gattung geworden war, sondern dass sie sich auch im Feuilleton und auf dem Buchmarkt wachsender Beliebtheit erfreute. So finanzierten Zeitungsverlage wie Ullstein oder Mosse, aber auch Buchverlage wie S. Fischer oder G. Müller die Reisen ihrer Autoren oftmals großzügig vor. Seine »Formel« eines eigenen literarischen Reisejournalismus fand Bermann auf der Insel Jersey, als er zufällig Zeuge eines altnormannischen Rechtsbrauchs, des »Clameur de Haro«, wurde. In der Aufzeichnung dieser kleinen Begebenheit habe er zum erstenmal ein »wenn auch mikroskopisches, doch immer wahres Erlebnis« zum Mittelpunkt einer Reiseerzählung gemacht. Dieses Vorgehen zwinge ihn »zu einer schärferen Aufmerksamkeit, als sie der Durchschnitt der reisenden Journalisten gewohnt ist«.[8]

6 *Die Fahrt auf dem Katarakt,* S. 28. Das Zitat von Robert Louis Stevenson, auf das Bermann anspielt, findet sich in: R.L.S., *In der Südsee.* Aus dem Englischen übersetzt und mit einem Nachwort von Richard Mummendey. München: Manesse im dtv, 1994, S. 11: »Die erste Erfahrung läßt sich niemals mehr wiederholen. Die erste Liebe, der erste Sonnenaufgang, die erste Südseeinsel sind Empfindungen eigener Art und rühren an eine Jungfräulichkeit der Empfindungen.«
7 Bermann war davon überzeugt, dass durch die neuen Massenverkehrsmittel Eisenbahn, Auto und Flugzeug nicht nur eine »homogene, engmaschige, [...] banal-gleichförmige Zivilisation« ohne Unterschied zwischen Stadt und Land, Metropole und Provinz entstehe, sondern sich auch die Perspektive der Naturbetrachtung verändere. Als er während der Reise nach Kanada und in die Südsee aufgefordert wird, bereits sämtliche Züge und Hotels von Montreal bis Sydney vorzubuchen und alle Ausflüge durchzuplanen [sic], fühlte er sich wie »ein Kolli, das man automatisch weiterschupft [sic], mit bunten Etiketten beklebt, rund um eine tarifmäßig regulierte Welt«. Cf. Arnold Höllriegel, »Die neue Landstraße.« *Der Tag* (Wien) vom 19. Juli 1925, S. 3 und »Wozu reise ich in die Südsee?« *Der Tag* (Wien) vom 30. Aug. 1925, S. 5.
8 *Die Fahrt auf dem Katarakt,* S. 104.

»Reisen ist leicht, schwer ist es, nachher und zwischendurch zu Hause zu sein. Aber vielleicht liegt der Fehler an mir; darf ich, der ich mich jährlich einmal so energisch von dieser Heimat losmache, denn fordern, daß sie mich bei der Rückkehr besser behandele? Das täte mir so passen, großartig weltzubummeln, und dann nachher zu tun, als wäre, in den Zwischenpausen, das Recht auf Ruhe das Grundrecht eines berufsmäßig Ruhelosen.«[9]

Die Sehnsucht nach irdischen Paradiesen, nach der Insel Utopia, die sich hinter den weißen Flecken auf der Landkarte verbergen müsse, war neben seiner Neugier und dem ökonomisch bedingten Zwang zur Originalität sein wichtigster Antrieb zu reisen. Oftmals genügte ein kleiner Auslöser, um die Sehnsucht zu wecken. Eine Annonce in der *Times*, die unter dem Titel »1000 miles up the Amazonas River« für eine Schiffspassage den Fluss hinauf bis nach Manaos warb, brachte ihn so an die Grenzen des brasilianischen Urwalds[10], und Stevensons fesselnde Beschreibung seiner letzten Monate auf Samoa führte ihn in die Südsee. Er berichtete über die Friedensverhandlungen in St. Germain ebenso wie über das Pferderennen in Ascot, einen Opernabend in Monte Carlo, die Völkerbundkonferenz in Genua oder Filmpremieren in New York und London. Bermann war Kriegsberichterstatter im ersten Weltkrieg und durchquerte im Zug die USA und Indien. Im Auto bereiste er Kanada und Westafrika. Über seine Reisen nach Irland und Palästina, nach Hollywood, durch die Libysche Wüste und den Sudan verfasste er Reiseberichte, viele Orte und Länder kehren zudem in seinen Romanen wieder.

Das Wunderbare und Besondere ist für Bermann kein Teil der Wirklichkeit, sondern das Ergebnis konstruktiver Imagination. Auf der Suche danach verließ er sich allerdings hauptsächlich auf seinen unbestechlichen Wirklichkeitssinn, um das Fremde am Eigenen ebenso sichtbar zu machen, wie das Eigene am Fremden. Durch ihre »schärfere Aufmerksamkeit« reproduzieren Bermanns Reisebücher daher nur selten stereotype literarische Sehnsuchtsbilder von fremden Kulturen oder dem »ursprünglichen« Dasein von »Naturvölkern«. Für die literarische Erlebnis-Konstituierung des Fremden als Eigenem sind dabei vor allem Lektüreerlebnisse entscheidend. Dabei interessierten ihn vor allem immer wieder Geschichte und Politik, Kunst, Literatur und Alltagskultur seiner Gastländer. Die Lektüreeindrücke erzeugten jene erzählerischen Muster, nach denen Bermann dann Erlebtes, Gelesenes und Recherchiertes zu Texten montierte.[11] Das Fremde am Fremden, den unübersetzbaren Rest, markiert er ablehnend als das »Barbarische«, »Archaische« und »Wilde«.

Die publizistische Auseinandersetzung mit dem europäischen Imperialismus und Kolonialismus nimmt in Bermanns Werk breiten Raum ein. Zwischen Irland und Indien, Lateinamerika und Neuseeland begegnete er überall den zum Teil Jahrhun-

9 Arnold Höllriegel, »Ich reise wieder.« *Der Tag* (Wien) vom 27. November 1927.
10 Bermanns Erlebnisse dieser Reise gingen ein in den Roman *Das Urwaldschiff*.
11 Hier wird sehr deutlich, wir stark sich Bermanns »künstlerischer Journalismus« auf das Vorbild Heinrich Heine bezieht, der in den *Reisebildern* und *Lutetia*, seinen Korrespondentenberichten aus dem Paris der dreißiger und vierziger Jahre des 19. Jahrhunderts dieses Montageverfahren bereits zur Perfektion geführt hatte.

derte alten Spuren einer britischen, französischen, iberischen oder türkischen Vorherrschaft. Hatte er als junger Publizist noch das Modell der britischen Dominions als vorbildlich für den Umgang Österreichs mit seinen nicht-deutschen Landesteilen in Ungarn und auf dem Balkan gepriesen, so wandelte sich dieses Urteil auf seinen Reisen. Während er in seinem Irland-Buch die kulturelle Hegemonie Englands zwar ironisierte, aber als notwendige Prämisse eines Friedensprozesses anerkannte, vermerkt er dreizehn Jahre später in Polynesien und Neuseeland die koloniale Unterdrückung und Zerstörung mit melancholischer Kritik.

Bermanns Zuordnungen von »fremd« und »eigen« sind niemals starr und stets durch Erfahrung und die Annäherung an die fremde kulturelle Logik revidierbar, sie spiegeln die einfache Formsprache der Anekdote und die journalistische Notwendigkeit von Prägnanz und Kürze wider. Auch ihre narrative Form und ihre Argumentationsmuster passen sich den gängigen Formen des Feuilletons an. Die eigentliche Konstituierung des Reiseerlebnisses fand für ihn dementsprechend nicht im Moment des Erlebens statt, sondern in der Regel später, in seinem »Arbeitszimmer mit vier Wänden, mit Büchern, einem Telephon« im Wiener Stadtteil Währig. Auch dort habe er, so Bermann 1931, »gelegentlich romantische Abenteuer erlebt. Ich glaube im Grunde: nur hier.«[12]

Begegnung mit der arabischen Kultur

Bermanns erste Begegnung mit der arabischen Kultur fand 1914 auf einer Kreuzfahrt nach Indien statt, die während der Durchquerung des Suezkanals eine Besichtigung der einschlägigen ägyptischen Sehenswürdigkeiten anbot. Die touristischen Eindrücke dieser Reise blieben aber oberflächliche Impressionen, und Bermann gelang es nicht, hinter die romantische Fassade der europäischen Erfindung »Orient« zu sehen; jener seit der Antike tradierten Projektionsfläche, wie Edward Said sie nennt, für exotische Wesen, außerordentliche Abenteuer und herumgeisternde Erinnerungen und Landschaften.[13] Der Kurzaufenthalt erfüllte eine ganze Reihe von touristischen Klischees, vom Bummel durch die »faszinierenden und geheimnisvollen Basar-Gässchen des Chân-el Chabîl«, über den Besuch in einem »berüchtigten Etablissement am Fischmarkt« bis zum nächtlichen Jeep-Ausflug bei Fackelschein zu den Pyramiden – in Abendgarderobe mit Tropenhelm. Bermann beklagt sich später, nicht einmal die in Port Said angebotenen Souvenirs seien authentisch, sondern stammten aus »Gablonz in Böhmen, der Heimat der internationalen Andenkenindustrie«.[14]

Eine zweite Luxuskreuzfahrt führte ihn 1930 die west- und nordafrikanische Küste vom Senegal bis nach Marokko hinauf. Obwohl er an Bord der luxuriösen

---

12 Arnold Höllriegel, »Abenteuer mit Ariane.« *Berliner Tageblatt* vom 19. Februar. 1931, 1. Beiblatt.
13 Edward W. Said, *Orientalism*. New York: Vintage Books, 1978.
14 *Die Fahrt auf dem Katarakt*, S. 129.

»Duchess of Richmond«, mit Rauchsalon und Meerwasser-Pool reiste, in den prachtvollen Hotels der Compagnie Transatlantique logierte und in komfortablen »Touristenautos« mit Reiseleitung auf festgelegter Route von Sehenswürdigkeit zu Sehenswürdigkeit chauffiert und damit selbst Teil jener kolonialistischen »Belagerung« des Orients wurde, bemühte er sich auf dieser Reise dennoch, Land und Leute zu verstehen. Er hatte sich in den Koran vertieft und sich mittels zahlreicher Reiseberichte und Geschichtsbücher auf die Reise vorbereitet.[15] So tauchte Bermann dieses Mal tiefer ein in die romantische Welt der Souks und Paläste, Grabanlagen und Moscheen. In Rabat etwa beobachtete er melancholisch, wie durch das Zusammenwachsen des modernen, französisch geprägten Teils der Stadt mit seinen Avenuen, Kinos und Cafés mit dem alten »unberührten« Salé, der »Seeräuberrepublik« und Stadt der »gravitätischen Gottesgelehrten« in ihren arabischen Hochschulen und Karawansereien, die »alte Welt« des arabischen Marokkos zu sterben begann.[16]

Je intensiver er sich mit Kultur, Geschichte und Religion des »Orients« auseinandersetzte, um so kritischer wurde seine Haltung zur Rolle der Kolonialmächte in der Region. Hatte er es im Palästina-Buch seinem Co-Autor Arthur Rundt überlassen, die kritischen Worte zur Rolle der britischen Weltmacht im ›Projekt Palästina‹ zu formulieren, fand er 1931 in *Die Derwischtrommel* zu einer differenzierteren Bewertung des kulturellen Verhältnisses zwischen Arabern und Europäern. Am Beispiel der Biographie des »erwarteten Mahdi« würdigte Bermann die arabische als eine der britischen ebenbürtige Hochkultur, an der das »Erlöserwerk« des englischen Empire naturgemäß scheitern musste. Bermann hatte auf seinen Reisen nach Ägypten und in den Sudan im Frühjahr 1923 und von Januar bis März 1929 das Buch vor Ort und im Gespräch mit zahlreichen Zeitzeugen recherchiert. Seine wichtigste Quelle war aber sicherlich Rudolph Slatin Paschas Buch *Feuer und Schwert im Sudan*, in dem der später in Österreich als Volksheld verehrte Slatin über seine Gefangenschaft beim Mahdi berichtet. Bermann hatte Slatin 1919 bei den Friedensverhandlungen von St. Germain kennen gelernt und nahm 1923 bei der Recherche zur *Derwischtrommel* wieder Kontakt zu ihm auf. In diesem Buch rekonstruiert er in romanhafter Form die Lebensgeschichte des charismatischen, kulthaft verehrten Derwisches Mohammed Achmed. Dieser schon kurz nach seinem Tod 1885 von zahllosen Legenden umrankte Ordensscheich erklärte sich 1881 zum »Al Mahdi«, jenem vom Propheten

15 Bermann besaß eine Auswahl-Übersetzung des Koran aus dem Leipziger Insel-Verlag und mehrere Reisebücher sowie historische Werke, etwa René Bazin, *Charles de Foucauld – explorateur du Maroc, ermite au Sahara*. Paris: Plon, 1921; Jules Borély, *Mon plaisir au Maroc*, Paris: Delpeuch, 1927; Émile Dermenghem, *La vie de Mahomet*. Paris: Plon, 1929; Friedrich W. Genthe, *Geschichte der marocanischen Poesie und Sammlung ihrer vorzüglichsten Denkmale*. Halle, Leipzig: Reinicke, 1829; Ernst Kühnel, *Miniaturmalerei im islamischen Orient*. Berlin: Cassirer, 1922; P. F. Rabbe, *Au Maroc. Sur les rives du Bou Begreg. Rabat – Salé – Chella*. 3. éd. Paris : Berger-Levrault, 1922; Tanger. Ed. Par le comité de Propaganda et de Tourisme. Paris: Horizons de France, 1929; *Tausend und eine Nacht*. 7. Aufl. Leipzig: Reclam, o.J.; Jérôme et Jean Tharaud, *Marrakech au les seigneurs de 'l Atlas*. Paris: Plon, 1920: dies, *Rabat au les heurs marocaines*. 63. ed. Paris: Plon, 1929.
16 Arnold Höllriegel, »Hallo, Hallo Radio Maroc!« *Berliner Tagblatt* vom 4. Mai 1930, 1. Beiblatt.

Mohammed vorhergesagten Befreier, der die Völker des Islam aus Knechtschaft und Unterdrückung erlösen werde und dessen Erscheinen das Letzte Gericht ankündige. Mohammed Achmed verwandelte in den Jahren zwischen 1881 und 1885 den Jahrhunderte alten messianisch-esoterischen Mahdikult geschickt in einen Flächenbrand politischer Massenrebellion gegen die englische Kolonialmacht. Die anfänglichen Erfolge seiner schlechtbewaffneten, unorganisierten Mönchs- und Bauernarmee hatten zunächst nur zögerlichen Widerstand der englischen und ägyptischen Besatzer des Sudan zur Folge. Erst als auf dem Höhepunkt des religiösen Erlösungswahns die Truppen des Mahdi Khartum erobert und den britischen Generalgouverneur Charles G. Gordon getötet hatten, schlug das Empire mit unerbittlicher Härte und Grausamkeit zurück. Aber nach dem Tod des Mahdi sollten noch dreizehn Jahre vergehen, bis es Lord Herbert Kitcheners Entsetzungsarmee 1898 gelang, Khartum unter dem Bombardement zweier Kriegsdampfer im Sturm einzunehmen. Ein entsetzliches Blutbad unter den Aufständischen und der Zivilbevölkerung setzte dem »Mahdi-Aufstand« ein Ende. Zu den besonders ausgezeichneten Offizieren gehörte auch der junge Leutnant Winston Churchill.

In seinem Buch zeichnet Bermann ein überraschend positives Bild vom Rebellenheer der arabischen Glaubenskrieger im Gegensatz zu der metaphysisch sinnentleerten Kriegsmaschinerie des europäischen »Fin de siècle«. Auch wenn die Truppen des Mahdi »fanatisch, allahtrunken«, als das »letzte wirkliche Heer des Islam« das wiederauferstandene dunkle Mittelalter des Orients verkörpern, dem »großartig, prunkvoll und mordbereit« das »vollendete neunzehnte Jahrhundert« gegenüberstand, so hatte doch Europa, das schon »auf seinen gräßlichen Bruderkrieg« hinsteuerte, seinen Vorsprung an Humanismus und Aufklärung längst verspielt.[17] Interessanterweise übernahm Bermann für die *Derwischtrommel* einige formale und inhaltliche Strukturelemente aus Joseph Conrads Roman *Heart of Darkness*, hebt aber die »aufgeklärte« arabische Welt deutlich gegen Conrads »Herz der Finsternis«, die »barbarische« schwarzafrikanische Welt des Sudan ab. Damit verschiebt Bermann nicht nur Conrads Demarkationslinie zwischen Zivilisation und Barbarei, sondern nimmt zugleich in der historischen Bewertung des Mahdi-Aufstands die Rolle des Advocatus Diaboli ein, wie Winston Churchill in seinem Vorwort konstatierte.[18] Als er zehn Jahre nach seinen ersten Recherchen wieder mit dem Dampfer in Alexandria ankommt, diesmal im Team von Almásys Wüstenexpedition, öffnet ein Verweis auf das einfühlsam geschriebene Buch, das aus seiner Sympathie des Autors für die arabische

17 Arnold Höllriegel, *Die Derwischtrommel*. Das Leben des erwarteten Mahdi. Berlin: Volksverband der Bücherfreunde/Wegweiser-Verlag: 1931. S. 9-10.
18 »It is always interesting to know, what kind of book the devil would have written – but the theologians never gave him a chance. It is interesting for Britons to learn the Mahdi's point of view, and Richard A. Bermann has performed this in a remarkable book now translated from the German.« Winston S. Churchill, »Introduction.« In: Richard A. Bermann, *The Mahdi of Allah*. The Story of the Dervish Mohammed Ahmed. London/New York: Putnam, 1931. S. XI. Bermann kannte Churchill zu diesem Zeitpunkt noch nicht persönlich. Sein englischer Verleger Huntington hatte den Politiker als Zeitzeugen, der 1899 mit *The River War* selbst ein Buch zum Thema verfasst hatte, um ein Vorwort gebeten, Bermann aber strengstens untersagt, Churchill in dieser Sache selbst anzugehen. Vgl. *Die Fahrt auf dem Katarakt*, S. 289 ff.

Kultur und aus der Kritik an den einzig militärtechnisch überlegenen Kolonialisten keinen Hehl macht, ihm wichtige Türen. Bermann hatte es augenscheinlich verstanden, die Bedeutung herauszuarbeiten, die die Erinnerung an Aufstieg und Fall des »Mahdi« für das Selbstverständnis der Menschen am Nil hat.

Je intensiver sich Bermann der arabischen Kultur annäherte und sich mit den Menschen und ihrer Geschichte und Gegenwart auseinanderzusetzen bereit war, um so weniger lassen sich seine Arbeiten über Palästina, Westafrika, den Sudan oder die Libysche Wüste jener von Edward Said als »Orientalismus« bezeichneten Geschichte der unscharfen künstlerischen, politischen und wissenschaftlichen Projektionen auf den Nahen Osten zurechnen.

Zarzura

Von der ersten Begegnung mit Almásy bis zum Start der internationalen Expedition zur Oase Zarzura und den geheimnisvollen Flusstälern im März 1933 verstrichen knapp zweieinhalb Jahre.

Der weitgehend mittellose Junker, Flieger und Abenteurer par excellence Almásy faszinierte Bermann. Er war am 22. August 1895 auf Schloss Bernstein im damaligen Westungarn der k.u.k. Monarchie, dem heutigen Burgenland, geboren worden. Sein Vater war der bekannte Asienforscher György Almásy, seine Mutter eine Steirerin. Er beherrschte sechs Sprachen fließend, darunter Arabisch, und erwarb im Alter von 17 Jahren in England den Pilotenschein. 1921 verlieh ihm der abgedankte Kaiser Karl eine in Ungarn nie offiziell bestätigte Grafenwürde für seine Dienste bei dem Versuch, die ungarische Königskrone wieder zu erringen. Almásy wurde Werksvertreter für Steyr-Autos, reüssierte als Rennfahrer, Autopionier, Pilot und Löwenjäger. Er vermochte Menschen mit seinem Charme und seinen brillanten Begabungen zu fesseln, die seine reaktionäre politische Gesinnung überblendeten. So gelang es ihm auch, Bermann mit seiner Begeisterung für jene tief im Innern des Hochplateaus Gilf Kebir verborgenen, geheimnisvollen Flusstäler anzustecken und ihn dazu zu bewegen, die Expedition zur schon seit Herodot mythenumrankten »Oase der Kleinen Vögel« mitzufinanzieren.

Almásy und die Erforschung der Libyschen Wüste

1926 hatte Almásy eine erste Autoexpedition von Alexandria nach Khartoum, in den Süden des Sudan zum Dinder-Fluß und zum Weißen Nil unternommen. Als reines sportliches Abenteuer durchquerte er allein die Nubische Wüste. Drei Jahre später fuhren er, Prinz Ferdinand von Liechtenstein und der englische Industrielle Anthony Brunner mit zwei Steyr-Autos von Mombasa nach Kairo auf der berüchtigten Route der Sklaventransporte »Darb el Arbain«, der »Straße der 40 Tage«. Die Gruppe durchquerte als erste mit dem Auto den »Sud«, das gefährliche Sumpfgebiet zwischen Mombasa und Khartoum. Rudi Mayer, Kameramann der ersten österreichischen Wochenschau, dokumentierte diese Expedition im Film *Durch Afrika im Automobil*. Auf dieser Reise, behauptet Almásy, habe er von einem alten Kabir, einem beduinischen Wüstenführer, die beiden großen alten Legenden der Libyschen Wüste gehört, die in der Folge sein Forschen beherrschen sollten: die Geschichte von der verschollenen Armee des Perserkönigs Kambyses und die Geschichte der tief im Innern der Wüste verborgenen Oasenstadt Zarzura.[19]

Wiederum drei Jahre später, im Frühjahr 1932, hatte sich Almásy am ägyptischen Königshof etabliert und den Prinzen Kemal ed Din [auch: el Din] als Patron gewonnen. Mit der Ausnahme der Oase Kufra im äußersten Westen war praktisch die gesamte Libysche Wüste nach Süden und westlich von Dakhla unbekannt und auf den meisten Karten mit dem Hinweis »unpassierbare Dünen« versehen. Damit war dieses Gebiet der größte »weiße Fleck« auf der Landkarte der Erde. Dazu kam, dass die Dünen aus einem sehr weichen, nachgiebigen Sand bestehen, der sie auch für Kamele unüberwindlich macht. Der Prinz hatte selbst 1926 im Innern dieses unbekannten Terrains das enorme Sandsteinplateau Gilf Kebir entdeckt, das so groß wie die Schweiz und von steilen Klippen begrenzt ist. Almásy, Kemal ed Din und sein Kämmerer Ahmet Hassanein Bey, der neben Kemal ed Din bedeutendste Wüstenkenner am ägyptischen Hof[20], glaubten nach dem Studium alter Karten, historischer Dokumente und Forschungsberichte und nach Gesprächen mit Beduinen, dass Zarzura im Innern des Gilf verborgen sein müsse. Sie stützten sich dabei auf John Ball, einen britischen Kartographen, der die Oase zunächst rein rechnerisch auf einer der »Darb el Arbain« ähnlichen Route von Dakhla nach Kufra verortet hatte.[21]

Im Frühjahr 1932 nahm Almásy gemeinsam mit den englischen Forschern Patrick A. Clayton, Hubert W. G. J. Penderel und Sir Robert Clayton-East-Clayton an einer von dem bereits kranken Kemal ed Din autorisierten Expedition mit Lastwagen und einem Flugzeug zur Erkundung und Vermessung des Gilf Kebir teil. Almásy selbst hatte im Jahr zuvor versucht, mit dem Flugzeug das unbekannte Gebiet zu erkunden, war aber schon auf dem Flug von Ungarn nach Ägypten mit seiner Maschine über Syrien in einen Sturm geraten und hatte notlanden müssen. Die Expedition berief sich auf Aufzeichnungen Sir John Gardner Wilkinsons (1797–1875), eines englischen Forschers, der 1835 in Dakhla von Zarzura gehört hatte. Wilkinson sprach von drei Wadis, Flusstälern südwestlich von Dakhla, die zusammen die Oase Zarzura bildeten. Wilkinsons Bericht hatte für Almásy und seine Begleiter deshalb

19 László Almásy, *Unbekannte Sahara*. Mit Flugzeug und Auto in der Libyschen Wüste, Leipzig, F. A. Brockhaus, 1939. (Im Original Ungarisch: *Az ismeretlen szahara*, Budapest, 1934). Wiederveröffentlicht und um die fehlenden Kapitel der ungarischen Ausgabe sowie Dokumente zur »Operation Salaam« ergänzt als *Schwimmer in der Wüste*. Herausgegeben und mit einem Vorwort versehen von Michael Farin und Raoul Schrott. Innsbruck: Haymon, 1997.
20 Bermann charakterisiert Hassanein Bey als »in Oxford erzogen, sehr vergeistigt«, er habe »ein feines Profil«, sei »gescheit, lebhaft, ein Mensch, mit dem ich gleich Kontakt habe, so dass es mir schwer fällt, von Zeit zu Zeit ›Exzellenz‹ zu sagen«. H. Bey kannte Bermanns *Derwischtrommel* gut, in Bermanns Bibliothek in seinem Nachlass wiederum befand sich ein Exemplar der deutschen Ausgabe von *Rätsel der Wüste*, Leipzig: Brockhaus, 1926, mit einer handschriftlichen Widmung und der Datierung »Cairo 1933«.
21 John Ball, »Problems of the Libyan Desert.« *The Geographical Journal*, Vol. LXX (1927), S. 21–38; 105–128 und 209–224.

ein solches Gewicht, weil auch andere von ihm erwähnte Oasen durch gezielte Vermessung, Berechnung und Erkundung exakt hatten nachgewiesen werden können. Auch der Deutsche Gerhard Rohlfs und der Engländer Harding King erwähnten in ihren Forschungsberichten die geheimnisvolle Oase. Die Expedition entdeckte tatsächlich mit Sir Roberts Flugzeug, einer De Havilland Gypsy Moth mit dem Namen »Rupert«, aus der Luft ein bewaldetes Tal, konnte es aber nicht mit dem Auto erreichen, da sich kein Zugang fand. Ohne eine endgültige Gewissheit, Zarzura entdeckt zu haben, musste die Gruppe wegen Wasser- und Benzinmangels nach Kairo zurückkehren, obwohl Almásy zuvor auf spektakuläre Weise das unerforschte Terrain des Gilf durchquert, die Oase Kufra erreicht und von der dort stationierten italienischen Garnison Wasser und Benzin erhalten hatte.

Im weiteren Verlauf des Jahres 1932 erlitten Almásys Bemühungen um eine erneute Expedition unter seiner Führung empfindliche Rückschläge. Prinz Kemal ed Din verstarb nach langer Krankheit im Juli, und Baron Robert Clayton-East-Clayton erlag im Alter von nur 24 Jahren einer nicht identifizierten Krankheit. Zudem blieben auch andere Forscher nicht untätig, die Suche nach Zarzura wurde zu einem Wettlauf. Trotz der Zusage John Balls, nun Leiter der ägyptischen Kartographiebehörde, keinen seiner Leute mehr im Winter in die Wüste zu entsenden, unternahm Wing Commander Hubert Penderel von der RAF noch im Dezember und Januar zwei Erkundungsflüge über den Gilf Kebir und Uwenat. Er entdeckt, dass der Gilf von einem breiten Tal, dem »Gap«, in zwei Teile geteilt ist und sein Inneres von Osten mit Autos erreichbar sein müsse. Zur selben Zeit gelang Patrick Clayton von der Desert Survey Group die erste Ost-West-Querung der Großen Sandsee von Ain Dalla aus in Richtung Süden. Er fand dabei nicht nur ein seltenes Mineral mit Namen »Libysches Wüstenglas«, dessen Entstehung er auf einen außerirdischen Einfluss zurückführte, sondern er betrat auch das vom Flugzeug aus entdeckte Wadi Abd-El-Melik und ein weiteres, das Wadi Hamra.[22]

Im März 1933, nur wenige Tage bevor Almásy mit seinen Gefährten aus Kairo aufbrach, reisten Patrick Clayton, Lady Dorothy Clayton-East-Clayton, die Witwe Sir Roberts, und Commander Roundell, auf den Spuren der Erkundungen vom Winter wieder in den nördlichen Gilf und zu den Wadis. Lady Dorothy war in ihrem eigenen Flugzeug von England nach Kairo geflogen, hatte die Karten und Pläne ihres Gatten im Gepäck und wollte die Suche ihres Mannes nach Zarzura durch das Aufspüren und Kartographieren des letzten der drei von Wilkinson erwähnten Wadis krönen. Auf Anraten von Roundell und Hassanein Bey verzichtete Lady Dorothy aber auf ihr Flugzeug zur Erkundung des Gilf und vertraute sich der Führung Claytons an. Die Expedition verfügte über sechs Ford-Jeeps, sie bestand außer den drei Briten aus zwölf Arabern und Sudanesen und durchquerte mehrfach den Gilf und die Große Sandsee, ohne jedoch signifikante Entdeckungen zu machen. Zwar

---

22 Sein Sohn Peter schreibt in seinem Bericht über die Unternehmungen seines Vaters darüber. Vgl. Peter Clayton, *Desert Explorer.* Cargreen: Zerzura Press, 1998.

gelangte sie in eines der beiden bereits entdeckten Wadis, das dritte jedoch blieb verborgen, und es fanden sich keinerlei Spuren des in den Sagen erwähnten Sees oder gar einer menschlichen Siedlung.

»We found the entrance on the eastern side and penetrated some way along it, though a shortage of petrol and water limited our movements. The wadi is well wooded, and we saw a considerable amount of animal life. There were birds and there were foxes, one of which I photographed, but we found no surface water. It is possible that there may be pools in the rocks farther up the valley. In one ravine we found a cemetery of mountain sheep. Hundreds of skeletons were piled one on top of the other in a narrow cleft. Whether it is the place where mountain sheep go to die, or a herd was overtaken by some catastrophe it is difficult to say. There is, so far as I know, no parallel to this place of death.«[23]

Vor allem durch Patrick Clayton gelang es, in nur vier Wochen mehrere kleine weiße Flecken auf der Karte der westlichen Libyschen Wüste zu füllen. Lady Claytons Bericht schreibt – sehr britisch – diese Erfolge neben der Erfahrung ihrer Begleiter vor allem dem Teamgeist der Gruppe und der Leistungsfähigkeit der Autos zu: »This finally convinced us that there is no country which cannot be traversed with a little optimism and a Ford lorry.«

Die Expedition

Unter den Erforschern der Libyschen Wüste, gleich ob Offizieren oder Wissenschaftlern, galt Almásy als Außenseiter. Sein Mut, seine Leistungen als Pionier und Führer und seine unglaubliche Ortskenntnis wurden zwar anerkannt, seine wissenschaftlichen Verdienste und seine politischen Überzeugungen wurden jedoch mit großer Skepsis betrachtet. Almásys Engagement in der Libyschen Wüste wurde zu einer gefährlichen Konkurrenz für die Forscher in Diensten der englischen oder der ägyptischen Krone, in einer Zeit, in der Geographie durchaus im Dienste imperialistischer Interessen stand. Almásy organisierte seine Expeditionen zudem unorthodox und brachte häufig Laien, etwa Gönner und Finanziers in die Wüste.

Als er im März 1933 wieder in die Wüste aufbrach, begleiteten ihn außer Bermann erneut der englische Luftwaffen-Offizier Hubert W. Penderel sowie der junge Geodät und Kartograph Dr. Lázló Kádár aus Budapest und der deutsche Photograph Hans Casparius. Die Gruppe erschien Bermann extrem heterogen. Neben Almásy dominiert vor allem der vierzigjährige Penderel, ein »aus einem Band Kipling entsprungener Engländer, der »mit seinem Wüstenbart und seinem zerrissenen Khaki wie ein homerischer Held« aussieht, das Team. Kádár, 24 Jahre alt und Assistent an der Universität Budapest, »fest und stämmig und der gute Boyscout der Expedition«,

---

23 Lady Clayton-East-Clayton, »The Lost Oasis across the Sand Sea. A Posthumous Narrative.« *Times of London* vom 16. September 1933. S. 11.

269

verkörpert einen unbekümmerten Pragmatismus. Casparius, 33 Jahre alt, war ein Berliner Bohemien, Film- und Stadtphotograph, mit dem Bermann auch schon in Kanada und Westafrika eng zusammen gearbeitet hatte. Von Casparius stammen die beeindruckenden Aufnahmen, mit denen Bermann dann später sein Buch *Zarzura – die Oase der kleinen Vögel* illustrierte und die bis heute die visuellen Vorstellungen von der Expedition prägen. Bermann selbst, mit 50 Jahren das älteste und körperlich gebrechlichste Mitglied der Gruppe, sah sich eher als Belastung, denn als Bereicherung des Teams an. Außer diesen fünf Europäern nahmen mit Sabr Mohammed und Abdu Mussa zwei angeworbene sudanesische Fahrer und ein ägyptischer Koch namens Mahmud Abdallah an der Expedition teil. Am 14. März 1933 verließ die Gruppe mit vier Ford-Jeeps Kairo, fuhr den Nil hinunter bis nach Assiut und von dort kontinuierlich nach Südwesten, hinein in die Wüste.

Die Gruppe hatte wenig Illusionen, »Zarzura« wirklich zu finden. Bis auf ein Flusstal war die geheimnisvolle »Oase der Kleinen Vögel« bereits entdeckt und kartographiert, und die Konkurrenzexpedition der Lady Clayton besaß die größeren Chancen, es zuerst zu erreichen. Bermanns ironischer Kommentar lautete: »Also, wenn wir unsere höchst geheime Oase betreten, dürfen wir hoffen, dort bereits eine Reklame für Shell-Benzin vorzufinden.« Unter größten Strapazen kam die Expedition nur mühsam voran. Nach einem Abstecher zum 1875 von Gerhard Rohlfs markierten »Regenfeld« erreichte sie den »Pottery Hill«, das erste Zwischenziel, 300 Meilen westlich von Kharga. 1917 hatte John Ball den Ort auf einer Patrouille entdeckt, erkundet hatte ihn dann nach dem Krieg der Prinz Kemal ed Din, der ihm auch seinen arabischen Namen gab: Abu Ballas – »Vater der Krüge«.

Je deutlicher der Mythos Zarzura zum Alibi der Expedition wurde, um so klarer erkannte Bermann, dass selbst ein scheinbar so entlegener Ort wie die Libysche Wüste im Blick der internationalen Politik stand. Dass Almásy und Penderel mit der Erforschung und Kartographierung der unbekannten Teile der Libyschen Wüste unausgesprochene politische »Nebenabsichten« verbanden, wurde für alle Teilnehmer unübersehbar und belastete die Expedition, Streit brach aus. Da vor allem Penderel und Almásy einen Wüstenkrieg voraussahen, standen für sie die Erhebung möglichst exakten kartographischen Materials und die Suche nach strategisch bedeutsamen Wasserreservoirs sowie nach Pässen, Pisten, Lager- und Vorratsplätzen im Mittelpunkt. Vor allem Almásy provozierte die Gruppe mit »krassesten Chauvinismen« über den nächsten Krieg, der die Menschheit, vor allem die Arbeitslosen, ausrotten solle. Sein Wunschtraum sei, berichtet Bermann beinah fassungslos, allein mit Bauern und Dienerschaft in einer durch Gas von Menschen gereinigten Welt zurückzubleiben, ein Robinsondasein in den Trümmern zu führen und Höhlenzeichnungen von Autos und Flugzeugen zu machen. Da Almásy und Penderel auch nicht bereit waren, einander alle ihre Erkenntnisse und Absichten offen zu legen, begann sich Misstrauen zunächst zwischen ihnen, dann in der ganzen Gruppe zu regen. Bermann vermochte nicht zu schlichten, denn er fühlte sich zeitweilig ernsthaft krank und konnte mitunter kaum das Tagebuch fortsetzen. Vor allem schreibend, lesend und beobachtend enthielt er sich aller politischer Konspiration. Am 27. April 1933, Bermanns 50. Geburtstag, druckte das *Berliner Tageblatt* daheim die oben zitierte Gratulation und sprach zugleich die für ihn als jüdischen und liberalen Publizisten unausweichliche Kündigung aus. Der Brief erreichte ihn Monate später in Kairo und entzog ihm seine wichtigste ökonomische Grundlage.

Am 3. Mai betrat die Expedition, den Spuren der Lady Clayton folgend, das Wadi Abd-El-Melik, ein zweites Zwischenziel ihrer Suche. Da sich hier keine Spuren der berühmten »weißen Stadt« Zarzura finden ließen, kehrte trotz der revidierten Erwartungen Enttäuschung ein, die dadurch gemildert wurde, dass es gelang, das dritte, bisher unentdeckte, aber ebenso trostlose Flusstal, das Wadi Talha auszumachen und zu kartographieren. Einzig Bermanns körperliche Wiederherstellung machte Fortschritte, so dass er am 8. Mai notieren konnte: »Habe Angst vor Ruhr, glaube aber nicht daran, da Allgemeinbefinden entschieden besser und da ich das Essen behalte. Keiner merkt etwas.«

Sein Wohlbefinden war vollends wiederhergestellt, als die Gruppe im Talkessel von Ain Dua in Uwenat, zu Gast bei einer italienischen Einheit, relativ zufällig eines der größten und prächtigsten Ensembles von Höhlenmalereien in Nordafrika entdeckte. Das Hochgebirge Uwenat hatte Hassanein Bey 1923 erkundet, wegen seiner festungsartigen Anlage und seinen wichtigen Quellen lag es im Schnittpunkt der Einflusssphären Italiens, Englands und Frankreichs. Der ungeahnte Erfolg hob die Stimmung der Gruppe beträchtlich, auch wenn die Italiener sofort versuchten, diesen Fund auf von ihnen reklamiertem Territorium für sich zu verbuchen.[24] Bermann bemühte sich, trotz aller Widrigkeiten während der Reise zu einer Verarbeitung seiner Erlebnisse im Sinne seines künstlerischen Journalismusses zu kommen. So schrieb er, primär aus ökonomischer Notwendigkeit heraus, wie gewohnt Feuilletons, diesmal für die *Neue Freie Presse* in Wien. Als Stoffgrundlage diente ihm dabei sein Tagebuch. Dies benutzte Bermann auch, als er die Artikel zu einem ausführlichen Reisebericht umarbeitete, den er allerdings erst 1938 und bei der exilierten Büchergilde Gutenberg im Verlag Orell Füßli in Zürich veröffentlichte.

Während das Tagebuch ein extrem verknapptes Protokoll aller äußeren Ereignisse und vor allem der Veränderungen seiner eigenen physischen und psychischen Konstitution darstellte, isolierte Bermann für die Feuilletons »[h]umoristisch, pathetisch und lyrisch« einzelne typische Erlebnisse und Beobachtungen, unter dem wieder ins Zentrum gerückten Leitmotiv der Suche nach Zarzura. Die Reise demontierte Stück für Stück ihre eigene romantische Teleologie. Aber nichts von dem, was den Reisealltag bestimmte, weder die zahllosen Autopannen, die vielfachen Irrfahrten durch die Felsenwüste, noch seine schwere Erkrankung an einer Ruhr mit Fieber und blutigem Durchfall, seine Ischiasschmerzen, Hunger, Hitze und die gespannte

---

24 Der Professor Lodovico di Caporiacco, den Bermann und Almásy in Ain Dua kennen lernten, veröffentlichte in diesem Sinn 1934 einen Bericht. Lodovico di Caporiacco, P. Graziosi, *Le pitture rupestre di Ain Doua*. Firenze: Edit. centro di Studi Coloniali e Institi. Geogr. Milit., 1934.

Atmosphäre innerhalb der Gruppe, die sich häufig in Streitereien entlud, boten sich zu einer Literarisierung im gewohnten Kolportagestil an. Der Teufel solle die »kleinen Kochkünste« seiner literarischen Routine holen, fluchte Bermann im Tagebuch, über die Wüste werde er anders schreiben müssen, wenn es was werden solle. In seinem Buch, so etwas wie die offizielle Chronik der Expedition, führt er die illusionslose und stark ironische Perspektive des Tagebuchs und den anekdotischen Erzählstil der Feuilletons wieder zusammen. Bermann blendet dabei die politischen Implikationen der Erlebnisse weitgehend aus und geht nur mit wenigen Sätzen auf die Situation in Deutschland und Österreich ein. Auch seine zeitweise schwere Verzweiflung und Krankheit streift er kaum. Die schrittweise Entzauberung des Traumes Zarzura legt er als Parabel für die Desillusionierung romantischer Konzepte vom Orient und das absehbare Scheitern einer auf Verständigung angelegten Friedensordnung in Europa an. Diesem Scheitern setzt Bermann das Bild des romantischen Abenteurers Almásy und seiner Expedition als dem multinationalem »Gongoi-Klub« entgegen. Trotz aller persönlichen, politischen und kulturellen Spannungen sei es, so suggeriert Bermann, den Teilnehmern gelungen, in diesem freundschaftlichen Zusammenschluss die gemeinsam gesteckten Ziele zu verfolgen.

Nicht ganz ohne Provokation führte Bermann in seinem Vortrag vor der *Royal Geographical Society* am 8. Januar 1934 in London zu den Ergebnissen der Expedition »old Herodotus« als »the best Baedeker of the Libyan Desert still existing« an.[25] Zur Strategie der Literarisierung der Reise gehörte es auch, dass Bermann die ›Geschichte und Geschichten‹ der Libyschen Wüste mehr und mehr durch die Brille der Historien Herodots betrachtete. Herodot, durch seine Sozialisation im anatolischen Halikarnass wie Bermann ein Grenzgänger zwischen den Kulturen, hatte seine Historien dem Vergleich der orientalen und der okzidentalen Kultur gewidmet. Anlass und Ausgangspunkt war der glückliche Abwehrkampf der Griechen gegen die Perserkönige Dareios und Xerxes zu Beginn des fünften Jahrhunderts v. Chr. Im Vergleich beurteilte Herodot die fremden Kulturen immer nach dem Maßstab der überlegenen griechischen. Der »Vater der Geschichtsschreibung« etablierte damit ein Bewertungsmuster historischer Ereignisse aus der Perspektive der Sieger, wie es sich in der Historiographie des Abendlandes bis zum britischen Empire etwa bei Macaulay und in der Literatur bis ins Romanwerk Joseph Conrads erhalten hat. In der von Bermann verwalteten Reisebibliothek, die nicht nur astronomische Almanache, geographische Berichte von Gerhard Rohlfs, Kemal ed Din und ein Standardwerk über Dünenbewegungen, sondern auch eine englische Ausgabe der Märchen aus *Tausend und eine Nacht*, einen Krimi und T. E. Lawrences *Revolt in the Desert* enthielt, bot nur Herodot einen Anknüpfungspunkt zum Zarzura-Mythos an. Bermann setzte

---

25 Dr. Richard A. Bermann, »Historic Problems of the Libyan Desert.« *The Geographical Journal* LXXIII (1934): S. 456–463. Hier: 458. Bermann lehnt sich im Titel bewusst an den epochalen Aufsatz von Ball aus dem Jahr 1927 an.

damit ein deutliches Signal, dass er nicht bereit war, als Geograph oder Historiker aufzutreten und mit Bezug auf das dichte Feld der Fachliteratur zu sprechen, er wählte vielmehr den Zugang über die Literatur.

So bezog er eine Passage aus dem sechsten und siebten Kapitel des dritten Buchs zum Krieg des Perserkönigs Kambyses gegen Ägypten direkt auf die historischen Artefakte am Abu Ballas: Von den etwa 300 tönernen Krügen in dem Wasserdepot am Fuße des Hügels waren nämlich einige der Form nach afrikanischen Ursprungs, viele aber, für Bermann überraschend, waren griechische Amphoren.

> »When we rested in Abu Ballas, Almasy showed me the map. Tracing a rough line from Dakhla to Kufra he explained that Abu Ballas was situated at the end of the first third of the distance. Was it not likely that at the end of the second third […] caravans must have had another point of support containing water and food for their camels? Was this second point another deposit of jars, or was it the wadi of Zerzura in the Gilf Kebir? Prince Kemal ed Din had discovered on the rocks of Abu Ballas some prehistoric rock engravings showing figures of men and animals. So this place has been known to mankind long before the time when Greek amphorae were in use. But how could these amphorae have come into the desert?«[26]

Bermann war überzeugt, dass die »griechischen Amphoren« Restbestände der von Kambyses von den Ägyptern und Arabern requirierten Wasservorräte sein müssten, denn Herodot zufolge hätten die Ägypter griechische Amphoren zur Vorratshaltung benutzt.[27] Bermanns Hypothese ging sogar so weit, dass Kambyses sich wahrscheinlich auf eine weitere Oase im Gilf Kebir verlassen habe, so dass Spuren dieses Feldzugs in den erhofften Ruinen von Zarzura zu vermuten seien. Für Bermann leiteten sich auch die zahlreichen Geschichten über die verschollenen Karawanen und Truppen im Gebiet des Gilf letztlich wieder von Herodot ab. Sogar für die sensationellste Entdeckung der Expedition, der über 800 Einzelbildern umfassenden Gruppe von neolithischen Felszeichnungen in Uwenat, fand Bermann bei Herodot ein »historisches« Erklärungs- bzw. Erzählmuster. In den Troglodyten der libyschen Wüste, die Herodot im 183. Kapitel seines vierten Buches erwähnt, erkannte Bermann die Vorfahren der dort heimischen Tibu.[28] Der Tibu Ibrahim, ein Karawanenführer aus Kufra, erscheint ihm ganz in diesem Muster als »geschmeidige, schlanke Schlange«

---

26 »Historic Problems of the Libyan Desert«, S. 458.
27 Herodot, Historien. Übersetzt von Walter Marg. Mir einer Einführung von Dieter Fehling und Erläuterungen von Bernhard Zimmermann. Bibliothek der Antike. München: dtv/Artemis, 1991. Band 1, S. 226.
28 Herodot, *Historien*, Band 1: 392. Herodot kennzeichnet die »aithiopischen« Troglodyten durch ihre Schnelligkeit, dadurch, dass sie sich von »Schlangen, Eidechsen und anderm solchen Gewürm« ernähren und eine Art Sprache hätten, die dem Kreischen von Fledermäusen ähnele. In seinem Vortrag behauptete Bermann diese Beschreibung passe auf die heutigen Tibu, was er an ihrer Schnelligkeit und dem Klang ihrer Stimmen fest machte. »Historic Problems of the Libyan Desert«, S. 462.

mit einem »zahnlosen Mund, der uralt ist, listigen Augen, die jung zu sein scheinen«. Sein Arabisch habe jenen »urfremden, barbarischen Akzent«, der ihn als Nachfahren von Herodots Troglodyten kennzeichne.

Zwar findet Bermann in der ausgearbeiteten Fassung des Zarzura-Buches zu einer distanzierteren und selbstironischeren Sicht, doch bleibt seine Wahrnehmung der Libyschen Wüste literarisch vor allem durch Herodot vorstrukturiert. Das Märchen von der verborgenen, unermesslich reichen Oasenstadt, dessen Spur Almásy in Büchern von Historikern des 8. bis 15. Jahrhundert, in mythisch-religiösen Texten und Handbüchern für Schatzgräber, wie dem ausführliche zitierten *Kitab Al Durr Al Makmuz* verfolgt hatte, ist letztlich für ihn ein erzählerisches Dekor, ein Traumbild, dass als eine Art Leitmotiv dient.[29] Letztlich war Bermann zu sehr Journalist und Rationalist, um selbst Träumen wie dem El Dorado, dem Troja Homers oder der Insel Bimini mit der Quelle der ewigen Jugend nachzuhängen. Er bewunderte und beneidete aber die besessenen Helden dieser Märchen, Konquistadoren wie Ponce de Leon oder Cortéz, Schliemann oder Almásy.

Das Tagebuch dokumentiert auch Bermanns Federführung bei der Gestaltung der narrativen Teile des auf der Fahrt erstellten Films und berichtet von der Arbeit an einer daraus erwachsenen Erzählung mit dem Titel »Der Meharist« bzw. »Die letzte Oase«.[30] Zunehmend wurde während der Expedition seine Rolle als schreibender Chronist von den immer bedeutsamer werdenden Medien Photographie und Film herausgefordert. Am Beispiel seiner Zusammenarbeit mit Casparius beschreibt Bermann das Verhältnis von Kamera und Feder so:

»Der Photograph kann seinem Begleiter, dem Reiseschriftsteller, sehr helfen, indem er ihn erbarmungslos zum Sehen des Einzelnen erzieht. Freilich verliert der richtige Photograph sein Interesse am Weltbild vollkommen, sofern es nicht entsprechend beleuchtet ist; hier ist die Feder, die sonst alle Umrisse soviel unbeholfener nachzeichnet, im Vorteil gegenüber der Kamera.«[31]

Bermann und Casparius gerieten mit ihrem narrativen und fiktionalisierenden Absichten bei der Stoff- und Motivsuche in Konflikt mit den dokumentarischen und geographischen Absichten von Almásy, Penderel und Kádár. Bermann war sich jedoch mit Almásy darin einig, das Casparius' Künstler-Habitus, seine »indolente Art«, ein effizientes und erfolgreiches Filmen eher behinderte. »Ein Mops, oder meinetwegen ein Bernhardiner, ist eben kein Jagdhund. Mein Fehler, ihn zu so einer Expedition zu verleiten«, resümiert Bermann im Tagebuch. Der Film mit dem Titel

29 László Almásy, *Schwimmer in der Wüste,* S. 70–76.
30 Es scheint, als ob Bermann in diesem Text – ähnlich wie in der *Derwischtrommel* – die Historie der Senussi, die Lektüre von T. E. Lawrence und Elemente der politischen Phantasien Almásys zu einer Geschichte verwoben hat. Die Erzählung konnte aber bisher in seinem Nachlass nicht gefunden werden.
31 Arnold Höllriegel, »Kamera in Afrika.« *Ton und Bild.* Illustrierte Beilage des *Berliner Tageblatts*, Nr. 18 (1930). Zit. nach dem Band *Photo: Casparius.* Hrsg. von der Stiftung Deutsche Kinemathek in Zusammenarbeit mit der Landesbildstelle Berlin und der Berliner Festspiele GmbH, Staatliche Kunsthalle Berlin, 1978. S. 55.

Nomaden der Wüste, den Bermann und Casparius anfertigten und dessen Vorfinanzierung durch die Universal Pictures die Expedition erst mit ermöglichte, spiegelte in anekdotischen Episoden wohl eher eine bunte, fremde Märchenwelt als die kulturellen Erfahrungen der Reise wider. Bermann und Casparius schwebte ein »robuster, nicht eben psychologisch wertvoller Film in der Art der Romane von Rider Haggard« vor.[32] Er gilt heute als verschollen, da die einzige Schnittfassung bei einem Bombenangriff auf das Berliner Studio von Casparius verbrannte.[33]

Epilog

»If the problem of Zerzura still remains unsolved, an area in which there are wadis with trees and some vegetation had been found. There may even be more than one such valley where recently none was known to exist. When all these have been visited and the Oasis of Birds has still not been located, then we shall have narrowed down even further the Zerzura problem, perhaps to the vanishing point: but until that has been done the lost oasis is still there to be found.«

Mit diesen Worten beendet Lady Dorothy Clayton-East-Clayton ihren Bericht über ihren eigenen Beitrag zur Suche nach Zarzura. Die *Times* publizierte ihn am 16. September 1933, einen Tag nachdem Lady Dorothy unter ungeklärten Umständen bei einem Flugunfall ums Leben gekommen war.[34]

Die Zeitumstände setzten weiteren multinationalen Unternehmungen, wie denen des »Gongoi-Klubs«, vorläufig ein klares Ende. Und vielleicht endete zudem mit der »Almásy-Expedition« unwiderruflich jene Ära, in der solche Expeditionen noch von Abenteurern, Schwärmern und reichen Sonderlingen bestritten wurden, wie Almásy, Bermann, aber auch die Claytons es waren. Ihren Platz nahmen nun entgültig nationale Interessen und die professionelle Wissenschaft ein. Zur Präsentation vor der *Royal Geographical Society* am 8. Januar 1934 kamen aber immerhin noch einmal mit Bermann, Kádár und Penderel drei der Gruppe in London zusammen. Penderel fand wahrscheinlich als Luftwaffenpilot im Weltkrieg den Tod, Kádár wurde in Debrecen noch während des Krieges Professor für Geographie, später dann Präsident der *Ungarischen Geographischen Gesellschaft*. Casparius emigrierte nach England,

---

32 Die Romane von Sir Henry Rider Haggard wie *King Salomon's Mine* (1886), *She* oder *Quartermaine* (beide 1887) gehören zu den erfolgreichsten exotistischen Abenteuerromanen in der Nachfolge von Stevensons *Treasure Island* (1883). Hollywood griff diese Stoffe gern und immer wieder auf. Allein *King Salomon's Mine*, die Geschichte einer Afrikaexpedition dreier weißer Abenteurer und ihrer schwarzen Diener auf der Suche nach einem verschollenen Schatz, wurde insgesamt neun Mal verfilmt; die Figur des Quartermaine, in dessen Rolle Bermann Almásy sah, gehört bis heute fest in Hollywoods Typenrepertoire.
33 Hans Casparius, *In my View. A Pictorial Memoir*. With an introduction by Sylvia Beamish. Lemington Spa/Hamburg/New York: Oswald Wolff Books/Berg Publishers, 1986. S. 64–73.
34 N.N., »Obituary. Lady Clayton East Clayton. Traveller and Explorer.« *Times of London* vom 16. September 1933, S. 12.

arbeitete als Photograph und später als Filmemacher. Almásy brachte 1934 den Anthropologen Leo Frobenius und den Geologen Hans Rhotert in den Gilf Kebir und nach Ain Dua. Diese Expedition untermauerte die Bedeutung der entdeckten Felsbilder noch durch zahlreiche weitere Funde, war jedoch auch bemüht, Almásys persönlichen Anteil herunterzuspielen.[35] Nach drei weiteren Fahrten zum Gilf verweigerte das britische Militär Almásy ab Dezember 1935 aus politischen Gründen jede weitere Erlaubnis, die Gegend zu bereisen. Er wurde Leiter einer Flugschule in Kairo und dann 1940 als ungarischer Reserveoffizier der Luftwaffe Rommels Afrika-Korps zugeteilt. Im Rahmen der »Operation Salaam« brachte er im Mai 1942 von Jalo aus zwei deutsche Spione, John Eppler und Hans Sandstede über 2000 km durch den Gilf Kebir und Kharga nach Assiut, und kehrte innerhalb von nur zwei Wochen wohlbehalten nach Jalo zurück.[36]

Seine ehemaligen Konkurrenten Ralph A. Bagnold, Patrick A. Clayton und W. B. Kennedy Shaw formten 1940 auf britischer Seite mit der Long Range Desert Group eine Spezialeinheit, die im Wüstenkrieg schließlich Almásys Aktivitäten zwischen den Frontlinien unterband. Bei Kriegsende hielt sich Almásy auf Schloss Bernstein auf und fiel dort 1945 in sowjetische Gefangenschaft. 1946 vom Volksgerichtshof in Budapest wegen Mangels an Beweisen freigesprochen, konnte er 1948 mit Hilfe des britischen Geheimdienstes nach Ägypten zurückkehren. Nur wenige Tage nachdem er zum Direktor des Desert Institute Cairo nominiert wurde, starb er am 22. März 1951 in Salzburg an einer Darmkrankheit. Der Nachruf, den das *Geographical Journal* ihm widmet, schließt mit dem bitteren Bonmot: »The adventurous Almasy [...] seemed in civilisation to be rather out of his element. On his desert record and on his war record, the judgement can safely be passed: ›a Nazi but a sportsman‹.«[37]

So sehr Bermann von der Begeisterung für den politischen, kulturellen und technischen Fortschritt seiner Zeit geprägt war, so störrisch bewahrte er sich ein »Heimweh« nach der »Robinsonade«, eine Sehnsucht nach Flucht und Exil, für die er in Heinrich Heine, Rudolph Slatin Pascha oder Robert Louis Stevenson literarische Vorbilder fand. Vielleicht hoffte er deshalb, dass ein Rätsel wie Zarzura nicht durch bloße Entdeckungen gelöst werden könne. Almásys letzte These, es müsse sich nach der Aussage des Kameltreibers Abd-El-Melik bei dem gleichnamigen Wadi um Zarzura handeln, enttäuschte ihn zutiefst. Denn in einer Welt ohne Paradiese und Fluchträume hätte eben (oder gerade) auch ein politisch so klar denkender Mensch wie Bermann manchmal »Märchen lieber als Wirklichkeiten« gehabt.

35 Leo Frobenius, »Der Ur-Nil entdeckt. Die Ergebnisse der neuesten Frobenius-Expedition in die Vor-Pharaonische Saharakultur.« *Berliner Illustrierte Zeitung*. Nr. 43 vom Juli 1934; Hans Rhotert, *Libysche Felsbilder*. Darmstadt, 1952. Bermann richtete eine scharfe Attacke gegen Frobenius, als auch dieser Almásys Anteil an der Entdeckung zu reduzieren suchte. Richard A. Bermann, »Der Fall Frobenius.« *Der Wiener Tag* vom 18. März 1934, S. 17.
36 László Almásy, Tagebuch der »Operation Salaam«, Imperial War Museum, London (dort aufgefunden von Michael Rolke), als Supplement in *Schwimmer in der Wüste*, S. 232-253.
37 N.N., »Ladislas Almásy.« *The Geographical Journal*, Vol. CVII/2 (1951), S. 253–254.

Als Juden und prominenten demokratischen Publizisten trafen Bermann die nationalsozialistischen Schrecken mit voller Härte, dem Arbeitsverbot in Deutschland folgten zunehmende Schikanen in Österreich. Bermann aber schrieb unvermindert missliebige Artikel und konnte beim Einmarsch der deutschen Truppen 1938 mehrfach nur knapp einer Verhaftung entgehen. Über die Tschechoslowakei und England gelang ihm schließlich die Flucht ins sichere Exil in den USA. Von 1933 bis zu seinem Tod am 5. September 1939 in Saratoga Springs im US-Bundesstaat New York arbeitete er unermüdlich am Aufbau einer internationalen Hilfsorganisation für verfolgte Schriftsteller und Künstler mit, der American Guild for German Cultural Freedom des Prinzen Hubertus zu Löwenstein. Von seinen Werken ist nur eine kleine Zahl im Buchhandel erhältlich, neben seiner erst postum erschienenen Autobiographie nur zwei Bände mit ausgewählten Feuilletons.

Die Expedition fand ein spätes literarisches Echo in Michael Ondaatjes vielfach ausgezeichnetem Roman *The English Patient*. Bermann taucht darin – wie Bagnold, Hassanein Bey u. a. – unter seinem richtigen Namen und als Mitglied jener Wüstenexpedition auf, in deren Verlauf sich der Held »Almásy« in die englische Adelige Katharine Clifton verliebt. Diese Liebesgeschichte ist frei erfunden, Ondaatje wählte die Szene der Wüstenforscher als exotisches Setting und komponierte aus Motiven des Geschehens und Anleihen an Personen wie Penderel (Madox) oder eben die Claytons (Cliftons) eine eigene faszinierende Geschichte. Anders aber als Ondaatje, der Bermanns Londoner Vortrag von 1934 und Casparius' Photos dazu als Quellen und Inspiration benutzt hat, setzt Bermann in seiner Geschichte von Zarzura, der Oase der kleinen Vögel auf den Dokumentarcharakter und auf die Authentizität des Gesehenen und Geschehenen. Dass es ihm gelingt, das Authentische in eine spannende Erzählung zu kleiden, macht auch nach fast siebzig Jahren den Reiz dieses Buches aus.

Literatur

1. Erwähnte Bücher von Richard A. Bermann

Richard A. Bermann, *Der Hofmeister.* Die Geschichte eines Niedergangs. München/Leipzig: Georg Müller, 1911.

Richard A. Bermann, *Das Seil.* Eine Ehegeschichte. Berlin: S. Fischer, 1914.

Richard A. Bermann, *Irland.* Berlin: Hyperionverlag, 1914.

Arnold Höllriegel, *Die Films der Prinzessin Fantoche.* Berlin/Wien/Leipzig/München: Ilf, 1921.

Artur Rundt und Richard A. Bermann, *Palästina.* Ein Reisebuch. Leipzig/Wien/Zürich: E. P. Tal, 1923.

Arnold Höllriegel, *Tausend und eine Insel.* Ein Reisebuch aus Polynesien und Neuseeland. Berlin: S. Fischer, 1927.

Richard A. Bermann, *Das Urwaldschiff.* Ein Buch vom Amazonenstrom. Berlin: Volksverband der Bücherfreunde/Wegweiser Verlag, 1927.

Arnold Höllriegel, *Hollywood Bilder Buch.* Wien/Leipzig: E. P. Tal, 1927.

Arnold Höllriegel, *Die Erben Timurs.* Ein asiatischer Roman. Berlin: Volksverband der Bücherfreunde/Wegweiser Verlag, 1928.

Arnold Höllriegel, *Du sollst Dir kein Bildnis machen.* Ein Roman aus Hollywood. München: Drei Masken Verlag, o. J. [1930].

Arnold Höllriegel, *Die Derwischtrommel.* Das Leben des erwarteten Mahdi. Berlin: Volksverband der Bücherfreunde/Wegweiser-Verlag: 1931.

Richard A. Bermann, *The Mahdi of Allah.* The Story of the Dervish Mohammed Ahmed. With an Introduction by The Rt. Hon. Winston S. Churchill. London/New York: Putnam, 1931

Richard A. Bermann, *Home from the Sea.* Robert Louis Stevenson in Samoa. Translated by Elizabeth Reynolds Hapgood. Indianapolis/New York: Robbs-Merrill, 1939.

1.2. Artikel für die Neue Freie Presse *(Wien)*

Arnold Höllriegel, »Die Oase der kleinen Vögel«, [neun Teile] *Neue Freie Presse* Nr. 24769-24832: »[I.] Das Problem der Libyschen Wüste.« *NFP* vom 27. August 1933, S. 21–22; »[II.] Die Oase der kleinen Vögel.« *NFP* vom 29. August 1933, S. 10; »[II.] Die Oase der kleinen Vögel.« *NFP* vom 1. September 1933, S.10; »[III.] Grand Sand-Hotel.« *NFP* vom 3. September 1933, S. 25–26; »IV. Der Theodolit.« *NFP* vom 17. September 1933, S. 23–24; »V. Intermezzo in Kufra.« *NFP* vom 1. Oktober 1933, S. 26–27; »VI. Die Oase wird gefunden.« *NFP* vom 8. Oktober 1933, S. 26; »VII. Die Höhlengemälde von Uwenat.« *NFP* 15. Oktober 1933, S. 26–27; »VIII. Die Straße der vierzig Tage.« *NFP* vom 22. Oktober 1933, S. 26; »IX. Epilog in Kairo.« *NFP* vom 29. Oktober 1933, S. 26.

2. Literatur zur Erforschung der Libyschen Wüste

László Almásy, *Unbekannte Sahara.* Mit Flugzeug und Auto in der Libyschen Wüste Leipzig, F. A. Brockaus, 1939. (Im Original Ungarisch als *Az ismeretlen szahara*, Budapest, 1934). Wiederveröffentlicht und um die fehlenden Kapitel der ungarischen Ausgabe und Dokumente zur »Operation Salaam« ergänzt als *Schwimmer in der Wüste.* Herausgegeben und mit einem Vorwort versehen von Michael Farin und Raoul Schrott. Innsbruck: Haymon, 1997.

László Almásy, Tagebuch der »Operation Salaam«, Imperial War Museum, London (dort aufgefunden von Michael Rolke), als Supplement in *Schwimmer in der Wüste*, S. 232–253.

Ralph A. Bagnold,. »The Last of the Zerzura Legends.« *The Geographical Journal* Vol. LXXXIX (1937), S. 265–268. (Rezension des Almásy-Buchs)

– »Early Days of the Long Range Desert Group.« *The Geographical Journal*, Vol: CV (1945), S. 30-46.

– *Sand, Wind and War*: Memoirs of a Desert Explorer. Tucson: U of Arizona P, 1990.

John Ball, »Problems of the Libyan Desert.« *The Geographical Journal,* Vol. LXX (1927), S.:21–38; 105–128 und 209–224.

Richard A. Bermann, »Historic Problems of the Libyan Desert.« *The Geographical Journal,* Vol. LXXXIII (1934): S. 456–463.

– »Der Fall Frobenius.« *Der Wiener Tag* vom 18. März 1934, S. 17.

Lodovico di Caporiacco, P. Graziosi, *Le pitture rupestre di Ain Doua*. Firenze: Edit. centro di Studi Coloniali e Institi. Geogr. Milit., 1934.

Hans Casparius, *In my View*. A Pictorial Memoir. With an introduction by Sylvia Beamish. Lemington Spa/Hamburg/New York: Oswald Wolff Books/Berg Publishers, 1986. S. 64–73.

Peter Clayton, *Desert Explorer*. Cargreen: Zerzura Press, 1998.

Lady [Dorothy] Clayton-East-Clayton, »The Lost Oasis across the Sand Sea. A Posthumous Narrative.« *Times of London* vom 16. September 1933. S. 11.

Leo Frobenius, »Der Ur-Nil entdeckt. Die Ergebnisse der neuesten Frobenius-Expedition in die Vor-Pharaonische Saharakultur.« *Berliner Illustrierte Zeitung*. Nr. 43 vom Juli 1934.

W. J. Harding King, »Travels in the Libyan Desert.« *The Geographical Journal*, Vol. XXIX (1912), S. 133–137 und 192.

– »The Libyan Desert from Native Information.« *The Geographical Journal*, Vol. XXXXII (1913), S. 277–283 und 320;

– *Mysteries of the Libyan Desert*. London, 1925.

Ahmet Mohammed Hassanein Bey, »Through Kufra to Darfur.« *The Geographical Journal*, Vol. LXIV (1924), S. 273–291 und 353–393.

– *Rätsel der Wüste*, Leipzig: Brockhaus, 1926.

Herodot, *Historien*. Übersetzt von Walter Marg. Mir einer Einführung von Dieter Fehling und Erläuterungen von Bernhard Zimmermann. Bibliothek der Antike. München: dtv/Artemis, 1991.

Saul Kelly: The Lost Oasis. The Desert War and the Hunt for Zerzura. Oxford: Westview 2002. 302 S.

Kemal ed Din, »L'exploration du desert de Libye.« *La Geographie*, Vol. 50 (1928), S. 171–183 und 320–336.

N.N., »Obituary. Lady Clayton East Clayton. Traveller and Explorer.« *Times of London* vom 16. September 1933, S. 12:

N.N., »Ladislas Almásy.« *The Geographical Journal*, Vol. CVII/2 (1951), S. 253–254.

Werner Nöther: Die Erschließung der Sahara durch Motorfahrzeuge 1901–1936. München: belleville 2003. 832 S.

Hubert W. G. J. Penderel, »The Gilf Kebir.« *The Geographical Journal*, Vol. LXXXIII (1934), S. 449–456.

Hans Rhotert, *Libysche Felsbilder*. Darmstadt, 1952.

Gerhard Rohlfs, *Drei Monate in der Libyschen Wüste*. Cassel: Fischer, 1875.

W. B. Kennedy Shaw, »Darb el Arbain (The Forty Days' Road).« *Sudan Notes and Records,* Vol. 12 (1929), S. 63–71.

W. B. Kennedy Shaw, *Long Range Desert Group*. The Story of its Work in Libya 1940–1943. London: Collins, 1945. Reprint 1989.

Editorische Notiz

Das Tagebuch, das Richard A. Bermann während der Expedition zur Oase Zarzura führte, liegt heute in seinem Nachlass im Deutschen Exilarchiv 1933 – 1945 der Deutschen Bibliothek, Frankfurt am Main.

Bermann benutzte ein schwarzes Notizbuch mit unlinierten Seiten und machte seine Eintragungen handschriftlich mit einer Feder und Tinte. Die einzelnen Seiten sind von ihm durchnummeriert, auf der Seite 55 springt die Zählung aber irrtümlich auf Seite 58, auf einigen der Folgeseiten fügt Bermann dann die korrekte Seitenzahl nachträglich mit ein, doch auch diese Korrekturen sind nicht konsistent. Das Heft hat auf dem Deckel ein maschinengeschriebenes Etikett mit der wenig korrekten Aufschrift »ARNOLD HÖLLRIEGEL. Tagebuch von der Saharafahrt 1933«, das sehr wahrscheinlich nicht von Bermann selbst stammt.

Der hier abgedruckte Text folgt in Orthographie und Interpunktion dem Original, Eigenheiten wurden beibehalten (ss/ß); wobei allerdings offensichtliche Verschreibungen und Sofortkorrekturen im Text stillschweigend normalisiert wurden. Bei arabischen und englischen Ausdrücken wurde die Schreibung, wo möglich, vereinheitlicht.

Unterstreichungen wurden kursiviert, einzelne eckige Klammern ([) mit denen Bermann einzelne Sinnabschnitte markiert hat, wurden durch Setzung eines Abschnitts ersetzt.

Wir danken vor allem Frau Dr. Brita Eckert und Frau Sylvia Asmus vom Deutschen Exilarchiv 1933 – 1945 der Deutschen Bibliothek, Frankfurt am Main für ihre Hilfe, ihr Engagement und die Genehmigung, den Text des Tagebuchs hier drucken zu dürfen, Herrn Prof. Dr. Hans-Harald Müller von der Universität Hamburg für seinen Rat und seine Unterstützung, Herrn Wolfgang Theis vom Filmmuseum Berlin für die Unterstützung bei der Sichtung und die Genehmigung zum Abdruck der Casparius-Photographien, Herrn Mirko Nottscheid und Frau Franziska Leuchtenberger für unermüdliche Hilfe bei der Transkription des Tagebuchs und seiner Textredaktion, Frau Clementine Zernik aus New York für zahlreiche Hinweise zur Arbeit ihres Onkels Richard A. Bermann und Frau Katherin Kuse für Hinweise zu Hans Casparius.

Frau Clementine Zernik (* 28. 9. 1905 Wien, † 31. 12. 1996 New York) sei diese Ausgabe zugeeignet.

László Almásy
Mit Rommels Korps in Libyen
Aus dem Ungarischen von Wilgerd Nagy

168 S., 12 Fotos · € 19,– / SFR 33,70 · ISBN 3-936298-17-3

Dieses erstmals in deutscher Sprache publizierte Buch des Wüsten-
spezialisten, Fernaufklärers und Hauptmanns der Reserve László Almásy
wurde in den Kriegsjahren 1941/42 in ungarischer Sprache geschrieben, in
Ungarn (einem Verbündeten Hitlerdeutschlands) veröffentlicht und ist
noch von der Siegeszuversicht vor der Katastrophe von Stalingrad und vom
Don (die 2. ungarische Armee wurde dort im März 1943 vernichtend geschlagen)
geprägt. Der Buchtitel lautet wörtlich übersetzt »Bei Rommels Armee in
Libyen«. (Das Afrikakorps aber war 1941 ein Korps mit deutschen Divisionen
und keine Armee – ein Begriff also, der täuschen sollte.)

Aus dem VORWORT: »Vor dem Krieg verbrachte ich 14 Jahre in Afrika.
Davon kann ich mich an acht Jahre erinnern, die ich mich der Aufnahme und
der Kartographierung der Wüste Libyens widmete. Zu dieser Zeit war
die Wüste Libyens der letzte und auch der größte weiße Fleck.
Mit leichten Geländefahrzeugen und mit kleinen Flugzeugen erforschte ich
ungefähr 2 000 000 Quadratkilometer unbekanntes Gelände, welches
in geschichtlichen Zeiten noch von keinem Menschenauge erblickt wurde
und welches vor mir noch kein Menschenfuß betreten hatte. Als die
Flamme des Weltenbrandes sich auch bis zu diesen unberührten Gebieten
ausbreitete, wurde ich auf höheren Befehl wieder in die Wüste beordert. […]
Ich diente als Aufklärer und Kartograph, aber zwei Jahre lang
auch als Soldat zwischen Soldaten.
Die jungfräuliche Oberfläche der Wüste wurde von Panzerketten
durchpflügt, die geheimnisvollen, verschlafenen Oasen vom Kampflärm
erfüllt und die in der ewigen Sonne brennenden nackten Felsgipfel hallten vom
Brausen der Todesvögel wider. Tausende Menschen gingen, kämpften und
litten dort, wo jahrtausendelang nur der flimmernde Sonnenstrahl, der
heulende Sandsturm und das millionenfache Sternenlicht geherrscht hatten.
Unter diesen Menschen war auch ich.«

Selbst in diesem Buch erweist sich die Libysche Wüste als Almásys wahre
Geliebte. Die Vorzeichen aber sind in jenen Jahren andere, der Krieg
potenziert die Gefahren und läßt die Abenteuer des »englischen Patienten«
unmittelbar lebendig werden. Ein Dossier mit neuen, aufregenden
Informationen über das Leben des László Almásy beschließt den Band.

belleville Verlag Michael Farin
Hormayrstr. 15 · 80997 München · email: belleville@t-online.de

Werner Nöther
Die Erschließung der Sahara
durch Motorfahrzeuge 1901 – 1936
Chronik einer Pionierepoche

836 Seiten, 218 Abbildungen, 40 Karten · ISBN 3-933510-81-3 · € 74,– / SFR 127,–

Werner Nöthers Buch – das erste weltweit, das ausführlich die Erschließung der größten Wüste unserer Erde durch Motorfahrzeuge behandelt – erzählt von weit mehr als 100 ungewöhnlichen, geglückten oder fehlgeschlagenen, wohl organisierten oder chaotischen Expeditionen und Reisen.

Der Bogen der geschilderten Ereignisse spannt sich von heute skurril anmutenden Kämpfen gegen die Tücken der Technik und die Tücken weichen Wüstensandes, über abenteuerlich-heitere Testfahrten mit selbstkonstruierten Propellerfahrzeugen bis zu Tragödien und Katastrophen.

Unter den Personen, die dem Leser begegnen, sind leichtsinnige Abenteurer, Wissenschaftler, Rekordsüchtige, Konstrukteure, Erfinder und Bastler, Jagdliebhaber, Vermessungsingenieure, Urlauber, ein Lügenbaron und ein Hochstapler, Transportunternehmer, zwei Mörder, Vertreter des Hochadels, einfache Soldaten und Generäle und nicht zuletzt fähige europäische und afrikanische Mechaniker und Chauffeure.

Ähnlich vielfältig und teils skurril sind die Motorfahrzeuge. Das Aufgebot umfaßt Nobelkarossen, Spezialkonstruktionen großer Automobilfirmen, Motorräder und Beiwagengespanne. Außerdem Automobile, die auf Holzketten, Metallketten oder Teppichstreifen laufen, eine dreiachsige Fehlkonstruktion mit Königsthron sowie einen Luxusbus mit WC, Waschraum mit fließendem Wasser, bequemen Liegen und Maschinengewehr. Zwei der berühmtesten Automobile aller Zeiten sind ebenfalls vertreten: die »Tin Lizzie« von Ford und der »Silver Ghost« von Rolls Royce.

Ein gesondertes Kapitel enthält genaue technische Angaben zu mehr als 60 Fahrzeugmodellen und ausgefallenen Konstruktionen. Zudem ermöglichen 40 Kartenskizzen, ein Ortsregister mit vielen hundert Einträgen sowie ein umfassendes Literaturverzeichnis dem Leser, den Expeditionsrouten und Pisten zu folgen. 218 seltene, zum Teil unveröffentlichte Illustrationen und Fotografien sowie ein Personenregister machen das Buch zu einem Standardwerk für jeden Sahara-Begeisterten.

belleville Verlag Michael Farin
Hormayrstr. 15 · 80997 München · email: belleville@t-online.de

Nikolaus Benjamin Richter
Unvergeßliche Sahara
Herausgegeben und mit einem Nachwort von Michael Rolke
239 S., davon 32 in Farbe, 101 Fotos, Kartenskizzen und Abb. · ISBN 3-923646-88-7 · € 19,90 / SFR 35,20

1942: In Nordafrika wütet ein erbarmungsloser Krieg zwischen den Achsenmächten (Deutschland und Italien) und den Briten. Im Windschatten des grausamen Kriegsgeschehens agiert das Sonderkommando Dora, eine Gruppe von deutschen Wissenschaftlern im Auftrag der deutschen Auslandsabwehr. Ihre Aufgabe ist es, für den mittleren und südlichen Teil Libyens brauchbare Karten zu erstellen, Geländestrukturen zu erkunden, mögliche Flugplätze zu projektieren und militärische Aufklärung zu betreiben.

Einer von ihnen, der Astronom Dr. Nikolaus Benjamin Richter, führt, trotz der Bedrohung und der ungewissen militärischen Lage, Tagebuch und malt auch Aquarelle. Die Essenz seiner Kriegstagebücher bringt er im Jahr 1951 unter dem Titel *Unvergeßliche Sahara* auf den ostdeutschen Büchermarkt, wo sie in einer hohen Auflage vertrieben werden. Allerdings erwähnt er darin nicht mit einem Wort die Kriegslage und seinen militärischen Auftrag. Nur das Erlebnis der Wüste scheint ihn gefangen zu nehmen.

Die Original-Kriegstagebücher Richters lassen dieses Buch heute in einem anderen Licht erscheinen. Im Anhang der Neuausgabe werden denn auch der militärische Hintergrund beschrieben, aus seinen Tagebüchern zitiert sowie erstmals Original-Fotos aus der Zeit des Sonderkommandos sowie alte erhaltenen Wüstengemälde Richters veröffentlicht.

Michael Rolke (Hg.)
Die Karten des Sonderkommando Dora
23 vierfarbige Croquis von Südlibyen · € 64,– / SFR 110,– · ISBN 3 933510-76-7
Auflage: 300! · Nur über den Verlag beziehbar!

Im Sommer 1942 macht sich eine Wissenschaftlergruppe auf, unerforschtes Gelände im Süden Libyens zu kartieren und auf seine Befahrbarkeit hin zu bewerten. Darunter befindet sich auch Nikolaus B. Richter, der am Ende eines Fahrtages die genaue Position durch Astronavigation bestimmt. Es entstehen 23 Croquis (Routenaufnahmen) im Maßstab von 1:200 000 und größer, die in ihrer Detailgenauigkeit auch heute hergestellten Karten noch immer überlegen sein dürften. Nach dem Krieg verschwinden diese Karten in alliierten Archiven und tauchen in Form von Teil-Abschriften in militärischen Karten der Amerikaner wieder auf. Alle 23 Karten werden erstmals veröffentlicht.

belleville Verlag Michael Farin
Hormayrstr. 15 · 80997 München · email: belleville@t-online.de

Nikolaus Benjamin Richter
Auf dem Wege zur Schwarzen Oase
Herausgegeben und mit einem Nachwort von Michael Rolke

324 S., 80 Fotos, Kartenskizzen und Abb. · ISBN 3-933510-68-6 · € 24,– / SFR 42,–

Das 1958 erstmals erschienene Werk Richters berichtet von der Erforschung eines Naturphänomens im Süden Libyens: dem Wau an Namus. Bereits 1942 war Richter im Rahmen von militärischen Forschungsfahrten zu dieser Caldera gekommen, die wohl einzigartig auf dieser Erde sein dürfte.

1955/56 kann Richter mit seiner Frau Lore aus der DDR ausreisen und mit zwei westdeutschen Wissenschaftler-Kollegen diesen einzigartigen Ort erforschen, der bis dahin nur vom italienischen Geographen Desio recht oberflächlich beschrieben worden war. Die Ergebnisse dieser Forschungsfahrt sind eine detaillierte topographische Karte, Erkenntnisse über Flora und Fauna sowie über die Geologie und Geomorphologie dieses explodierten Vulkans.

Noch heute trifft den Reisenden der Zauber dieser Landschaft, wenn er nach ca. 300 km Einöd-Fahrt auf den Krater mit den drei großen Seen und viel grünem Buschwerk hinabblickt, wo sich nach der Explosionskatastrophe von vor ca. 800 Jahren Flora und Fauna ungestört entwickeln konnten. Erst 1916 war dieser Krater zum ersten Mal von einem Europäer betreten worden.

belleville Verlag Michael Farin
Hormayrstr. 15 · 80997 München · email: belleville@t-online.de

Muammar al-Gaddafi
Das Dorf, das Dorf, die Erde, die Erde und der Selbstmord des Astronauten
Prosa

Aus dem Arabischen, kommentiert sowie mit
einem Vorwort von Gernot Rotter

144 S., geb. · € 20,– / SFR 35,40 · ISBN 3-936298-11-4

Muammar al-Gaddafi wird 1942 geboren. 1965 schlägt er die Offizierslauf-
bahn ein. 1969 beendet er die Regentschaft des Königs Idris el-Mehdi. In der
Folge verstaatlicht er u. a. den Besitz ausländischer Ölfirmen. 1980 publiziert
er *Das Grüne Buch*, in dem er einen islamischen Sozialismus propagiert.

1986 bombardiert die USA wegen des Vorwurfs der »Verstrickung des
Landes in terroristische Aktivitäten« Ziele in Libyen. Hunderte Libyer sterben
während der Angriffe. Das verhängte Embargo isoliert das Land fast
vollständig. Der Fall Lockerbie verschärft die Situation. In den letzten Jahren
wurde das Embargo wieder gelockert. Der Dialog kann beginnen.

1993 veröffentlicht Gaddafi einen Band Prosa. Er erscheint in Frankreich und in
Kanada, unter dem Titel *Escape to Hell*.

Gaddafi erzählt in einer anschaulichen Sprache – vom Tod, vom Sterben
seines Vaters, von Männern, von Frauen, von der Erde, vom Leben auf dem Land
und in der Stadt, von Bauern und Astronauten. Er verquickt persönliches
Erleben und philosophischen Diskurs. Er erzählt von sich, manchmal ironisch,
manchmal ernst. Er legt seine Anschauungen dar und berichtet aus
einem fernen Land, das es zu entdecken lohnt.

belleville Verlag Michael Farin
Hormayrstr. 15 · 80997 München · email: belleville@t-online.de